COLLECTION « BEST-SELLERS »

JOY FIELDING

NE COMPTE PAS LES HEURES

roman

traduit de l'américain par Christine Bouchareine

ROBERT LAFFONT

Titre original : THE FIRST TIME
© Joy Fielding, 2000
Traduction française : Éditions Robert Laffont, S.A., Paris, 2002

ISBN 2-221-09610-X
(édition originale : ISBN 0-7434-07-05-9, Pocket Books, New York)

Remerciements

Je tiens à remercier les personnes suivantes : Larry Mirkin, pour son amitié et ses critiques bienveillantes ; le Dr Keith Meloff, pour le temps précieux qu'il m'a accordé et les inestimables connaissances médicales qu'il m'a fait partager ; Beverly Slopen, pour ses encouragements généreux et ses conseils avisés ; Linda Marrow, pour sa perspicacité, sa subtilité et son charme ; John Pearce, pour ne jamais avoir douté de moi ; et enfin mon mari, Warren, et mes filles, Shannon et Annie. Et je dédie à tous cette phrase d'un admirateur de la République tchèque : « Merci à vous d'exister ! »

1.

Elle se demandait comment elle pourrait tuer son mari.

Martha Hart, que tout le monde appelait Mattie, à l'exception de sa mère, la seule à trouver son prénom ravissant, faisait des longueurs dans sa grande piscine rectangulaire. Chaque matin, de début mai à mi-octobre, sauf en cas d'orage ou d'hiver précoce, elle nageait cinquante minutes, soit cent longueurs, alternant la brasse et le crawl. En règle générale, elle entrait dans l'eau avant sept heures de façon à ne pas manquer le départ de Jake pour le bureau et celui de Kim pour l'école. Mais aujourd'hui elle ne s'était pas réveillée ; ou, plus exactement, elle n'avait pas fermé l'œil de la nuit et ne s'était assoupie que quelques minutes avant la sonnerie du réveil. Jake ne connaissant, bien entendu, aucun problème de sommeil, s'était levé d'un bond et précipité sous la douche avant même qu'elle n'eût ouvert les yeux.

– Ça va ? lui avait-il demandé, alors que, déjà habillé, il disparaissait dans un tourbillon sans attendre sa réponse.

« Je pourrais prendre un couteau de boucher », songea-t-elle en fendant l'eau, les doigts crispés sur une lame imaginaire qu'elle plongeait dans le cœur de son mari à chaque mouvement de bras. Elle atteignit le bout de la piscine, repartit dans l'autre sens en repoussant, des pieds, le rebord. À ce geste, elle pensa que la manière la plus facile de se débarrasser de lui serait de le précipiter dans l'escalier. Ou de l'empoisonner, en ajoutant une pincée d'arsenic au parmesan qu'elle saupoudrerait sur ses pâtes préférées. Comme la veille, au dîner, avant qu'il ne reparte au bureau « travailler » sur sa dernière plaidoirie et qu'elle ne trouve dans la poche de sa veste la note de l'hôtel qui clamait son infidélité aussi effrontément qu'un gros titre à la une d'un journal à scandales.

« Je pourrais aussi lui tirer dessus », se dit-elle en crispant la main comme si elle appuyait sur la détente d'un revolver, faisant gicler l'eau entre ses doigts. La balle imaginaire crevait la surface de l'eau et fonçait sur sa cible qui se levait sans méfiance au même moment pour s'adresser au jury. Jake boutonnait lentement sa veste bleu marine, juste avant d'être atteint par la balle. Puis le sang rouge foncé imbibait lentement les rayures diagonales de sa cravate bleu et or, son sourire de gamin se figeait et Jake tombait face contre terre dans la salle du vieux tribunal.

– Mesdames et messieurs les jurés, avez-vous rendu votre verdict ?

– Mort à l'adultère ! cria Mattie en donnant des coups de talon dans l'eau qui s'enroulait désagréablement autour de ses jambes telle une couverture.

Ses pieds lui paraissaient incroyablement lourds, comme si on venait d'y accrocher des blocs de béton. Ses jambes lui semblaient étrangères, et elle avait l'impression qu'on venait de les greffer sur son corps dans le simple but de la faire couler. Elle voulut se redresser mais ne put trouver le fond de la piscine alors qu'il n'y avait qu'un mètre cinquante d'eau et qu'elle-même mesurait un mètre soixante-dix.

– Bon sang, marmonna-t-elle.

Elle avala sans le vouloir une pleine gorgée d'eau chlorée et s'étrangla. Elle se précipita vers le bord du bassin et se souleva, pliée en deux, au-dessus de la margelle de pierre brune, pendant que des forces invisibles continuaient à la tirer vers le bas.

– Bien fait pour moi, hoqueta-t-elle entre deux spasmes douloureux. Ça m'apprendra à imaginer des horreurs pareilles.

Elle s'essuya la bouche et partit soudain d'un rire hystérique, encore entrecoupé de quintes, qui ricocha à la surface de l'eau et résonna désagréablement à ses oreilles. Mais qu'y a-t-il de si drôle ? se demanda-t-elle, sans pouvoir s'arrêter.

– Qu'est-ce qui t'arrive, maman ? Tu te sens bien ?

La voix venait d'au-dessus d'elle. Mattie leva la main pour se protéger les yeux du soleil ardent, braqué sur elle comme une torche, et se tourna vers la terrasse en cèdre qui couvrait tout l'arrière de sa maison de brique rouge. Sa fille Kim se détachait sur le ciel automnal, sa silhouette bizarrement floue. Qu'importe ! Mattie connaissait les traits et le physique de sa fille unique aussi bien que les siens, si ce n'est mieux : d'immenses yeux bleus plus sombres que ceux de son père, plus grands que les siens, le long nez droit hérité du côté paternel ; la bouche en cœur

qui venait d'elle ; les seins avantageux qui avaient sauté une génération, en passant directement de la mère de Mattie à sa petite-
fille, et qui représentaient, déjà, à l'âge tendre de quinze ans, un
atout non négligeable. Kim était grande, tout comme ses parents,
aussi maigre que sa mère l'avait été à son âge, mais elle affichait
un aplomb que Mattie n'avait jamais possédé, même maintenant. Kim n'avait pas besoin qu'on lui rappelle de rejeter les
épaules en arrière ou de tenir la tête droite. Pendant qu'elle se
penchait par-dessus la rambarde en bois, en se balançant comme
un jeune sapin sous la brise, Mattie s'émerveilla de la tranquille
assurance de sa fille en se demandant si elle y avait tant soit peu
contribué.

— Tu vas bien ? répéta Kim, en tendant son cou souple et gracieux vers la piscine. — Ses cheveux blonds étaient tirés en arrière
et serrés en chignon sur le haut de son crâne. Une vraie coiffure
de vieille fille, la taquinait parfois Mattie. — Il y a quelqu'un avec
toi ?

Mattie voulut répondre mais une quinte de toux étouffa ses
paroles.

— Je vais bien, réussit-elle enfin à articuler avant d'éclater de
rire à nouveau.

— Qu'y a-t-il de si drôle ? gloussa Kim, impatiente de partager
son hilarité.

— Mon pied s'est engourdi, expliqua Mattie en rabaissant gra-
duellement ses jambes vers le fond de la piscine, pour constater
avec soulagement qu'elle tenait à nouveau debout.

— Pendant que tu nageais ?

— Oui. C'est drôle, non ?

Kim haussa les épaules, d'un geste qui voulait dire : non, pas
tant que ça, pas au point de rire aux éclats, et se pencha un peu
plus.

— Tu es sûre que tu te sens bien ?

— Oui, oui. J'ai juste bu la tasse, la rassura Mattie en toussant
à nouveau, délibérément.

Elle remarqua que Kim portait sa veste de cuir et prit alors
seulement conscience de la fraîcheur de cette matinée de fin septembre.

— Je pars en cours, reprit Kim, sans bouger. Qu'est-ce que tu
fais aujourd'hui ?

— Je dois emmener un client à une exposition de photos, cet
après-midi.

— Et ce matin ?

– Ce matin ?

– Papa présente sa plaidoirie devant le jury ce matin.

Mattie hocha la tête, sans bien comprendre où sa fille voulait en venir. Elle regarda le gros érable qui surplombait majestueusement le jardin de ses voisins. Son feuillage vert marbré de rouge profond semblait ruisseler de sang.

– Ça lui ferait plaisir que tu ailles le soutenir moralement. Tu vois, comme lorsque tu viens me voir quand je joue dans la pièce de l'école. Pour l'encourager et tout ça.

Et tout ça, pensa Mattie, sans rien dire, préférant continuer à tousser.

– Bon, allez, j'y vais.

– Oui, ma chérie. Passe une bonne journée.

– Toi aussi. Embrasse papa de ma part et souhaite-lui bonne chance.

– Bonne journée, répéta Mattie en regardant sa fille disparaître à l'intérieur de la maison.

Elle ferma les yeux et se laissa couler. L'eau recouvrit immédiatement sa bouche et ses oreilles, bannissant les bruits extérieurs. Finis les chiens qui aboyaient dans les jardins voisins, les chants des oiseaux perchés dans les arbres, et les voitures qui klaxonnaient d'impatience. Tout était calme, paisible, tranquille. Il n'y avait plus de mari infidèle, plus d'adolescente curieuse.

Comment faisait-elle ? Quel type de radar possédait cette enfant ? Mattie ne lui avait rien dit des dernières frasques de son père. Elle n'en avait parlé à personne, ni à ses amies, ni à Jake, ni à sa mère. Elle faillit en rire. S'était-elle jamais confiée à sa mère ? Quant à Jake, elle n'était pas encore prête à l'affronter. Elle voulait d'abord réfléchir et rassembler ses idées, comme un écureuil amasse les noix avant les grands froids, pour choisir la conduite à adopter pendant les longs mois d'hiver.

Mattie ouvrit les yeux sous l'eau et repoussa ses cheveux blond cendré qui se plaquaient sur son visage. Eh bien, ma fille, il est temps de regarder la vérité en face. *The time for hesitating is through* [1], entendit-elle Jim Morrison susurrer au fond de sa mémoire. *Come on, baby, light my fire* [2]. Était-ce ce qu'elle attendait ? Que quelqu'un l'enflamme ? Combien de notes d'hôtel devrait-elle trouver avant de réagir ? Il était temps de passer à l'action. Temps de considérer son mariage objective-

---

1. Ce n'est plus le moment d'hésiter. *(N.d.T.)*
2. Viens, chérie, enflamme-moi. *(N.d.T.)*

ment. *Mesdames et messieurs les jurés, je voudrais soumettre comme preuve cette note d'hôtel.*

– Je te maudis, Jason Hart, cracha-t-elle, à bout de souffle, en remontant à la surface de l'eau. Le prénom de son mari résonnait bizarrement dans sa bouche. Elle ne l'avait jamais appelé autrement que Jake depuis le jour où Lisa les avait présentés l'un à l'autre, seize ans auparavant, à la bibliothèque de l'université de Loyola.

Light my fire. Light my fire. Light my fire.

– Mattie, voici Jake Hart, le copain de Todd dont je t'avais parlé.

– Jake, avait répété Mattie, séduite par la sonorité de ce prénom. Est-ce le diminutif de Jackson?

– Non, de Jason. Mais personne ne m'appelle comme ça.

– Ravie de faire ta connaissance, Jake, avait-elle répondu à mi-voix, craignant de déranger les étudiants studieux qui les entouraient.

– Et Mattie, c'est le diminutif de Matilda?

– Non, Martha, avait-elle avoué piteusement, se demandant une fois de plus comment sa mère avait pu l'affubler de cet affreux prénom qui aurait mieux convenu à l'un de ses chiens qu'à sa fille unique. Je t'en prie, appelle-moi Mattie.

– En fait... j'aimerais même te rappeler.

Mattie avait hoché la tête, les yeux rivés sur la bouche sensuelle du garçon, en se demandant déjà ce qu'elle éprouverait sous la douce caresse de ces lèvres.

– Pardon, s'était-elle entendue bredouiller. Qu'est-ce que tu dis?

– J'ai cru comprendre que tu faisais des études d'histoire de l'art.

Elle avait à nouveau hoché la tête en se forçant à regarder ses yeux bleus, du même ton que les siens, mais avec des cils plus longs, ce qui lui parut presque injuste. N'était-ce pas révoltant qu'un homme ait des cils aussi longs et une bouche aussi sensuelle?

– Et en quoi ça consiste? avait-il continué.

– Devine!

Elle avait dû parler trop fort car cette fois quelqu'un cria : « Chut! »

– Tu viens boire un café?

Il l'avait prise par le bras et entraînée hors de la bibliothèque sans attendre sa réponse, sûr de lui. Et c'est avec la même assurance qu'il lui proposa, le soir même, d'aller au cinéma, puis de venir à l'appartement qu'il partageait avec plusieurs étudiants en droit avant de l'inviter dans son lit. Les dés étaient jetés. Deux mois après ces courtes présentations, deux mois après avoir succombé avec enthousiasme à la longueur séduisante de ses cils et à l'indicible douceur de ses lèvres, elle découvrit qu'elle était enceinte. Et cela, le jour même où Jake avait décidé qu'ils allaient trop vite, qu'ils devaient prendre du recul, ne plus se voir, au moins un certain temps. « Je suis enceinte », lui avait-elle annoncé, hébétée, incapable d'en dire plus.

Ils avaient parlé d'avortement. Puis d'adoption. Et finalement ils avaient cessé de parler et s'étaient mariés. Ou ils s'étaient mariés et avaient cessé de parler, pensa Mattie en sortant de l'eau. Saisie par la fraîcheur de l'air, elle attrapa l'épaisse serviette bleue pliée sur le transat blanc jonché de feuilles mortes. Elle s'essuya les cheveux et s'enroula dedans comme dans une camisole de force. Jake n'avait jamais eu envie de se marier, elle le savait bien. Pas même à cette époque, bien que tous deux fissent semblant, au moins au début, de croire qu'ils auraient, de toute façon, fini par le faire. S'ils s'étaient séparés, Jake se serait rapidement rendu compte qu'il tenait à elle.

Sauf qu'il n'avait jamais été amoureux d'elle. Ni à ce moment-là. Ni maintenant.

Et, en toute sincérité, Mattie n'était pas sûre de l'avoir jamais vraiment aimé.

Qu'elle ait été attirée par lui, c'était indéniable. Elle avait été séduite par son physique et son charme incontestable, il n'y avait pas le moindre doute là-dessus. Mais avait-elle vraiment été amoureuse de lui, elle n'en était pas tellement certaine. Elle n'avait pas eu le temps de le savoir. Tout s'était passé si vite.

Mattie noua la serviette au-dessus de sa poitrine et monta en courant la douzaine de marches en bois qui menaient à la cuisine, ouvrit la porte vitrée coulissante et avança, encore dégoulinante, sur les grosses dalles de carrelage bleu foncé. Normalement cette pièce lui donnait le sourire. Tout y était bleu et jaune d'or, avec une table ronde au plateau de pierre décoré de fruits peints à la main et entourée de quatre fauteuils en fer forgé et en rotin. Mattie en avait rêvé depuis le jour où elle l'avait vue dans un numéro d'*Architectural Digest* sur les cuisines provençales. Elle avait surveillé personnellement les travaux, l'année dernière, quatre ans exactement après leur emménagement dans cette maison de cinq pièces sur Walnut Drive. Jake ne voulait pas refaire la cuisine, ni d'ailleurs vivre en banlieue, même si Evanston n'était qu'à un quart d'heure de route du centre de Chicago. Il voulait rester dans leur appartement de Lakeshore Drive, tout en convenant avec Mattie que la banlieue offrait plus de sécurité, de meilleures écoles et qu'on y disposait évidemment de plus d'espace. Il prétendait que c'était par souci de commodité qu'il refusait de déménager, mais Mattie savait que c'était par peur d'une certaine permanence. Une maison en banlieue représentait une trop grande stabilité surtout pour un homme qui avait déjà un pied dehors.

– Ce sera mieux pour Kim, avait insisté Mattie, et Jake avait fini par accepter.

Il ne refusait rien à Kim. C'était uniquement pour sa fille qu'il avait épousé Mattie.

Il avait commencé à la tromper juste après leur deuxième anniversaire de mariage. Elle l'avait découvert en vidant les poches de son jean avant de le mettre à la machine : des petits mots doux avec des cœurs en guise de points sur les *i*. Elle les avait déchirés et jetés dans les toilettes mais elle avait eu beau tirer la chasse, les morceaux de papier lavande étaient restés obstinément à la surface de l'eau comme s'ils refusaient d'être éliminés aussi facilement. Un présage de ce qui l'attendait, bien que l'image lui eût échappé sur le moment : près de seize années de vie commune ponctuées de lettres d'amour, de numéros de téléphone énigmatiques griffonnés sur des bouts de papier abandonnés n'importe où, et de voix mystérieuses sur le répondeur. Sans compter les chuchotements à peine dissimulés de leurs amis et, aujourd'hui, pour finir, une note d'hôtel du Ritz-Carlton, remontant à quelques mois, à l'époque où elle envisageait la possibilité d'un second enfant, et oubliée dans la poche d'une veste qu'il lui demandait de porter au nettoyage.

Était-il forcé d'afficher son infidélité de façon aussi flagrante ? Fallait-il qu'elle découvre ses frasques pour les valider ? Ses conquêtes lui semblaient-elles moins réelles si elle les ignorait, bien qu'elle se fût refusée jusqu'à présent à les reconnaître ? Était-ce cela qu'il cherchait ? Parce qu'il savait qu'en la mettant de force devant ses infidélités, en la poussant à la confrontation, cela entraînerait la fin de leur mariage ? Était-ce ce qu'il cherchait ?

Était-ce ce qu'elle voulait ?

Peut-être était-elle aussi fatiguée que lui de cette mascarade.

– Peut-être, répéta-t-elle à voix haute, en se regardant dans la vitre teintée de la porte du micro-ondes.

Elle était plus que séduisante : grande, blonde, les yeux bleus, le stéréotype de l'Américaine bon teint. Et elle n'avait que trente-six ans, un peu jeune pour être mise au rancart. Les hommes la trouvaient toujours désirable. « Je pourrais prendre un amant », chuchota-t-elle à son reflet gris, strié de larmes.

Son visage prit un air surpris, atterré, désemparé. *Tu as déjà essayé. Tu te souviens ?*

Mattie se détourna et fixa résolument le sol. Ça ne m'est arrivé qu'une seule fois et c'était pour me venger.

Eh bien, venge-toi encore.

Mattie secoua la tête, l'eau qui dégoulinait de ses cheveux faisait de petites flaques à ses pieds. Sa liaison, si l'on pouvait donner ce nom à une aventure d'une soirée, datait d'avant leur emménagement à Evanston. Elle était furieuse et tout s'était passé si vite que ça ne valait même pas la peine d'en parler. Malheureusement, elle n'avait pas réussi à l'oublier, bien qu'elle fût incapable de se souvenir du visage de cet homme, puisqu'elle avait fait de son mieux pour ne pas le regarder, même pendant qu'il s'enfonçait en elle. Il s'agissait d'un avocat, comme son mari, mais qui travaillait dans un autre cabinet et dans un domaine différent. Un spécialiste en amusement, avait-il plaisanté en lui annonçant par la même occasion qu'il était marié et père de trois enfants. Elle avait été engagée pour décorer les bureaux de sa firme et il tentait de lui expliquer ce qu'ils avaient à l'esprit, lorsqu'il s'était penché vers elle pour lui dire ce qu'il avait à l'esprit, lui. Au lieu d'être choquée, ou même furieuse, comme lorsqu'elle avait surpris son mari donnant rendez-vous par téléphone à sa dernière conquête, elle avait accepté de le rejoindre en fin de semaine, de façon à se trouver dans le lit d'un autre homme le soir où son mari coucherait avec une autre femme, en se demandant, avec une ironie au goût d'amertume, si leurs orgasmes seraient simultanés.

Elle n'avait jamais revu cet avocat, bien qu'il l'eût rappelée à plusieurs reprises, sous prétexte de lui parler des toiles qu'elle avait sélectionnées pour son cabinet. Il avait fini par abandonner, et sa société avait engagé un autre marchand de tableaux « dont les goûts étaient plus en rapport avec ce que nous avons à l'esprit ». Elle n'avait jamais parlé de cette idylle à Jake et c'était bien là le problème. Où était le plaisir de la vengeance si l'offenseur ignorait les représailles exercées contre lui ? Elle n'avait pu s'y résoudre, non par crainte de le blesser, comme elle avait voulu s'en convaincre à l'époque, mais de peur de lui fournir ainsi l'excuse qu'il attendait pour la quitter.

Et la vie avait donc suivi son cours. Ils avaient continué à jouer la comédie du couple uni. Ils se parlaient gentiment au petit déjeuner, dînaient avec des amis, faisaient l'amour plusieurs fois par semaine, et davantage encore quand il avait une aventure, se disputaient sur tous les sujets sauf sur ce qui les divisait réellement. *Tu me trompes!* fallait-il entendre quand elle tempêtait pour refaire sa cuisine. Et quand il lui répondait qu'elle dépensait trop d'argent, cela signifiait : *Je n'ai rien à faire ici!* Parfois leurs éclats réveillaient Kim qui accourait dans leur chambre et prenait aussitôt le parti de sa mère. Elles se retrouvaient alors à deux contre un, suprême ironie qui ne devait pas échapper à Jake, lui qui n'était resté que pour sa fille.

Peut-être Kim avait-elle raison, pensa Mattie en regardant le téléphone sur le mur derrière elle. Peut-être suffirait-il qu'elle lui montre un semblant d'intérêt pour que Jake sache qu'elle appréciait son travail acharné et sa volonté constante de bien faire. Elle tendit la main vers le combiné, hésita et décida finalement d'appeler son amie Lisa. Elle saurait la conseiller. Lisa savait ce qu'il fallait faire en toutes circonstances. En plus elle était médecin. Les médecins n'avaient-ils pas réponse à tout? Mattie enfonça les premières touches, puis raccrocha d'un geste impatient. Comment osait-elle déranger son amie au milieu d'une journée certainement surchargée? À elle de résoudre ses propres problèmes. Elle composa rapidement le numéro privé de Jake, et attendit. Une sonnerie, deux, trois. Il sait que c'est moi, se dit-elle en secouant son pied qui s'engourdissait à nouveau. Il se demande s'il va décrocher. Les joies de l'affichage du numéro! railla-t-elle en imaginant Jake, assis derrière son grand bureau de chêne au quarante-deuxième étage de l'immeuble John Hancock, dans le centre de Chicago. Son cabinet, l'un des trois cent vingt que comptait la prestigieuse firme Richardson, Buckley et Lang, possédait d'immenses baies vitrées donnant sur Michigan Avenue et une superbe moquette berbère mais il était deux fois trop petit pour contenir sa clientèle, qui croissait à une vitesse fulgurante, surtout depuis que la presse avait récemment fait de lui une célébrité locale. À croire qu'il avait le don de remporter des causes impossibles. Cependant Mattie doutait que l'habileté de Jake et son charme extraordinaire suffisent à lui gagner l'acquittement d'un jeune homme qui reconnaissait avoir tué sa mère, avec une préméditation incontestable, pour s'en vanter ensuite devant ses amis.

Jake était-il déjà parti au tribunal ? Mattie jeta un coup d'œil aux deux horloges numériques à l'autre bout de la pièce. Celle du micro-ondes indiquait 8.32 ; celle du four 8.34.

Au moment où elle allait renoncer, elle entendit décrocher, entre la quatrième et la cinquième sonnerie.

– Mattie, que se passe-t-il ? demanda Jake d'une voix forte et pressée, du ton de quelqu'un qui n'a pas de temps à perdre.

– Bonjour, Jake, balbutia-t-elle d'une voix hésitante. Tu es parti si vite ce matin que je n'ai pas eu le temps de te souhaiter bonne chance.

– Je suis désolé. Je ne pouvais pas attendre que tu te lèves. Je devais aller...

– Non, ce n'est pas grave. Ce n'est pas ce que je voulais dire. – Elle ne lui parlait pas depuis dix secondes qu'elle avait déjà réussi à le mettre sur la défensive. – Je voulais juste te souhaiter bonne chance. Certes, tu n'en as pas besoin. Je suis sûre que tu seras éblouissant.

– On n'a jamais trop de chance.

Une devise digne de figurer sur une gaufrette, pensa-t-elle.

– Écoute, Mattie. Il faut vraiment que j'y aille. Ton appel me fait très plaisir...

– Je pensais venir au tribunal, ce matin.

– Non, je t'en prie, répondit-il précipitamment, trop précipitamment. Enfin, ce n'est pas nécessaire.

– Je comprends, rétorqua-t-elle sans cacher sa déception.

Il avait apparemment une excellente raison de ne pas vouloir qu'elle assiste à l'audience. Mattie se demanda à quoi elle pouvait ressembler et repoussa vite cette pensée désagréable.

– De toute façon, j'appelais juste pour te souhaiter bonne chance.

Combien de fois l'avait-elle déjà dit ? Trois ? Quatre ? Ne sentait-elle pas qu'il était grand temps de dire au revoir, de se retirer discrètement et de remballer ses bons vœux et sa fierté ?

– À plus tard, répondit Jake avec un entrain excessif pour la teneur de ses paroles. Prends soin de toi.

– Jake..., commença Mattie.

Mais soit il ne l'entendit pas, soit il fit semblant de ne pas l'entendre, car Mattie n'obtint pour toute réponse que le bruit du téléphone qu'on raccrochait. Que voulait-elle ajouter ? Qu'elle était au courant de sa dernière liaison, qu'il était temps de reconnaître que ni l'un ni l'autre n'était heureux et qu'il valait mieux mettre fin à cette triste mascarade ? « La fête est finie », s'entendit-elle chantonner pendant qu'elle reposait son combiné.

Elle s'avança lentement vers le hall. Mais son pied droit, à nouveau engourdi, se déroba brusquement. Elle trébucha et son pied gauche s'empêtra dans le tapis bleu et or. Elle se sentit basculer et, résignée à l'inévitable, s'écroula lourdement sur le derrière. Elle resta quelques secondes sonnée, submergée par l'indignité de tout ce qui lui arrivait.

– Je te maudis, Jake, dit-elle enfin, en ravalant ses larmes. Pourquoi n'as-tu pas pu simplement m'aimer ? Était-ce si difficile ?

Se serait-elle sentie aimée, peut-être aurait-elle eu le courage de l'aimer en retour.

Mattie ne fit aucun geste pour se relever. Et, assise au beau milieu de l'entrée, dans son maillot trempé qui mouillait le précieux tapis, elle se mit à rire si fort qu'elle en pleura.

2.

– Pardon, dit Mattie, en passant devant les genoux d'une grosse femme vêtue de bleu afin de gagner le siège libre au milieu de la huitième et dernière rangée de la salle d'audience 703. Pardon, excusez-moi, répéta-t-elle à un couple âgé assis plus loin puis : Désolée à la séduisante blonde à côté de laquelle elle passerait toute la matinée.

Était-ce à cause d'elle que Jake n'avait pas souhaité sa présence au tribunal ce matin ?

Mattie déboutonna son manteau beige sable, le fit glisser de ses épaules le plus discrètement possible, se retrouva bloquée coudes au corps et commença à se tortiller sur son siège pour se dégager, dérangeant non seulement sa jolie voisine à droite mais également une tout aussi ravissante blonde qu'elle n'avait pas remarquée à sa gauche. Y avait-il donc un nombre sans fin de belles blondes à Chicago, et devaient-elles toutes se trouver dans la salle d'audience où plaidait son mari ? Couchaient-elles toutes avec lui ?

Mattie ramena son regard sur le devant de la salle et repéra Jake à la table de la défense. Tête penchée, il conversait tranquillement avec son client, un garçon de dix-neuf ans assez vulgaire, visiblement mal à l'aise dans le costume marron et la cravate cachemire qu'on lui avait sans doute conseillé de porter. Il avait l'air bizarrement étonné comme si lui aussi, à l'instar de Mattie, était entré par erreur et se demandait ce qu'il faisait ici.

Et elle, que faisait-elle ici ? Jake ne lui avait-il pas dit sans équivoque : « Reste à la maison » ? Lisa ne lui avait-elle pas donné le même conseil quand elle avait fini par l'appeler ? Elle ferait mieux de s'éclipser discrètement. Elle avait eu tort. Que s'était-elle imaginé ? Qu'il lui serait reconnaissant de son soutien, comme Kim l'avait suggéré ? Était-elle venue dans ce but ? Pour le soutenir ? Ou dans l'espoir d'apercevoir sa dernière maîtresse ?

« Maîtresse ». Alors qu'elle retournait ce mot dans sa tête, elle aperçut entre les rangées de spectateurs deux petites brunettes qui riaient au premier rang. Non, trop jeunes. Et trop gamines. Certainement pas le type de Jake. Le connaissait-elle, d'ailleurs, son type ? En tout cas, il n'aime pas le mien, se dit-elle tandis que son regard s'attardait brièvement sur une tête brune et bouclée au bout de la deuxième rangée avant de s'arrêter sur le profil parfait d'une femme aux cheveux de jais en qui elle reconnut une des jeunes associées du cabinet de son mari, une juriste qui était entrée chez Richardson, Buckley et Lang à peu près en même temps que lui. Une Shannon Machin Chose. N'était-elle pas spécialiste en gestion de patrimoine ou un truc de ce genre ? Que faisait-elle ici ?

Comme si elle avait senti son regard, Shannon Machin Chose se retourna lentement dans sa direction et la regarda droit dans les yeux, un sourire interrogateur sur les lèvres. Elle se demande d'où elle me connaît, pensa Mattie en la saluant. Mattie Hart, annonçait son sourire, épouse de Jake, l'homme du moment, l'homme que nous sommes toutes venues voir, celui que vous avez peut-être retrouvé hier soir dans un décor plus intime.

Le visage de Shannon Machin Chose s'éclaira. Ah ! Mattie Hart ! Bien sûr !

– Comment allez-vous ? articula-t-elle silencieusement.

– On ne peut mieux, répondit Mattie à voix haute en tirant sur sa manche pour tenter de dégager son coude.– Elle entendit la doublure se déchirer. – Et vous ?

– En superforme, répondit l'autre aussitôt.

– J'avais justement l'intention de vous appeler, s'entendit-elle annoncer, presque effrayée de ce qu'elle allait dire ensuite. Je voudrais changer mon testament.

Tiens ! Première nouvelle !

Le sourire s'effaça sur les lèvres de Shannon Machin Chose.

– Pardon ?

Peut-être ne s'occupait-elle pas de ce domaine, finalement, pensa Mattie en baissant les yeux, mettant ainsi fin à la conversation. Et quand elle regarda à nouveau dans sa direction, elle fut soulagée de voir que l'avocate s'était, elle aussi, détournée.

Finalement, elle n'avait aucune envie d'être ici. Non, aucune. Elle n'avait qu'à se lever et partir avant de se ridiculiser complètement. Elle voulait changer son testament ? D'où lui était venue une idée pareille ?

– Laissez-moi vous aider, dit la blonde à sa gauche en tirant sur la manche récalcitrante sans lui laisser le temps de protester.

– Merci ! répondit Mattie.

Elle lissa les plis de sa jupe de laine grise, et tripota le col de son chemisier blanc. La blonde à sa droite, en pull angora et pantalon marine, lui jeta un regard en biais qui disait : « Mais vous ne pouvez pas rester tranquille ? » que Mattie fit semblant de ne pas remarquer. Elle aurait dû mettre une autre tenue, quelque chose de moins sévère, de plus doux. Un pull angora rose, pensa-t-elle en jetant un regard envieux à sa voisine. Pourtant elle n'aimait pas l'angora, ça la faisait éternuer. Et, à cette seule idée, elle sentit son nez la picoter. Elle eut tout juste le temps de prendre son mouchoir dans son sac et éternua violemment.

– À vos souhaits, dirent les deux blondes à l'unisson en s'écartant légèrement d'elle.

– Merci, répondit-elle en coulant un regard dans la direction de son mari qui, à son grand soulagement, était toujours en grande conversation avec son client. Je suis désolée.

Elle éternua à nouveau, s'excusa encore. Une femme dans la rangée devant elle se retourna et braqua sur elle des yeux noisette pailletés d'or.

– Ça va ? demanda-t-elle d'une voix grave et rauque, qui lui parut trop vieille pour le visage rond entouré d'un nuage de boucles rousses.

Un visage surprenant, pensa rêveusement Mattie en la remerciant de sa sollicitude.

Il y eut alors un frémissement dans la foule. L'huissier demanda à l'assistance de se lever et la juge, une séduisante Noire aux cheveux cendrés, vint prendre place au centre du tribunal. Mattie remarqua alors seulement le jury, sept hommes et cinq femmes, plus deux suppléants masculins, la cinquantaine environ, à part quelques-uns qui semblaient à peine sortis de l'adolescence et un homme qui frisait les soixante-dix ans. Sur les quatorze, on comptait six Blancs, quatre Noirs, trois Hispaniques et un Asiatique. Leurs visages reflétaient différents niveaux d'intérêt, de gravité et de fatigue. Le procès durait depuis bientôt trois semaines. Les jurés en avaient sans doute suffisamment entendu. Ils n'avaient plus qu'une idée : retrouver leur métier, leur famille et leur vie de tous les jours. Ils avaient hâte de prendre une décision et de tourner la page.

Moi aussi, se dit Mattie en tendant le cou vers la juge qui donnait la parole au procureur. Il est grand temps.

Light my fire. Light my fire. Light my fire.

Un des procureurs adjoints bondit aussitôt sur ses pieds, boutonna sa veste grise, comme on les voit faire à la télévision, et s'avança vers les jurés. Il était grand, la quarantaine, un visage maigre et un long nez crochu. Un frémissement parcourut l'assistance, tout le monde se pencha machinalement en avant, dans l'attente que la voix de l'homme de loi les conduise vers la lumière.

– Mesdames et messieurs les jurés, commença le procureur, en cherchant ostensiblement le regard de chaque juré avant de lui sourire, bonjour.

Les jurés lui retournèrent docilement son sourire, celui d'une des femmes se termina en bâillement.

– Je tiens à vous remercier de votre patience tout au long de ces semaines. – Il marqua une pause, déglutit, sa pomme d'Adam proéminente apparut au-dessus du col de sa chemise bleu pâle. – Il est de mon devoir de vous rappeler les faits.

Mattie fut prise d'une quinte de toux violente qui lui fit monter les larmes aux yeux.

– Vous êtes sûre que ça va ? demanda la blonde à sa gauche, en lui tendant un autre mouchoir en papier, pendant que celle de droite levait les yeux au ciel d'un air excédé.

C'est vous, n'est-ce pas ? pensa Mattie en s'essuyant les yeux. C'est vous qui couchez avec mon mari.

– La nuit du 24 février, continua le procureur adjoint, Douglas Bryant, au retour d'une soirée bien arrosée avec ses amis, s'est disputé avec sa mère, Constance Fisher. Fou de rage, il est reparti au café où il a bu encore quelques verres avant de revenir chez lui vers deux heures du matin. Sa mère était déjà couchée. Il a pris un long couteau bien aiguisé dans un tiroir de la cuisine, s'est rendu dans sa chambre et l'a poignardée de sang-froid. On ne peut qu'imaginer l'horreur de Constance Fisher et sa lutte pour échapper aux coups répétés de son fils. Douglas Bryant a frappé sa mère quatorze fois, lui perforant un poumon et lui transperçant le cœur. Comme si ça ne suffisait pas, il lui a ensuite tranché la gorge avec tant de force qu'il a presque détaché la tête du tronc. Puis il est retourné à la cuisine où il s'est servi du même couteau pour se confectionner un sandwich, a pris une douche et s'est couché. Le lendemain matin, il est allé en cours et s'est vanté de son crime devant les autres étudiants et l'un d'entre eux a prévenu la police.

Le procureur adjoint continua à énumérer les faits prétendument simples de l'affaire, rappelant au jury que, d'après les témoins, Constance Fisher avait peur de son fils, que l'arme du crime était couverte des empreintes de Douglas Bryant, que ses vêtements étaient souillés du sang de sa mère, chaque fait déjà accablant en lui-même et encore plus ignoble additionné aux autres. Que pouvait dire Jake Hart pour atténuer l'horreur de cette énumération ?

– L'affaire semble claire, l'entendit-elle alors déclarer, comme s'il lisait dans ses pensées et s'adressait directement à elle.

Elle se tourna brusquement vers lui et le vit se lever, la veste de son costume déjà boutonnée. Elle nota avec plaisir qu'il avait suivi son conseil en mettant une chemise blanche au lieu de la bleue qu'il avait choisie, mais ne reconnut pas la cravate bordeaux qu'il arborait. Il sourit à la Elvis Presley, la lèvre supérieure légèrement retroussée, et parla au jury sur le ton presque intime qui avait fait sa renommée. Il donnait l'impression de s'adresser à chacun en particulier, s'émerveilla Mattie, en regardant les jurés succomber les uns après les autres à son charme et s'incliner vers lui, captivés. Les deux voisines de Mattie se tortillaient d'impatience sur leurs sièges, polissant de leurs formes arrondies le bois dur de l'assise.

Bon sang, pourquoi fallait-il qu'il fût aussi séduisant ? se demanda Mattie qui savait que Jake trouvait à son physique autant d'avantages que d'inconvénients. Il évitait scrupuleusement d'en jouer depuis quatorze années qu'il pratiquait le droit, dont les huit dernières chez Richardson, Buckley et Lang. Jake n'ignorait pas que nombre de ses confrères se plaignaient que tout lui fût servi sur un plateau : la beauté, les succès, l'instinct sûr qui lui indiquait quels étaient les cas à prendre et ceux à rejeter. Mais Mattie savait que Jake travaillait autant que n'importe quel autre avocat du cabinet, et peut-être même plus, arrivant toujours au bureau le matin avant huit heures pour le quitter rarement avant vingt heures. À moins qu'il ne se trouvât dans une chambre du Ritz-Carlton, se dit-elle en tressaillant comme si on l'avait frappée.

— À entendre Mᵉ Doren, tout dans cette affaire semble noir ou blanc, continua Jake, en frottant l'aile de son nez aquilin. Constance Fisher était une mère dévouée et une amie fidèle, aimée de tous. Son fils, une tête brûlée et un raté qui s'enivrait tous les soirs. Elle était une sainte, lui un démon. Elle vivait dans la terreur, il la martyrisait. Elle rêvait d'une vie meilleure pour son fils, il était un vrai cauchemar pour une mère. – Jake s'arrêta et regarda son client qui se tortillait sur sa chaise, mal à l'aise. – Tout paraît simple, poursuivit Jake en ramenant son regard vers le jury, les reprenant sans peine dans son filet invisible. Mais les choses sont rarement aussi simples qu'elles semblent l'être. Et nous le savons. – Plusieurs jurés l'approuvèrent en souriant. – Tout comme nous savons qu'en mélangeant le noir et le blanc nous obtenons du gris. Et même différents tons de gris.

Mattie regarda son mari tourner le dos et, sûr d'être suivi du regard de tous, marcher vers son client et poser la main sur son épaule.

— Alors prenons quelques minutes pour étudier ces différents tons de gris, si vous le voulez bien, conclut-il en se retournant vers les jurés comme s'il demandait leur permission, et Mattie vit même une des femmes lui répondre d'un hochement de tête.

— Premièrement, intéressons-nous de plus près à Constance Fisher, mère dévouée et amie fidèle. Eh bien, loin de moi le désir de dénigrer la victime, commença Jake, ce qui fit glousser Mattie car c'était exactement ce qu'il s'apprêtait à faire. Je pense que Constance Fisher était effectivement une mère dévouée et une amie fidèle.

Mais ? attendit Mattie.

— Mais je sais également qu'elle était une femme frustrée et amère qui injuriait son fils quasi quotidiennement et le frappait souvent. – Jake marqua un temps d'arrêt pour laisser ses paroles faire leur effet. – Bon, je ne dirai pas non plus que Bryant était un enfant facile. Ce n'était pas le cas. Il correspond en beaucoup de points à la description de l'accusation. Et ceux d'entre nous qui ont des enfants, glissa-t-il, s'associant subtilement aux jurés, comprennent combien sa mère devait avoir du mal à supporter ce garçon qui refusait de l'écouter, qui lui reprochait la désertion de son père quand il était petit, qui était responsable de l'échec de son second mariage avec Gene Fisher et qui lui refusait l'amour et le respect qu'elle était en droit d'attendre. Mais arrêtons-nous un instant, dit-il, et toute la salle bloqua sa respiration, impatiente d'entendre la suite.

Combien de fois avait-il répété ce numéro ? se demanda Mattie, consciente de retenir son souffle elle aussi. Combien de secondes avait-il décidé de faire durer cette pause ?

— Arrêtons-nous pour considérer la cause de tant d'amertume, reprit Jake après avoir laissé s'écouler cinq bonnes secondes, reprenant aussitôt l'assistance sous sa coupe. Les petits garçons ne naissent pas méchants. Aucun enfant ne vient au monde en haïssant sa mère.

Mattie plaqua une main sur sa bouche. Voilà donc la raison pour laquelle il avait accepté cette affaire. Et pourquoi il gagnerait.

Il en faisait une question personnelle.

La clientèle d'un avocat représente souvent le miroir de sa propre personnalité, lui avait-il dit un jour. Par extension, cela ne faisait-il pas du tribunal le pendant judiciaire du divan du psychiatre ?

Mattie écouta attentivement son mari décrire les horreurs des sévices quotidiens que Bryant avait subis : sa mère lui lavait la bouche au savon quand il était petit, elle l'injuriait constamment, le traitait d'idiot et d'incapable, le frappait régulièrement comme en témoignaient certains documents officiels décrivant de fréquentes ecchymoses et même quelques fractures. Et, poussé à bout, Douglas Bryant avait fini par la frapper violemment à son tour quand il n'avait plus été capable de supporter ces brutalités.

— Nous nous trouvons devant un cas typique d'enfant martyr, déclara solennellement Jake, en faisant référence aux conclusions fournies antérieurement par plusieurs experts psychiatriques.

As-tu vécu la même chose ? se demanda Mattie, se doutant qu'elle ne recevrait jamais de réponse satisfaisante. Quand ils avaient commencé à sortir ensemble, Jake avait fait quelques allusions voilées à son enfance douloureuse qui lui avait rappelé sa propre jeunesse difficile. Mais plus ils se connaissaient, moins Jake se confiait et, dès qu'elle cherchait à connaître davantage de détails, il se fermait comme une huître, se mettant de mauvaise humeur plusieurs jours d'affilée, jusqu'à ce qu'elle finît par ne plus poser de questions sur sa famille. Nous avons tant en commun, pensa-t-elle une fois de plus : une mère folle, un père absent, aucune réelle tendresse familiale.

En guise de frères et sœurs, c'était avec les chiens de sa mère qu'elle avait partagé son enfance, jamais moins de six et jusqu'à onze, même, tous choyés et adorés, tellement plus faciles à aimer qu'une adolescente ingrate qui ressemblait au père qui les avait abandonnées, elle et sa mère. Et bien que Jake ait eu deux frères, un plus âgé, mort dans un accident de bateau, et l'autre, drogué, qui s'était évanoui dans la nature bien des années avant sa rencontre avec Jake, il avait eu une adolescence aussi solitaire et douloureuse que la sienne. Non, pire. Bien pire.

Pourquoi ne veux-tu jamais en parler ? Elle leva la main malgré elle, comme si elle voulait lui poser cette question à haute voix. Ce geste attira l'attention de Jake. *Peut-être aurais-je pu t'aider.* Ils se dévisageaient à travers la salle. Le beau visage de Jake exprima en une fraction de seconde la surprise, la confusion, la colère puis la peur, à l'insu de tous sauf d'elle. Je te connais si bien, pensa-t-elle, alors qu'un étrange chatouillement lui picotait la gorge. Et pourtant, je ne te connais pas du tout.

Et toi, tu ne me connais certainement pas.

Et, soudain, elle éclata de rire si fort que la salle entière se retourna pour la regarder, si outrageusement que la juge tapa avec son marteau, comme à la télévision. Secouée d'un spasme irrépressible, Mattie vit un homme en uniforme s'approcher d'elle et aperçut le regard horrifié de son mari tandis qu'elle s'extirpait précipitamment de la rangée, en traînant son manteau derrière elle. Arrivée à la grande porte au fond du tribunal, elle se retourna et croisa le regard épouvanté de la rousse assise devant elle. J'ai toujours rêvé d'avoir les cheveux bouclés comme elle, se dit-elle pendant que l'huissier la faisait sortir hâtivement. S'il lui parla, elle ne put l'entendre, car son fou rire se poursuivit dans l'escalier tout au long des sept étages, à travers le grand hall et jusque dans la rue.

3.

– Silence, je vous prie, ou je fais évacuer la salle.

La juge rebondissait dans son grand fauteuil de cuir au rythme du marteau qu'elle assénait sur son bureau, pendant que l'assistance bourdonnait nerveusement, comme les abeilles dont la ruche vient d'être bousculée. Certains chuchotaient derrière leurs mains, d'autres riaient ouvertement. Les jurés parlaient d'un ton animé entre eux.

– Qu'est-ce qui lui a pris ?

Jake Hart resta pétrifié au beau milieu du vieux prétoire, entre son client et les jurés, pendant que sa fureur tissait autour de lui un cocon invisible, l'isolant des clameurs de la salle. Il avait l'impression d'être une grenade que l'on vient de dégoupiller. Qu'il fasse un pas, ou même qu'il respire et il exploserait. Il devait absolument rester immobile. Et se concentrer à nouveau, rassembler ses idées, reconquérir le terrain perdu.

Que diable était-il arrivé ?

Tout se déroulait si bien, exactement comme il l'avait prévu. Il avait travaillé sa plaidoirie pendant des semaines : non seulement le texte mais aussi le ton, l'accent placé sur certaines syllabes, soulignant celle-ci plutôt que celle-là, le rythme de ses phrases, ses pauses, ses reprises. Il la connaissait par cœur à force de la répéter. Ce devait être le discours de sa vie, une conclusion fracassante qui couronnerait le cas le plus difficile de sa carrière alors que les associés principaux du cabinet avaient exprimé de sérieuses réserves sur cette affaire, la jugeant perdue d'avance. Son succès lui vaudrait à coup sûr une place d'associé en le propulsant au sommet de sa profession à l'âge « vénérable » de trente-huit ans.

Et il avait réussi. Son dur labeur avait payé. Il tenait le jury au creux de sa main, pendu à ses lèvres. Le syndrome de l'enfant maltraité. Que n'inventerait-il pas pour soutenir sa défense ? « On ne peut manquer d'établir un parallèle avec le syndrome de la femme battue, allait-il poursuivre. En fait, l'enfant maltraité est plus vulnérable que la femme battue car il contrôle encore moins la situation, il n'a pas le choix, il ne peut pas faire sa valise et partir en claquant la porte. » Il avait ces mots sur le bout de la langue lorsqu'il avait été coupé net d'un direct à l'estomac.

Que s'était-il passé ?

Quelque chose avait accroché son regard, un vague mouvement, comme si quelqu'un cherchait à attirer son attention. Et tout à coup, il l'avait vue, Mattie, sa femme, à qui il avait justement demandé de ne pas venir au tribunal ce matin. Et elle riait. Et il ne s'agissait pas d'un petit gloussement idiot mais d'un rire à gorge déployée, sans qu'il sût ce qui avait pu déclencher cette bruyante hilarité. Peut-être était-ce ce qu'il avait dit, l'audace de sa défense, à moins qu'elle n'eût voulu manifester son mépris envers ses procédés, cette procédure, ou lui-même. Puis la juge Berg avait frappé de grands coups de marteau en intimant à la salle l'ordre de se calmer, et Mattie avait enjambé maladroitement les gens assis dans sa rangée et s'était fait escorter jusqu'à la porte en traînant son manteau derrière elle, toujours secouée par son rire hystérique qui crépitait encore à ses oreilles tel un court-circuit.

Encore cinq minutes. C'était tout le temps qu'il lui aurait fallu. Cinq minutes et il aurait terminé sa plaidoirie. Et il aurait laissé la place à la réfutation du procureur. Mattie aurait pu faire alors tout ce qui lui chantait. Sauter comme un beau diable ou arracher ses vêtements, si le cœur lui en disait, et rire autant qu'elle le voulait.

Quelle mouche l'avait piquée?

Peut-être avait-elle eu un malaise, pensa Jake, s'efforçant de trouver une explication charitable. Elle ne s'était pas réveillée ce matin, ce qu'il avait trouvé bizarre. Puis elle lui avait passé ce coup de fil étrange pour lui demander d'une voix de petite fille fragile si elle pouvait venir au tribunal aujourd'hui. Or, il n'y avait jamais rien eu de vulnérable dans la Mattie qu'il connaissait. Elle était aussi forte et puissante qu'une tornade. Et potentiellement tout aussi destructrice. Avait-elle voulu délibérément le saborder? Pour quel motif était-elle venue ce matin alors qu'il lui avait demandé de ne pas le faire?

– Silence, silence dans la salle! entendit-il la juge clamer sans aucun succès.

– Que se passe-t-il? demanda l'accusé, avec des yeux d'enfant pris au piège.

Je connais ce regard, se dit Jake, revoyant sa propre enfance. Je connais cette peur. Il chassa ce souvenir indésirable et essaya de faire de même avec sa femme. Mais Mattie se dressait toujours devant lui tel un monolithe indestructible. Depuis la toute première fois où il l'avait connue.

Mon Dieu, je ne vais pas recommencer avec ces conneries, se dit-il en s'extirpant de force de son cocon protecteur qui lui faisait maintenant l'effet d'un cercueil avant de retourner s'asseoir à côté de son client. Il prit les mains du garçon entre les siennes.

– Vous avez les mains gelées, s'étonna Douglas Bryant.

– Désolé, dit Jake en retenant un ricanement.

On avait assez ri ce matin au tribunal.

– La séance est suspendue une demi-heure, annonça la juge, et Jake vit la salle se vider autour de lui, des aimants invisibles attiraient l'assistance vers les différentes issues. Il sentit les mains de Douglas Bryant lui échapper alors qu'on l'emmenait. Il regarda les jurés sortir. Que faire pour les reconquérir? Que dire pour leur faire oublier l'esclandre de sa femme?

Savaient-ils qu'il s'agissait de sa femme?

– Jake...

Une voix douce, familière, douloureusement féminine. Il leva la tête. Oh, mon Dieu! se dit-il, pris soudain d'une nausée. Il ne manquait plus qu'elle!

– Ça va?

Il hocha la tête sans rien dire.

– Puis-je faire quelque chose?

Il secoua la tête. En fait, elle cherchait à comprendre ce qui s'était passé. Il n'en savait pas plus qu'elle et préféra se taire.

– Mattie a des problèmes?

Il haussa les épaules.

– Elle m'a dit un truc bizarre tout à l'heure. De but en blanc, elle m'a annoncé qu'elle voulait changer son testament.

– Quoi?

Jake releva brusquement la tête comme si on venait de lui tirer les cheveux. Shannon haussa les épaules à son tour.

– En tout cas, si je peux faire quoi que ce soit...

– Vous pouvez garder cet incident pour vous, dit Jake, tout en sachant qu'elle brûlait d'impatience d'aller raconter l'histoire aux autres avocats du cabinet. Quelle importance! Tout le monde serait au courant avant même qu'elle n'ait quitté le tribunal. Les avocats étaient des gens comme les autres. Ils adoraient les ragots. L'écho des exploits de sa femme devait déjà courir les couloirs du tribunal et se répandre dans la ville, franchissant d'un bond la distance qui séparait le coin de California Avenue et de la 25ᵉ Rue, où se trouvait le tribunal, de la prestigieuse Michigan Avenue où était situé le cabinet Richardson, Buckley et Lang.

Il lui arrivait de rêver qu'elle disparaisse.

Non pas qu'il lui voulût le moindre mal. Il ne souhaitait pas sa mort. Il aurait simplement voulu qu'elle disparaisse de sa vie, de ses pensées. Depuis des semaines, il réfléchissait à la façon de lui annoncer que tout était terminé entre eux, qu'il en aimait une autre et qu'il la quittait. Il avait répété ces phrases comme s'il s'agissait d'une plaidoirie devant un juré, mais n'en était-ce pas une, finalement, avec Mattie comme juge, juré et exécuteur des hautes œuvres?

« Ce n'est la faute de personne. » Il commençait toujours par ces mots puis il s'arrêtait car, en réalité, il y avait bien un fautif. Lui. Elle était aussi responsable, protesta une petite voix au fond de lui. D'abord en tombant enceinte, ensuite en insistant pour garder le bébé, puis en lui extorquant une promesse de mariage, alors qu'elle savait qu'il n'en avait aucune envie, qu'ils n'étaient pas faits l'un pour l'autre, que c'était une erreur, qu'il ne le lui pardonnerait jamais.

« Nous avons essayé de notre mieux », continuait son plaidoyer. En fait, il n'avait pas fait le moindre effort et tous deux le savaient. Mattie n'était pas non plus totalement innocente, insista la petite voix. Dès le début, elle s'était totalement investie dans son rôle de mère et s'était occupée de Kim nuit et jour, en excluant son mari. Et même s'il n'avait jamais eu la moindre envie de changer ses couches – les bébés l'intimidaient – cela ne voulait pas dire qu'il n'aimait pas sa fille ni qu'il appréciait d'être relégué au simple rôle d'observateur. Il enviait les rapports faciles que Kim entretenait avec sa mère et jalousait les liens qui les unissaient.

Et soudain, le mois dernier, Mattie avait évoqué, au milieu d'une conversation anodine, la possibilité d'avoir un second enfant, masquant son enthousiasme sous une indifférence feinte, comme s'il s'agissait d'une idée en l'air et non d'un désir qui l'obsédait nuit et jour. Il ne pouvait plus tergiverser sinon il se ferait à nouveau piéger. Il devait lui dire qu'il la quittait.

Mais il n'avait pu s'y résoudre. Et maintenant il avait peur d'avoir trop attendu, qu'elle soit déjà enceinte. Ce qui expliquait peut-être son étrange comportement à l'audience ce matin.

– Pitié, pas ça, s'entendit-il supplier à haute voix. Tout mais pas ça.

– Tout mais pas quoi ?

Il leva la tête en entendant sa voix et lui tendit la main. Un frisson le parcourut quand leurs doigts s'entrecroisèrent. On risquait de les voir ? Et alors ? La belle affaire !

– C'était ta femme, n'est-ce pas ? demanda-t-elle d'une voix cassée par le manque de sommeil et l'abus de cigarettes.

Elle s'assit sur le siège de l'accusé et pencha la tête vers Jake, effleurant son cou de ses lourdes boucles rousses, comme un chat qui se frotte dans les jambes. La veille au soir, il avait serré les mêmes boucles au creux de sa main, fasciné par leur douceur. Et elle avait levé les yeux vers lui avec ce sourire merveilleux qui illuminait son visage rond, en dévoilant ses dents, légèrement irrégulières, qu'il trouvait irrésistibles. Mais qu'avait-elle de si incroyablement séduisant ?

À l'instar de sa tenue, un somptueux chemisier porté sur un jean délavé, Cherry Novak était faite de contrastes. Des cheveux roux et bouclés et des sourcils carrément raides et noirs. Une poitrine disproportionnée par rapport à sa silhouette frêle, des jambes trop longues pour son petit mètre cinquante-six, et un petit nez légèrement de travers qui lui donnait l'air dans la lune. Elle n'avait rien d'une beauté et ce n'était plus une gamine. En toute objectivité, sa femme était plus séduisante qu'elle. Mais il s'était toujours senti intimidé par le physique avenant, bronzé et américain bon teint de Mattie. Il se sentait un imposteur auprès d'elle.

– C'était Mattie, acquiesça-t-il.

Cherry ne dit rien. Il fallait s'y attendre. Elle ne parlait jamais pour ne rien dire. Ils s'étaient rencontrés quelques mois auparavant au club de gym de son immeuble. Il courait sur le tapis de jogging, à un bon vingt-cinq kilomètres à l'heure ; elle courait à côté de lui, et son compteur indiquait qu'elle avait déjà parcouru la distance impressionnante de douze kilomètres. Il avait engagé la conversation, elle avait répondu par des sourires et des grognements. Au bout de quelques semaines, il lui avait proposé d'aller prendre un café et elle avait accepté bien qu'il fût marié. Il ne s'agissait que d'un café, après tout. La semaine suivante, le café s'était transformé en dîner et, une semaine plus tard, le dîner ne fut qu'un prélude à une nuit passionnée au Ritz-Carlton. La première d'une longue série et, rapidement, ils avaient transféré leurs ébats dans le charmant studio qu'elle occupait à Lincoln Park.

Il n'avait pas l'intention de tomber amoureux. C'était vraiment le dernier de ses soucis. Sa vie n'était-elle pas déjà bien assez compliquée ? Il s'agissait d'une simple aventure, aussi superficielle que rapide. Il ne demandait rien de plus. Elle non plus. Elle venait de divorcer, n'avait pas voulu avoir d'enfants, et travaillait comme journaliste indépendante tout en essayant d'écrire un roman. Elle s'occupait de deux chats teigneux abandonnés par un voisin de son immeuble. Et, lui avait-elle confié une nuit, alors que les affreux matous jouaient avec leurs orteils, tomber amoureuse d'un homme marié était bien le pire qui pouvait lui arriver.

– Tu crois qu'elle est au courant ? demanda finalement Cherry. Pour nous deux ?

Jake haussa les épaules, comme il l'avait fait juste avant. Tout était possible. Cette phrase évocatrice de liberté illimitée lui donna brusquement l'impression d'étouffer.

– Que vas-tu faire ?

– Je ne peux pas rentrer chez moi, répondit-il d'une voix plate, les yeux étincelants de rage. Sa simple vue suffira à me mettre hors de moi.

– Elle semblait morte de peur.

– Quoi ? Comment ça ?

– J'ai croisé son regard quand elle est partie. Elle avait l'air terrifiée.

– Elle ne perd rien pour attendre.

Jake claqua ses mains sur ses cuisses, et la douleur le soulagea. Enfin, chaque chose en son temps. Il passa une main sur la cravate de soie bordeaux que Cherry lui avait offerte la veille pour lui porter bonheur.

– Tu les tenais, dit Cherry en faisant un signe de tête vers le banc des jurés. Tu les récupéreras.

Jake hocha la tête, anticipant déjà la reprise des débats. Que dire ? Mattie avait perturbé le procès le plus important de sa carrière en éclatant de rire au beau milieu de sa plaidoirie, au risque de le ridiculiser et de conduire son client à l'ajournement de son procès. Les jurés, comme le reste de la salle d'audience, devaient brûler d'impatience de voir comment il se sortirait de ce mauvais pas. Il ne pouvait ignorer l'incident. Il devait l'utiliser. À son avantage.

Pour ce faire, il devait mettre sa colère contre Mattie au fond de sa poche et poser son mouchoir par-dessus. Un effort difficile mais pas impossible. Jake avait appris très jeune qu'il fallait sérier les problèmes pour survivre et aujourd'hui le destin d'un autre en dépendait également. L'avenir de Douglas Bryant, sa vie, en fait, reposait entre ses mains. Et il le sauverait parce qu'il le comprenait, parce que lui-même avait éprouvé cette rage et cette frustration qui avaient poussé le garçon au crime. Il aurait pu lui arriver la même chose. Il se raidit brusquement sur son siège et lâcha la main de Cherry. Les portes du tribunal s'étaient ouvertes et les gens se précipitaient vers leurs sièges.

– Je t'aime, Jason Hart, dit-elle.

Jake sourit. Cherry était la seule personne au monde qu'il autorisait à l'appeler Jason, le prénom que sa mère lui avait donné, celui qu'elle hurlait en le frappant, *Vilain Jason ! Vilain Jason !* jusqu'à ce que les mots se soudent et ne fassent plus qu'un dans son esprit. *Vilainjason, vilainjason.* Il n'y avait que sur les lèvres de Cherry que les mots se détachaient pour devenir autre chose qu'un juron ou une insulte. Et il n'y avait qu'avec Cherry que Jason Hart pouvait oublier le vilain petit garçon et devenir l'homme qu'il avait toujours rêvé d'être.

— Tu as besoin de quelques minutes d'isolement, déclara-t-elle tranquillement en se levant.

Mattie aurait mis un point d'interrogation à la fin de sa phrase. Elle l'aurait forcé à prendre la décision tout en le culpabilisant de la mettre à l'écart, de la renvoyer. Mais Cherry savait toujours quand venir et quand se retirer.

— Ne t'éloigne pas, dit-il, presque à voix basse.

— Septième rangée, au centre.

Il sourit et la regarda regagner sa place avec un petit déhanchement coquin : elle savait qu'il la regardait. Quelques secondes plus tard, les jurés revinrent dans la salle et Douglas Bryant reprit son siège à la table de la défense.

— La chaise est encore chaude, observa-t-il.

Jake lui sourit d'un air rassurant et lui tapota la main pendant que l'huissier annonçait la cour. Le silence se fit instantanément dans l'assistance.

— S'il y a d'autres éclats, avertit la juge, en parcourant le public d'un regard sombre et fatigué, je ferai évacuer la salle.

Jake trouva cette mise en garde inutile. Jamais il n'avait vu un prétoire aussi calme. Ils attendent tous. Ils attendent de voir comment je vais m'en sortir, de voir ce que j'ai à dire.

— La défense est-elle prête à reprendre sa plaidoirie? demanda la juge Berg.

— Oui, Votre Honneur, répondit-il en se levant.

Le sort en est jeté, se dit-il en prenant une longue inspiration, les yeux posés sur les jurés, puis, après une seconde inspiration tout aussi profonde, il se tourna vers le siège que Mattie avait occupé.

— Vous avez entendu cette jeune femme éclater de rire, commença-t-il, s'attaquant derechef à l'incident, tout en taisant l'identité de l'importune. Nous ignorons ce qui l'a fait rire. C'est sans importance et pourtant cela nous a indéniablement perturbés. — Il laissa échapper un petit gloussement, permettant à la salle de rire à son tour, relâchant ainsi la tension qui pouvait encore subsister. — La vérité, elle aussi, peut être dérangeante, continua-t-il en prenant délicatement le jury à la gorge, et la vérité dans cette affaire c'est que Douglas Bryant encourt la peine de mort. – Il s'arrêta et fit glisser ses yeux d'un bleu profond sur chacun des jurés, laissant des larmes rageuses brouiller son regard, persuadé que le jury prendrait sa fureur contre Mattie pour de la compassion envers l'accusé. – Douglas Bryant encourt la peine de mort, répéta-t-il. Et cela n'a rien de drôle.

Les jurés soupirèrent, tel un amant répondant à une douce caresse. Il avait réussi, se dit-il en voyant plusieurs femmes verser des larmes attendries. Mattie lui avait donné sans le vouloir la plus grande victoire de sa carrière. Il obtiendrait un verdict d'acquittement, une publicité monstre et une place d'associé au sein du cabinet.

Et il devait tout cela à Mattie. Comme d'habitude, il devait tout à sa femme.

4.

Mattie se tenait sur les marches de l'Art Institute de Chicago, le visage offert à la bise glaciale.

– Plus fort, murmura-t-elle à voix basse, en tendant le cou comme pour défier le vent de la frapper. Vas-y. Renverse-moi. Emporte-moi. Châtie-moi devant tous ces riches amateurs d'art. C'est tout ce que je mérite. Le moment est venu de payer l'humiliation que j'ai fait subir à mon mari ce matin au tribunal. Allez, chuchota-t-elle, en se demandant encore ce qui avait bien pu lui arriver. Vas-y de toutes tes forces.

– Mattie?

Elle pivota sur elle-même et sourit exagérément à la vue de Roy Crawford. Un visage buriné de boxeur sur un corps de danseur, il s'approchait d'un pas assuré, ses yeux gris pétillants sous une masse de cheveux gris. Il roulait des épaules. La droite, la gauche, la droite. Un vrai don Juan avec son pantalon noir parfaitement coupé, son pull à col roulé écru, sans manteau malgré la fraîcheur du temps. Il avait gagné son premier million de dollars à moins de trente ans et avait récemment fêté son cinquantième anniversaire en se débarrassant de sa troisième femme pour s'installer avec la meilleure amie de sa dernière fille.

– Roy, le salua-t-elle en lui serrant la main chaleureusement. Je suis ravie que vous ayez pu vous libérer de bonne heure.

– Ça serait malheureux que je ne fasse pas ce que je veux alors que je suis le patron. Eh bien, dites-moi, vous avez une sacrée poigne !

– Excusez-moi, dit-elle, desserrant aussitôt les doigts.

– Ce n'est rien.

Ce n'est rien, répéta silencieusement Mattie, brusquement ramenée à la salle d'audience 703, le souvenir de son esclandre projetant devant ses yeux des images figées dans le temps et à jamais gravées dans son esprit. Ce n'est rien. Mais c'est là que vous vous trompez, monsieur Crawford. C'est très grave au contraire. De cette visite stupide au tribunal jusqu'à ce scandale qu'elle avait provoqué, et pas un petit, s'il vous plaît, un vrai de vrai, dont on se souviendrait. Une véritable scène de ménage, pensa-t-elle tristement, convaincue que jamais Jake ne lui pardonnerait, que son pauvre simulacre de mariage était condamné, une union sans réelle existence malgré seize ans de vie commune et cette enfant qui en était issue, la seule chose dans sa vie qu'elle ne regrettait pas.

– Je suis vraiment désolée, répéta Mattie, et elle éclata en sanglots.

– Mattie ? – Roy Crawford regarda d'un air gêné autour de lui, les lèvres pincées, puis il se détendit, serra à nouveau les lèvres et prit Mattie, toute tremblante, dans ses bras. – Qu'est-ce qui ne va pas ? Que se passe-t-il ?

– Je suis désolée, répéta-t-elle, incapable de dire autre chose.

Que lui arrivait-il ? D'abord ce fou rire au tribunal et maintenant ces pleurs. Peut-être cela venait-il de l'environnement, peut-être était-elle allergique aux vieux bâtiments majestueux. Quoi qu'il en fût, elle ne voulait pas quitter le confort et la sécurité des bras de Roy Crawford. Il y avait si longtemps que personne ne l'avait étreinte avec tant de tendresse. Même quand elle faisait l'amour avec Jake, malgré la passion de leurs ébats en dépit des années, c'était cette tendresse qui lui avait manqué. Elle en prenait seulement conscience.

– Je suis tellement navrée.

Roy Crawford s'écarta, sans la lâcher, pétrissant ses bras sous l'épaisseur de son manteau.

– Qu'est-ce que je peux faire ?

Le pauvre ! Il n'y était pour rien et pourtant il avait l'air coupable, comme s'il était dans ses habitudes de faire pleurer les femmes et qu'il était prêt à en assumer la responsabilité, tout innocent qu'il fût. Mattie se demanda l'espace d'un instant si tous les hommes vivaient dans la crainte des larmes des femmes.

– Donnez-moi juste une minute. Je vais me calmer, dit-elle en offrant à Roy Crawford son sourire le plus encourageant.

Mais ses lèvres retombèrent et elle sentit le sel de ses larmes lui picoter la bouche. Il lui parut tout sauf rassuré. Il semblait même terrifié. Comment lui en vouloir ? Il venait simplement visiter une exposition de photos en sa compagnie et sur quoi était-il tombé ? Sur le cauchemar de tous les hommes ! Une femme qui piquait une crise de nerfs en pleine rue ! Pas étonnant qu'il ait l'air de vouloir disparaître sous terre !

Et pourtant la mine consternée de Roy Crawford n'était rien en comparaison de l'horreur qui s'était peinte sur le visage de son mari ce matin.

Mattie s'était enfuie du tribunal puis elle avait remonté California Avenue et traversé les 25e et 26e Rues sans cesser de rire. Entendant des pas derrière elle, elle s'était retournée, espérant voir Jake, et s'était retrouvée nez à nez avec deux Noirs encagoulés qui l'avaient dépassée rapidement sans la regarder.

Sa voiture, une Intrepid blanche, était garée devant un parc-mètre, à deux pâtés de maisons de là. Mattie avait cherché ses clés à tâtons dans son sac, les avait laissées tomber à terre, ramassées et laissées échapper de nouveau. Serrant fermement le trousseau, elle avait tenté d'ouvrir sa portière, mais la clé lui glissait des doigts et la serrure s'obstinait à rester fermée. Je dois faire un malaise cardiaque, avait-elle annoncé à la rangée d'immeubles décrépis qui s'étiraient devant elle. C'est ça. J'ai une attaque. Ou plutôt une crise de nerfs. Comment expliquer autrement son comportement scandaleux ? Et cette perte totale de contrôle de soi ?

La clé s'était brusquement insérée dans la serrure. Mattie avait respiré profondément, secoué ses doigts, remué ses orteils dans ses chaussures en daim noir. Tout semblait fonctionner parfaitement. Et elle ne riait plus, avait-elle remarqué avec soulagement alors qu'elle se glissait au volant. Elle avait ensuite sorti son téléphone portable et appelé Roy Crawford pour lui demander s'ils pouvaient aller voir l'exposition plus tôt. Ils pourraient ensuite parler de leurs achats éventuels pendant le déjeuner, c'était elle qui l'invitait. Si, si, cela lui faisait plaisir.

Quel plaisir ! pensa-t-elle maintenant en essuyant ses dernières larmes, cherchant désespérément à se ressaisir. Pourquoi Jake ne l'avait-il pas suivie ? Pourtant, il avait bien dû se rendre compte qu'elle n'était pas dans son état normal. Il se doutait bien que son éclat ne visait pas à le saboter. Mais comment aurait-il pu le savoir alors qu'elle-même n'en était pas si sûre ?

– Ça va mieux? demanda Roy Crawford, la suppliant du regard de répondre oui.

– Oui, oui. Merci.

– Nous pouvons reporter cette visite à plus tard.

– Non, vraiment, ça va bien.

– Voulez-vous qu'on en parle?

Cette fois, il l'implorait muettement de dire non.

– Non, ce n'est pas la peine. – Elle prit une profonde inspiration et le vit faire de même. Il avait une très grosse tête, pensa-t-elle distraitement. – On y va?

Quelques minutes plus tard, ils se tenaient devant une femme nue, artistiquement courbée sur une vasque ancienne de façon à n'exposer à l'œil inquisiteur de l'appareil photo que ses fesses et la courbe de son sein gauche.

– Willy Ronis appartient au célèbre trio de photographes français, expliquait Mattie de son ton le plus professionnel, en se forçant à ne penser qu'à l'instant présent, balayant de son regard entraîné le stupéfiant étalage de photos en noir et blanc qui couvrait les murs.

Lorsque l'on mélange le blanc et le noir, on obtient du gris, entendit-elle la voix de Jake l'interrompre. Et même plusieurs tons de gris. Va-t'en, Jake, lui ordonna-t-elle silencieusement, je te verrai au tribunal. Elle faillit éclater de rire et dut se mordre la lèvre inférieure pour garder son sérieux.

– Les deux autres membres du trio, bien sûr, sont Henri Cartier-Bresson et Robert Doisneau, continua-t-elle, quand elle eut retrouvé son assurance. Cette photo, intitulée *Le Nu provençal*, est sans doute la plus célèbre et la plus souvent exposée de son œuvre.

Alors prenons quelques minutes pour étudier les différents tons de gris.

Pas question!

– Cet intérêt pour les nus féminins est l'un des traits typiques de l'œuvre de Ronis.

– Pourquoi parlez-vous si fort? l'interrompit Roy Crawford.

– Oh, pardonnez-moi!

– Je vous en prie, ne vous excusez pas, s'empressa-t-il de protester, craignant visiblement de la voir fondre de nouveau en larmes.

Il lui sourit, d'un large sourire qui allait parfaitement avec sa grosse tête, et Mattie comprit en cet instant pourquoi il plaisait à toutes les femmes, quel que fût leur âge. À la fois voyou et petit garçon. Un mélange fatal.

– J'ai toujours rêvé d'aller en France, reprit-elle à mi-voix, en se concentrant sur les clichés, tenant à se prouver qu'elle pouvait encore tenir une conversation normale alors même qu'elle se sentait sur le point de craquer nerveusement.

– Vous n'y êtes jamais allée ?

– Pas encore.

– Pourtant votre formation et votre passion auraient dû vous y conduire depuis longtemps.

– Un jour, répondit Mattie, en pensant à toutes les fois où elle avait tenté de convaincre Jake de passer des vacances à Paris et à ses refus répétés.

Je n'ai pas le temps, prétendait-il, alors qu'il craignait en fait que ce ne fût le contraire. Trop de temps passé ensemble. Pas assez d'amour entre eux. Mattie nota mentalement d'appeler son agence de voyages dès qu'elle rentrerait chez elle. Elle n'était pas allée à Paris pour sa lune de miel. Pourquoi ne pas s'y rendre pour son divorce ?

– Quoi qu'il en soit, reprit-elle, les surprenant tous les deux par ces mots qui explosèrent dans le silence, voici une photographie de la femme de Ronis prise dans leur maison de vacances.

– Très érotique. Vous ne trouvez pas ?

– Ce qui la rend si sensuelle, à mon avis, c'est le rendu presque palpable de l'atmosphère. On croit sentir la chaleur du soleil qui entre par la fenêtre ouverte, le parfum de l'air, la texture du vieux sol en pierre. La nudité participe à cet érotisme. Mais elle ne fait qu'y participer.

– Ça donne envie de retirer ses vêtements et de sauter dans le tableau à côté d'elle.

– C'est intéressant comme idée, dit Mattie en essayant de ne pas l'imaginer nu.

Elle le conduisit vers un autre groupe de photographies, qui représentaient deux hommes assoupis sur un banc dans un jardin public, des grévistes flânant dans les rues de Paris, des charpentiers en plein travail dans la campagne française.

– On trouve dans ses débuts une certaine innocence qui manque dans les photographies ultérieures, dit Mattie, tandis qu'il lui venait brusquement à l'idée que Roy Crawford lui faisait peut-être la cour. Bien que son intérêt pour la classe laborieuse continue à marquer son œuvre, les clichés qu'il a pris après la Seconde Guerre mondiale trahissent une certaine tension. Comme celui-ci, dit-elle en dirigeant son client vers une photo intitulée *Noël*, où l'on voyait un homme hagard, seul dans la foule devant un grand magasin parisien. Il n'y a plus les mêmes liens entre les gens et cet écart dans les rapports humains devient le sujet même de la photographie. Vous voyez ce que je veux dire ?

– Oui, on sent une certaine distance entre les personnages. Je saisis très bien ce que vous voulez dire.

Mattie hocha la tête. Moi aussi, pensa-t-elle, pendant qu'ils étudiaient en silence les photographies. Elle sentit le bras de Roy effleurer le sien, attendit qu'il s'écarte, et fut étrangement contente qu'il restât. La distance entre les êtres n'était peut-être pas si grande, finalement.

– Je préfère les autres.

Mattie sentit Roy Crawford s'éloigner d'elle et cela lui fit l'effet d'un sparadrap qu'on arrache lentement d'une blessure encore fraîche. Il revint vers les nus de la période antérieure et fixa intensément le corps d'une jeune femme abandonnée dans une pause provocante sur une chaise, la tête et le cou hors du champ de l'objectif, un sein exposé, le triangle de son pubis au centre de la photo, ses longues jambes tendues vers l'appareil. Une jambe d'homme habillée apparaissait subrepticement dans l'angle gauche du cadre.

– La composition de ce cliché est particulièrement intéressante. Et bien sûr, la juxtaposition des différents matériaux... le bois, la pierre.

– La peau nue.

– La peau nue, répéta-t-elle.

Flirtait-il avec elle ?

– Les choses simples de la vie.

Les choses sont rarement aussi simples qu'elles semblent l'être, entendit-elle son mari déclarer. *Nous le savons tous.*

– Jetons un œil de ce côté, dit-elle en l'entraînant vers une autre série de salles.

– Qu'y a-t-il à voir ?

– Danny Lyon, répondit-elle de son ton le plus professionnel. Sans doute un des photographes les plus influents de nos jours en Amérique. Comme vous pouvez le constater, il est très différent de Willy Ronis, bien qu'il partage son intérêt pour les gens du peuple et l'actualité. Il a pris ces photographies au début du mouvement des droits civiques entre 1962 et 1964, après avoir quitté notre université de Chicago pour se rendre en auto-stop dans le Sud où il est devenu le premier photographe officiel du SNCC, qui était, si vous vous rappelez...

– Un comité de coordination d'étudiants non violents. Oui, je m'en souviens parfaitement. J'avais quatorze ans à cette époque. Et vous n'étiez encore qu'une lueur dans le regard de votre père.

Une lueur qu'il a éteinte en partant.

– En fait, je suis née en 1962, précisa-t-elle, convaincue maintenant qu'il lui faisait la cour.

– Ce qui vous fait...

– À peu près le double de l'âge de votre petite amie actuelle, dit-elle en partant d'un pas vif vers le premier groupe de clichés, suivie par le rire tranquille de Roy Crawford. Alors, qu'en pensez-vous ? Y a-t-il quelque chose qui accroche votre regard ?

– Beaucoup de choses, répondit Roy, ignorant les photographies pour la regarder droit dans les yeux.

– Seriez-vous en train de me draguer ? demanda-t-elle d'une façon si brutale qu'ils furent tous deux surpris.

– Oui, je crois, répondit-il avec son grand sourire déconcertant.

– Je suis mariée.

Elle tapota sa fine alliance bien en place sur sa main gauche.

– Et alors ?

Mattie sourit, consciente que ce petit jeu lui plaisait plus que de raison.

– Roy, vous êtes mon client depuis combien de temps... cinq ans, six ?

– Depuis plus longtemps que mes deux derniers mariages réunis.

– Et pendant toutes ces années, je vous ai fourni des œuvres d'art pour vos différentes maisons et vos bureaux.

– Vous avez fait entrer la culture et le bon goût dans mon existence fruste, reconnut-il galamment.

– Et pendant tout ce temps, jamais vous ne vous êtes intéressé à moi.

– C'est exact.

– Alors pourquoi maintenant ?

Roy Crawford la dévisagea d'un air perplexe, ses sourcils noirs réunis en une seule ligne broussailleuse.

– Qu'y a-t-il de différent ?

– Vous.

– Moi ?

– Il y a quelque chose de changé en vous.

– Parce que j'ai craqué tout à l'heure, vous pensez que je suis une proie facile ?

– Je l'espérais.

Mattie éclata de rire. Effrayée, elle étouffa ce son qui montait de sa gorge. Voilà que j'ai peur de mon propre rire, se dit-elle en déglutissant péniblement.

– Peut-être avons-nous vu suffisamment de photos pour aujourd'hui ?

– On va déjeuner ? proposa-t-il.

Mattie fit tourner son alliance autour de son doigt jusqu'à en avoir mal. Ce serait si facile. Qu'est-ce qui la tracassait ? Son mari la trompait, non ? Et son mariage était fichu, non ?

– Ça vous ennuierait si nous reportions ce repas à un autre jour ?

– Comme vous voulez.

– Je me ferai pardonner, promit Mattie quelques minutes plus tard en lui disant au revoir du haut des marches.

– J'y compte bien ! lança-t-il gaiement.

C'était malin ! Et très professionnel ! Mattie retrouva sa voiture sur le parking et monta dedans. Vraiment très pro ! Elle n'entendrait sans doute plus jamais parler de Roy Crawford. À peine cette pensée lui eut-elle traversé l'esprit qu'elle fut chassée par la vision de son propre corps nu penché sur une chaise en une pose provocante, la chaussure de Roy Crawford pointée sournoisement au coin de son imagination. Mon Dieu, tu es vraiment malade ! se dit-elle en secouant la tête pour repousser cette image troublante.

Elle sortit du parking, tourna à droite au premier coin de rue, à gauche au suivant, sans direction précise, en se demandant à quoi occuper le reste de sa journée. Une femme sans but, se dit-elle en essayant d'imaginer ce qu'elle dirait à Jake quand il rentrerait. S'il rentrait... Peut-être devrait-elle consulter un psychiatre, quelqu'un qui l'aiderait à accepter ses frustrations et son agressivité refoulée, pendant qu'il était encore temps. Non, c'était déjà trop tard.

– C'est simple, mon mariage est fichu, dit-elle simplement.

Rien n'est jamais aussi simple qu'il semble l'être.

Mattie vit le feu à quelques pâtés de maisons, nota qu'il était rouge et voulut appuyer sur la pédale du frein. Elle eut comme l'impression que celle-ci avait brutalement disparu. Elle se mit frénétiquement à la chercher sur le plancher de la voiture mais elle ne sentait rien. Son pied était engourdi. Et elle roulait bien trop vite. Elle n'avait aucun moyen de ralentir, et encore moins de s'arrêter. Seigneur ! Des piétons traversaient au passage protégé, un homme et deux petits enfants. Elle allait les percuter, les écraser. Ces trois innocents mourraient si elle ne trouvait pas de solution très rapidement.

Elle donna un violent coup de volant vers la gauche et catapulta sa voiture dans le flot de circulation inverse, droit sur une Mercedes noire qui venait vers elle. Le conducteur fit une embardée pour éviter le choc frontal. Mattie entendit un crissement de pneus, un fracas de tôle et un terrible bruit de verre brisé. Une détonation sourde retentit, son airbag la frappa en pleine poitrine tel un poing géant, la clouant sur son siège en remontant contre son visage. Une collision en noir et blanc, se dit-elle, luttant pour rester consciente, essayant de se souvenir de ce que Jake avait dit sur les choses qui n'étaient ni noires ni blanches mais seulement de différents tons de gris. Un goût de sang dans la bouche, elle vit l'autre conducteur émerger de sa voiture, fou furieux. Elle pensa à Kim, son adorable Kim si jolie, et se demanda comment sa fille s'en sortirait sans elle. Et enfin, Dieu merci, tout disparut dans un dégradé de gris et elle ne vit plus rien du tout.

5.

Aussi loin qu'elle se souvienne, ses parents s'étaient toujours disputés.

Assise au fond de la classe, Kim dessinait des séries de cœurs entrelacés sur la couverture de son cahier d'anglais, la tête inclinée vers le professeur, debout au tableau. À peine consciente de sa présence, elle n'avait pas écouté un seul mot du cours. Elle se tortilla sur son siège et se tourna vers la fenêtre qui occupait tout un pan de mur de la classe de seconde. Non pas qu'il y eût quoi que ce soit d'intéressant à voir dehors. La pelouse avait disparu sous le béton depuis déjà plusieurs années avant d'être occupée par d'abominables préfabriqués, trois en tout, d'un gris horrible, avec de minuscules fenêtres trop hautes pour que l'on puisse voir quoi que ce soit et des salles toujours surchauffées ou glaciales. Kim ferma les yeux, se renversa contre son dossier en se demandant quelle serait la température d'ici à la fin de son cours de maths. Que fichait-elle dans cette stupide école? N'étaient-ils pas venus vivre en banlieue pour la sortir de ces classes bondées et la placer dans un environnement plus propice aux études?

N'était-ce pas le sujet de toutes leurs querelles?

Pourtant ses parents criaient rarement. Non, leur colère était plus froide, plus difficile à cerner. Une hargne rentrée, dormante, comme les serpents tapis au fond d'un panier qui attendent, prêts à mordre, qu'un imprudent soulève le couvercle. Combien de fois avait-elle été réveillée au milieu de la nuit par les chuchotements furieux qu'ils échangeaient les dents serrées et combien de fois avait-elle couru dans leur chambre pour trouver son père arpentant la pièce et sa mère en larmes? « Que se passe-t-il? demandait-elle à son père. Pourquoi maman pleure-t-elle? Qu'est-ce que tu lui as fait? »

Kim se souvenait de sa frayeur la première fois. Quel âge pouvait-elle avoir? Trois ans, quatre peut-être? Elle faisait la sieste, dans son petit lit en cuivre, le nez contre un canard en peluche, un vieil ours râpé serré sous son bras. Peut-être avait-elle rêvé. Toujours est-il qu'elle s'était réveillée en sursaut et s'était mise à trembler sans savoir pourquoi. C'est alors qu'elle avait pris conscience des chuchotements dans la chambre à côté. Ses parents parlaient à voix basse, mais pas comme d'habitude. Elle entendait des murmures aussi froids et mordants qu'un blizzard, des murmures qui la poussèrent à couvrir les oreilles de son canard, puis à le cacher à côté de son nounours avant d'aller voir ce qui se passait.

Kim se tassa sur sa chaise, tapota machinalement son petit chignon serré sur le haut de son crâne et vérifia qu'aucun cheveu ne s'échappait sur sa nuque, que tout était bien en place, comme elle l'aimait. Ma petite vieille fille, comme l'appelait parfois sa mère en riant.

Kim adorait la voir rire. Cela la rassurait. Si elle riait, c'est qu'elle était heureuse et si elle était heureuse, tout allait bien, ses parents resteraient ensemble. Elle ne deviendrait pas une statistique banale de plus, l'enfant d'un foyer brisé, la victime d'un divorce amer, comme tant de ses amies et camarades de classe.

Si sa mère riait, tout était pour le mieux dans le meilleur des mondes, se rassura-t-elle, en essayant d'oublier son rire inquiétant ce matin, un coassement rauque et forcé qui n'avait rien d'heureux, presque hystérique, aussi inquiétant que les chuchotements rageurs de son premier souvenir d'enfant, et trop bruyant. Beaucoup trop bruyant.

Mais pourquoi? Ses parents avaient-ils eu une nouvelle querelle? Son père était encore sorti la veille après le dîner, sous prétexte de retourner à son cabinet préparer le procès d'aujourd'hui. Mais n'étaient-ils pas venus vivre en banlieue justement pour qu'il puisse avoir un vrai bureau chez lui, avec ordinateur, imprimante et fax? Avait-il vraiment besoin de repartir en ville? Ou existait-il une autre raison, une raison jeune et jolie qui faisait la moitié de son âge, comme celle qui avait poussé le père d'Andy Reese ou celui de Pam Baker à abandonner leur famille? À moins qu'il ne s'agît de celle que Kim avait vue embrasser son père au coin de la rue, à pleine bouche, par un bel après-midi ensoleillé, au moment de leur déménagement. Une petite brune potelée qui ne ressemblait en rien à sa mère.

Était-ce à cause d'elle que sa mère riait comme une malade, seule au milieu de la piscine?

Kim ne lui avait jamais dit qu'elle avait vu son père avec une autre femme. Au contraire, elle avait essayé de se convaincre qu'il s'agissait d'une simple amie, non, même pas, une banale connaissance, une relation d'affaires tout au plus, ou une cliente reconnaissante. Mais depuis quand embrassait-on ses clientes, même très reconnaissantes, sur les lèvres? À pleine bouche, comme Teddy Cranston l'avait embrassée samedi soir, en la taquinant gentiment du bout de la langue.

Kim porta ses doigts à ses lèvres et frissonna au souvenir de la douceur de ce baiser. Évidemment, Teddy avait quelques années de plus et donc davantage d'expérience que les garçons avec lesquels elle était sortie jusqu'à présent. Il avait dix-sept ans et rentrerait l'automne prochain à l'université de Columbia ou à celle de New York, lui avait-il confié, selon qu'il déciderait d'étudier la médecine ou le cinéma. Mais samedi soir, elle l'avait trouvé plus impatient de glisser sa main sous son pull que d'intégrer une école quelconque et elle avait été tentée, très tentée, même, de le laisser faire. Toutes les autres le faisaient. Elles allaient même plus loin. Beaucoup de filles de son âge avaient carrément sauté le pas. Elles en parlaient avec des gloussements dans les toilettes, au lycée, devant le distributeur de préservatifs. Les garçons détestaient ces trucs-là, les entendait-elle se lamenter. Alors ils s'en passaient souvent, surtout quand ils l'avaient déjà fait plusieurs fois et qu'elles savaient que le garçon était sain.

— Tu devrais essayer, Kimbo, l'avait taquinée une des filles en lui jetant un paquet de préservatifs.

— Oui, avaient enchaîné les autres en la bombardant à leur tour. Essaie. Ça te plaira.

Le ferait-elle? se demanda Kim, sentant encore la main invisible de Ted sur sa peau.

Tout venait de ses seins, pensa-t-elle en regardant avec étonnement sa poitrine monter et descendre à chaque respiration. L'année dernière à cette époque, elle était encore plate et brusquement, il y avait six mois, ils étaient apparus. Sans prévenir. Du jour au lendemain, elle était passé d'un A à un C et le monde entier s'était brusquement intéressé à elle. Il n'y avait que dans la taille des bonnets, apparemment, que le C valait mieux que le A.

Kim se souvenait des hurlements et des sifflements des garçons, des regards envieux des filles, et des coups d'œil à peine voilés de ses professeurs la première fois qu'elle avait porté son T-shirt blanc Gap au printemps dernier. Populaire du jour au lendemain, elle s'était aussi retrouvée la cible des commérages. Tout le monde semblait avoir une opinion quant à son nouveau statut : de salope à frigide en passant par allumeuse. Comme si ses seins avaient absorbé sa personnalité précédente pour devenir les seuls maîtres de son comportement. Elle découvrit à sa grande surprise qu'on ne lui demandait même plus d'avoir des opinions. Ses seins suffisaient. Et même ses professeurs semblaient surpris qu'elle pût encore réfléchir sainement.

Ses parents aussi avaient été affectés par ce développement soudain et inattendu. Sa mère la considérait avec une certaine stupéfaction mêlée d'inquiétude, alors que son père évitait carrément de la regarder ou, lorsque cela lui arrivait, fixait son visage avec tant d'application qu'elle avait chaque fois l'impression qu'il allait tomber raide.

Le téléphone s'était mis à sonner jour et nuit. Des filles qui ne lui avaient jamais accordé un soupçon d'attention voulaient brusquement devenir ses amies. Des garçons qui ne lui avaient jamais adressé la parole en classe l'appelaient après les cours pour l'inviter : Gerry McDougal, le capitaine de l'équipe de football ; Martin Peshkin, un superbaratineur ; et Teddy Cranston avec ses doux yeux bruns qui la faisaient fondre.

Une fois de plus, ses lèvres frémirent au souvenir du baiser de Teddy. Elle sentit à nouveau sa main effleurer son sein, si légèrement qu'on aurait dit que c'était involontaire. Évidemment, il ne cherchait que ça. Sinon, pourquoi serait-il venu ?

– Non, avait-elle protesté doucement, et il avait fait semblant de ne pas entendre. – Elle avait dû répéter, plus fort, et, cette fois, il avait obéi, ce qui ne l'avait pas empêché de réessayer, plus tard, et elle avait été forcée de lui dire « non » à nouveau. – Non, dit-elle en pensant à sa mère, non, je t'en prie.

– Ne sois pas impatiente, l'avait mise en garde cette dernière au cours d'une de leurs premières conversations sur ce sujet. Tu as tout le temps. Et malgré toutes les précautions du monde, il y a encore des accidents.

Une légère rougeur lui était montée aux joues.

– Comme pour moi? avait-elle demandé.

Elle avait compris depuis longtemps qu'un bébé de plus de quatre kilos ne pouvait être prématuré de trois mois.

– Tu es le meilleur accident qui me soit jamais arrivé, avait répondu sa mère, sans lui faire l'affront de nier l'évidence.

Elle l'avait prise tendrement dans ses bras et l'avait embrassée sur le front.

– Ne vous seriez-vous pas mariés de toute façon?

– Absolument, avait-elle acquiescé, donnant à Kim la réponse qu'elle attendait.

Je ne crois pas, songeait maintenant Kim. Elle voyait bien la façon dont ses parents se regardaient, les coups d'œil qu'ils se lançaient quand ils n'étaient pas sur leurs gardes et qui dénonçaient leurs véritables sentiments plus clairement que leurs chuchotements hargneux derrière la porte close de leur chambre. Jamais ses parents n'auraient vécu ensemble sans son arrivée intempestive. Elle les avait piégés en les contraignant au mariage, à la vie commune. Mais le piège avait vieilli et n'était plus assez solide pour les retenir. Tôt ou tard, l'un d'eux trouverait la force et le courage de se libérer. Et que deviendrait la petite Kimbo?

Une chose était certaine : elle ne laisserait jamais ses hormones l'entraîner dans un mariage sans amour. Elle choisirait avec circonspection. Mais en serait-elle capable? Ses grands-mères n'avaient-elles pas été abandonnées toutes les deux par leurs maris? Kim s'agita nerveusement sur sa chaise. Les femmes de sa famille étaient-elles condamnées à choisir des hommes infidèles qui finissaient par les quitter? Peut-être était-ce inévitable et même génétique. Peut-être s'agissait-il d'une vieille malédiction familiale.

Kim haussa les épaules, comme pour se débarrasser physiquement de cette pensée déplaisante. Ce geste soudain fit tomber son cahier et attira, bien malgré elle, l'attention de son professeur. M. Bill Loewi, dont le teint rougeaud trahissait un certain goût pour la bouteille, se détourna du tableau sur lequel il écrivait et scruta le fond de la classe.

– Un problème? demanda-t-il pendant que Kim se tortillait pour ramasser son cahier, renversant alors son exemplaire de *Roméo et Juliette*.

– Non, monsieur, s'empressa-t-elle de répondre en se penchant à nouveau pour récupérer son livre.

Caroline Smith, assise de l'autre côté de la rangée, et qui possédait une immense bouche d'une taille inversement proportionnelle à celle de son cerveau, s'inclina en même temps qu'elle.

– Tu penses à Teddy? demanda-t-elle en lui faisant un geste obscène avec ses doigts.

– Fiche-moi la paix!

– Va te faire foutre, rétorqua l'autre instantanément.

– Souhaitez-vous nous faire participer à votre petite conversation? demanda M. Loewi.

– Non, monsieur, répondit Caroline Smith en gloussant.

– Non, monsieur, renchérit Kim en reposant son livre sur son bureau, le regard fixé droit devant elle.

– Si nous lisions un passage de ce texte, suggéra le professeur. Page trente-quatre. Roméo déclare son amour à Juliette. Kim, dit-il en s'adressant à sa poitrine, si vous faisiez Juliette?

Teddy l'attendait, vautré contre son casier, quand elle vint récupérer son déjeuner.

– On pourrait manger dans la cour, proposa-t-il, en dépliant son corps dégingandé qui dépassait le mètre quatre-vingts.

Il la prit par la main et lui fit traverser le hall bordé de casiers, en feignant d'ignorer les regards et les chuchotements des autres élèves. Il avait l'habitude qu'on le remarque. Voilà ce que c'était d'être sportif, riche et « beau à se damner », comme on pouvait lire en dessous de sa photo, dans le dernier annuaire du lycée.

– Il fait si bon dehors, dit-il.

– Alors restes-y, lança Caroline Smith.

Annie Turofsky et Jodi Bates, qui la suivaient, gloussèrent bêtement.

Les trois mousquetaires, ricana Kim. Elles s'habillaient pareil, en jean moulant et pull décolleté étriqué, leurs longs cheveux bruns raides coiffés la raie sur le côté, leur nez refait par le même chirurgien esthétique, même si Caroline prétendait que le sien n'avait été retouché que parce qu'elle avait la cloison déviée.

– Quelle classe, les filles! dit Teddy.

– Essaie-nous, commença Annie Turofsky.

– Tu ne seras pas déçu, conclut Jodi.

– Plutôt mourir, répondit-il à voix basse, en accélérant le pas et en entraînant Kim vers la porte.

– Il y a une fête samedi soir, leur cria Caroline. Chez Sabrina Hollander. Ses parents partent en week-end. On apporte ce qu'on veut.

– Une soirée pleine de gamines de quinze ans bourrées, dit Teddy d'un ton sarcastique en poussant la lourde porte qui donnait sur l'extérieur. Je meurs d'impatience.

– J'ai quinze ans, lui rappela Kim tandis qu'un courant d'air glacial lui balayait le visage.

– Tu n'es pas comme les autres.

– Ah bon?

– Tu es plus mûre.

Je mets du C, corrigea mentalement Kim, mais elle ne dit rien. Elle ne voulait pas l'effrayer en se montrant trop intelligente, trop clairvoyante, trop « mûre ».

– Si on allait par là, demanda Teddy en montrant le parking des élèves.

– Qu'y a-t-il par là?

– Ma voiture.

– Oh! – Elle laissa tomber son sac de sandwiches par terre, entendit sa canette de Coca fuser et se demanda si elle allait exploser. – Je croyais que tu voulais manger dehors.

– Il fait plus froid que je ne le pensais.

Il ramassa le sac avec toujours la même aisance et, la prenant par le coude, la conduisit vers la Chevrolet vert sombre dernier modèle garée à l'extrémité du parking.

Avait-il choisi cette place délibérément? se demanda Kim en sentant son cœur accélérer et sa respiration devenir plus courte, presque douloureuse.

Teddy pointa sa clé à télécommande vers la voiture et celle-ci signala, par un cri de cochon qu'on égorge, que les portes étaient ouvertes.

– Montons à l'arrière, dit-il, toujours aussi à l'aise. On aura plus de place.

Kim se faufila sur la banquette et s'empressa de sortir un sandwich de son sac.

– C'est du thon, dit-elle, mal à l'aise, en le lui tendant comme pour qu'il l'inspecte. Je l'ai fait moi-même. – Elle commença à le déballer et s'arrêta en sentant l'haleine de Teddy sur sa joue. Elle se tourna vers lui, leurs nez se rencontrèrent. – Pardon, je ne savais pas que tu étais si près...

Il étouffa ses paroles sous ses lèvres. Elle entendit un gémissement et s'écarta brusquement en prenant conscience qu'il émanait d'elle.

– Qu'est-ce qui t'arrive ?

– Rien, dit-elle, le regard fixé devant elle, comme si elle se trouvait dans un drive-in.

Et cherchant à reprendre ses esprits, elle se mit à parler à toute vitesse. Ce n'était pas qu'elle ne voulait pas l'embrasser mais plutôt qu'elle en avait tellement envie que la tête lui tournait.

– Je crois qu'on devrait manger. J'ai cours tout l'après-midi et j'ai promis à grand-mère Viv, la mère de ma mère, de passer la voir après l'école, expliqua-t-elle, tout en sachant que Teddy qui lui massait le bas de la nuque s'en fichait complètement. Elle a dû faire piquer un de ses chiens hier soir. Il était très malade. N'empêche que ça lui a fait un coup, alors j'ai promis de m'arrêter chez elle en rentrant. Elle ira mieux dans quelques jours, quand sa chienne aura eu ses petits. Ça lui fera oublier Duke. Il s'appelait Duke. C'était un bâtard de colley et d'épagneul. Un chien très intelligent. Ma grand-mère dit que les croisés sont plus intelligents que les pure race. Tu as un chien ?

– Un labrador, répondit Ted, un sourire coquin aux lèvres, pendant qu'il lui prenait son sandwich au thon pour le remettre dans son sac. Pure race.

Kim leva les yeux au ciel puis les ferma.

– Je suis sûre qu'il est très intelligent.

– Il est con comme un balai, dit-il en passant un doigt sur sa lèvre supérieure. Ta grand-mère a raison.

– Je n'ai pas de chien, dit Kim, et elle rouvrit les yeux en sentant Teddy poser ses doigts sur sa bouche pour l'empêcher de parler. Ma mère les déteste, s'entêta-t-elle. Elle dit qu'elle y est allergique, mais je crois plutôt qu'elle ne les aime pas.

– Et toi ? demanda-t-il d'une voix rauque, en se penchant pour l'embrasser. Qu'est-ce que tu aimes ?

– Ce que j'aime ?

– Ça te plaît, ça ? demanda-t-il en l'embrassant dans le cou.

Oh oui ! répondit silencieusement Kim, retenant sa respiration, le corps parcouru de frissons.

– Et ça ? – Il remonta vers ses yeux clos, et caressa les cils de ses lèvres. – Ou ça ?

Il posa sa bouche sur la sienne. Elle sentit sa langue écarter doucement ses lèvres tandis qu'une de ses mains remontait vers sa nuque et que l'autre commençait sa lente reptation vers le devant de son pull. Pouvait-il exister une sensation plus délicieuse ? se demanda-t-elle, vibrant de tout son corps. Elle s'aperçut soudain que ces tremblements ne venaient pas d'elle ; ils lui étaient extérieurs.

49

– Oh, mon Dieu ! gémit-elle en portant la main à la poche de son jean. C'est mon bip.

– Laisse tomber, dit Teddy en voulant la reprendre dans ses bras.

– Je ne peux pas. C'est plus fort que moi. Il faut que je sache qui c'est.

Kim extirpa son appareil, enfonça une touche et vit apparaître un numéro inconnu suivi de 911, indiquant qu'il s'agissait d'une urgence.

– Il est arrivé quelque chose. Il faut que je téléphone.

6.

– Oh, mon Dieu ! sortez-moi d'ici, je vous en prie ! Sortez-moi d'ici !

– Ne vous agitez pas, Mattie. Vous devez rester calme.

– Sortez-moi d'ici. Je ne peux pas respirer. J'étouffe.

– Vous respirez très bien, Mattie. Ne vous affolez pas. Je vais vous dégager.

Mattie sentit l'étroite table sur laquelle elle était allongée l'amener, les pieds en avant, vers la sortie du monstrueux appareil à IRM. Elle voulut prendre une inspiration et eut alors l'impression d'avoir quelqu'un debout sur son thorax, en talons aiguilles. Les pointes traversaient sa chemise d'hôpital, perçaient sa chair, perforaient ses poumons et l'empêchaient d'absorber le moindre centimètre cube d'air.

– Vous pouvez ouvrir les yeux, maintenant, Mattie.

Elle obéit et les sentit aussitôt se remplir de larmes.

– Je suis désolée, dit-elle à la petite manipulatrice noire qui lui semblait d'une jeunesse alarmante. Je n'y arriverai jamais.

– C'est assez impressionnant, approuva la jeune fille en tapotant gentiment son bras contusionné. Mais le médecin attend ces résultats avec impatience.

– A-t-on appelé mon mari ?

– Oui, je crois qu'il a été prévenu.

– Et Lisa Katzman ? demanda Mattie en se soulevant sur les coudes, dérangeant sans le vouloir les oreillers placés de chaque côté de sa tête.

La douleur traversa ses articulations comme des milliers de petits poignards. Tout son corps la faisait souffrir. Ce fichu airbag a failli me tuer, se dit-elle en massant sa mâchoire endolorie.

– Le Dr Katzman attend que votre examen soit terminé, répondit en souriant la jeune fille qui, d'après son badge, s'appelait Noreen Aliwallia.

– Combien de temps doit-il durer ?

– Environ trois quarts d'heure.

– Trois quarts d'heure ?

– Je sais que ça peut paraître long...

– Vous m'étonnez ! Vous savez l'impression qu'on a dans ce machin ? On se croirait enterré vivant.

Pourquoi est-ce que je l'ennuie comme ça ? se demanda Mattie, pressée d'entendre la voix rassurante de son amie Lisa, la voix de la raison qui l'avait toujours apaisée depuis qu'elle était toute petite.

– Vous avez eu un accident de voiture, lui rappela patiemment Noreen Aliwallia. Vous avez perdu conscience et vous souffrez d'une sérieuse commotion cérébrale. L'IRM nous permettra de vérifier que vous n'avez pas d'hématome interne.

Mattie hocha la tête, en essayant de se rappeler ce que voulaient dire les initiales IRM. Une histoire d'image à résonance magnétique. Elle n'avait pas la moindre idée de ce que cela pouvait être. Une nouvelle manière sophistiquée de désigner une radio. Le neurologue le lui avait expliqué quand elle avait repris conscience, aux urgences, mais elle l'avait à peine écouté. Elle avait déjà des difficultés à comprendre ce qui lui était arrivé. Sa tête bourdonnait, elle avait un goût de sang dans la bouche et il lui était difficile de mettre de l'ordre dans ses souvenirs. Elle avait mal partout mais on lui avait dit que, miraculeusement, elle n'avait rien de cassé. Puis on l'avait brusquement descendue au sous-sol de cet hôpital, dont elle avait déjà oublié le nom. Et cette jeune fille qui répondait au nom mélodieux de Noreen Aliwallia, et semblait à peine sortie du lycée, lui avait demandé de s'allonger sur cette table étroite et de mettre sa tête dans cette espèce de cercueil.

L'appareil, un énorme cylindre d'acier, occupait presque tout l'espace de la petite pièce aveugle aux murs d'une blancheur lugubre. À l'entrée du cylindre se trouvait une boîte rectangulaire munie d'un orifice rond. La jeune femme lui avait donné une paire de boules Quies, en lui affirmant que c'était un peu bruyant à l'intérieur, et avait placé des oreillers de chaque côté de sa tête pour la caler. Elle lui avait mis dans la main un bip à n'utiliser que si elle avait envie d'éternuer, de tousser ou de faire quoi que ce soit qui risquait de perturber le fonctionnement de l'appareil. Si elle faisait le moindre geste pendant l'examen, elles devraient tout reprendre de zéro. « Fermez les yeux, lui avait-elle conseillé. Pensez à quelque chose d'agréable. »

Mattie avait senti la panique l'envahir dès que la boîte avait recouvert sa tête avant de glisser vers sa poitrine, si bien que, même avec les yeux clos, elle avait eu la sensation d'être dans une tombe et de suffoquer. Puis la table sur laquelle elle était allongée avait commencé sa lente progression dans le cylindre étroit et elle avait eu l'impression d'être une de ces poupées russes que l'on emboîte les unes dans les autres. Et si on ne la sortait pas immédiatement de cette fichue machine, elle en mourrait. C'était pire que l'accident, pire que l'airbag, pire que tout ce qu'elle avait connu dans sa vie. Cédant à la panique, elle s'était mise à hurler, suppliant la jeune fille de l'aider, oubliant tout, même le bip, jusqu'à ce que Noreen lui dise d'ouvrir les yeux. Elle avait alors fondu en larmes parce qu'elle souffrait, qu'elle se comportait comme un bébé et qu'elle ne s'était jamais sentie aussi seule de sa vie.

Et maintenant Noreen Aliwallia lui demandait d'oublier ses angoisses et de recommencer. Elle préférait risquer une hémorragie interne ou Dieu sait quelle autre sombre complication plutôt que de revivre cette épreuve. Elle avait toujours eu secrètement peur de suffoquer ou de se retrouver enterrée vivante. Elle ne pouvait pas retourner là-dedans. C'était impossible.

– Vous me sortirez de là si je panique de nouveau ? s'entendit-elle dire.

Qu'est-ce qui lui prenait ? Elle devenait folle ou quoi ?

– Vous n'aurez qu'à appuyer sur le bip et je vous sortirai aussitôt. – Les bras étonnamment forts de Noreen ramenèrent les épaules de Mattie sur la table. – Essayez de vous détendre. Vous pourriez même vous endormir.

– Oh, mon Dieu ! mon Dieu ! gémit Mattie, les yeux bien fermés, la main gauche serrant le bip contre son cœur battant, pendant que sa tête était placée à nouveau à l'intérieur du compartiment rectangulaire qui glissa jusqu'à sa poitrine, la plongeant dans l'obscurité totale et dans un désespoir insondable. Je ne peux pas respirer. J'étouffe.

– Vous connaissez le Dr Katzman depuis longtemps ? demanda Noreen, cherchant absolument à lui changer les idées.

– Depuis toujours, répondit Mattie entre ses dents, en revoyant Lisa petite fille, le visage couvert de taches de rousseur. Nous sommes amies depuis l'âge de trois ans.

– C'est incroyable, dit Noreen en s'éloignant d'elle. Je vais mettre l'appareil en route maintenant, Mattie. Comment vous sentez-vous ?

Pas terrible, pensa-t-elle tandis que la table en dessous d'elle commençait à bouger, l'entraînant à l'intérieur de l'appareil. Reste calme. Reste calme. Ce sera bientôt terminé. Trois quarts d'heure. Ce n'est pas très long. Si, c'est très long. Ça fait presque une heure, bon sang ! Je ne peux pas. Il faut que je sorte. Je ne peux pas respirer. J'étouffe.

– La première série de rayons va commencer, annonça Noreen. Vous entendrez un bruit de chevaux au galop qui durera cinq minutes.

– Et ensuite ?

Respire, se dit Mattie. Reste calme. Pense à quelque chose d'agréable.

– Ensuite il y aura une pause de quelques minutes puis une nouvelle série de rayons. Il y en aura cinq au total. Vous êtes prête ?

Non, je ne suis pas prête, hurla intérieurement Mattie au-dessus du bruit des chevaux qui arrivaient dans le lointain. C'est intéressant, se surprit-elle à penser, sa panique un instant dissipée par le martèlement de sabots, pendant que derrière ses paupières closes une bande d'étalons noir et blanc couraient vers elle. Noir et blanc. Les choses sont rarement noires ou blanches, mais plutôt de différents tons de gris. Où avait-elle entendu cette phrase ?

L'accident, se dit-elle, brusquement ramenée dans sa voiture, au moment où elle se jetait sur le véhicule qui arrivait en face. Une collision en noir et blanc. Différents tons de gris. À quoi pensait-elle à ce moment-là ?

– Ça va, Mattie ?

Elle poussa un grognement, essayant d'oublier que le couvercle de la boîte ne se trouvait qu'à quelques centimètres de son nez. J'ai beaucoup d'espace, se dit-elle. Je suis allongée sur une plage déserte des Bahamas, les yeux fermés, et les vagues de l'océan me lèchent les pieds. Et une centaine de chevaux galopent vers moi et vont m'enterrer vivante dans le sable blanc, pensa-t-elle en entendant la seconde série de rayons démarrer. Reste calme. Très calme. Le bip est dans ta main. Tu peux le presser quand tu veux. Pense à des choses positives. Tu es sur une plage des Bahamas. Non, ça ne marche pas. Si, tu es sur une plage des Bahamas. Non, je suis sur une table dans un hôpital de Chicago. On photographie l'intérieur de ma tête. Que dira-t-on quand on s'apercevra qu'elle est vide ?

Je ne peux pas respirer. J'étouffe. Je dois sortir d'ici.

Reste positive. Imagine-toi dans ton lit. Non, pas ça. Quand t'y es-tu sentie en sécurité pour la dernière fois ? Pas depuis ta petite enfance, se dit-elle, se revoyant aussitôt fillette, le visage grave, allongée sous son édredon bleu et blanc, son père assis à côté d'elle, en train de lire l'un de ses contes favoris. « C'est fini pour ce soir, Mattie », l'entendit-elle dire, et il l'embrassait sur le front, sa moustache effleurant sa peau douce.

– Tu peux rester près de moi jusqu'à ce que je m'endorme ? demandait-elle tous les soirs.

Et chaque soir, il répondait :

– Tu es une grande fille maintenant, tu n'as plus besoin que je reste à côté de toi.

Et pourtant il restait, il ne bougeait pas, même quand sa mère l'appelait d'une voix impatiente. Il attendait toujours qu'elle s'endorme quel que soit le temps que cela prenait.

– Voilà la troisième série, annonça Noreen.

Combien de temps s'était-il écoulé ? se demanda Mattie, et elle s'apprêtait à poser la question à voix haute lorsqu'elle fut arrêtée par le galop des chevaux. Suivi d'un autre bruit. Des coups, comme si quelqu'un tapait sur le cylindre. Comment pourrait-elle s'endormir avec un chahut pareil ?

Cela lui rappela quand les ouvriers avaient cassé tous les vieux placards de la cuisine pour installer les nouveaux. Elle aurait voulu aussi remplacer leur vieille cuisinière électrique par un appareil à gaz mais Jake avait refusé, se plaignant du chantier, du désordre et du vacarme incessant qui l'empêchait de réfléchir.

Oh, mon Dieu ! Jake ! Ce matin au tribunal. Sa plaidoirie. Son rire à elle, si déplacé, si mal venu. L'expression de Jake. La juge qui tapait avec son marteau. Ce son désagréable présageait le martèlement de l'appareil IRM. Si bruyant. Était-ce bien utile ? Et cette vibration dans ses oreilles, tel un horrible essaim d'abeilles qui seraient entrées sous son crâne et bourdonneraient frénétiquement à la recherche d'une issue.

– C'est bientôt terminé ? demanda-t-elle alors que le galop des chevaux et les vibrations régressaient et s'arrêtaient.

– Et de trois. Il n'en reste plus que deux. Vous êtes parfaite.

Encore quelques minutes, Mattie, entendit-elle son père dire. *Tu es parfaite.*

Quand pourrai-je regarder ? demandait-elle de sa voix d'enfant impatiente.

Tout... de suite. Son père s'écarta du chevalet de fortune posé au milieu du sous-sol, et recula avec fierté alors qu'elle se précipitait vers lui.

Elle regarda longuement le portrait sur lequel il travaillait depuis des semaines, en essayant désespérément de cacher sa déception. Ça ne lui ressemblait pas du tout.

Qu'en penses-tu ?

Je crois que tu devrais te contenter de vendre des assurances, dit la voix de sa mère, surgissant de nulle part.

Je le trouve très beau, protesta Mattie, venant aussitôt à la défense de son père.

Ce tableau, qu'était-il devenu ? se demanda-t-elle brusquement. Son père l'avait-il emporté lorsqu'il avait disparu de la circulation ? Elle faillit crier et se retint à temps de peur de devoir tout recommencer. Si je pouvais faire la même chose. Recommencer ma vie depuis le début. Et bien la mener cette fois-ci. Trouver un père qui ne partirait pas, une mère qui ne préférerait pas les animaux aux êtres humains. Choisir un mari qui la préférerait à toutes les femmes. Découvrir en elle quelque chose qui ferait qu'on l'aime.

– On attaque la quatrième série.

C'est presque fini, se dit Mattie alors que les vibrations augmentaient. Elle avait l'impression de retenir sa respiration sous l'eau, que ses poumons allaient exploser. Elle se revit, accrochée au bord de sa piscine, à attendre que les fourmillements dans son pied se dissipent. Quelle journée bizarre ! se dit-elle en revoyant sa chute sur le tapis. Elle avait commencé la journée en souhaitant tuer son mari et l'avait finie en manquant de se tuer. Sans parler du petit épisode au tribunal dans l'intervalle.

Mattie se demanda si Jake l'attendrait à la sortie ou s'il aurait déjà fait ses valises et pris la poudre d'escampette. Comme son père. Il est des nô...ô... tres. Pitié, Seigneur ! Je dois sortir d'ici avant de devenir complètement folle.

– La dernière.

Mattie prit une profonde inspiration tout en restant immobile. Rigidité cadavérique, l'idéal pour se faire enterrer vivante. Elle s'arma de courage à l'approche de la harde au galop, anticipant déjà les coups autour de sa tête, angoissée à l'idée des inévitables vibrations. Avait-on réussi à joindre Jake ? Comment avait-il réagi en apprenant son accident ? Avait-il eu peur ? Était-il soulagé, ou déçu de savoir qu'elle en avait réchappé ?

Les vibrations envahirent sa bouche et lui ébranlèrent les dents, comme la roulette d'un dentiste. Bientôt la fraise les pulvériserait et atteindrait les racines, transperçant ses gencives juste en dessous de son cerveau. Bonjour les hématomes ! Elle devait arrêter ce cirque et s'en aller. Et tout de suite ! Elle se moquait de gâcher l'examen si près de la fin. Il fallait qu'elle sorte de cette foutue machine. Immédiatement.

– C'est fini. Nous avons terminé, annonça Noreen Aliwallia, et Mattie sentit que la machine la recrachait et que l'on retirait le couvercle du cercueil de sa tête.

Elle aspira l'air goulûment avec la voracité d'un nouveau-né tétant sa mère.

– Vous avez été parfaite.

– Raconte-moi exactement ce qui s'est passé, lui dit Lisa Katzman de sa voix grave et forte, qui contrastait étrangement avec son corps mince et gracile.

Des cheveux bruns courts encadraient son étroit visage ovale criblé de taches de rousseur, au nez fin et retroussé, et à la bouche toujours pincée ; seul son regard la trahissait quand elle riait. Elle était perchée sur le bord du lit, vêtue d'une blouse d'hôpital enfilée par-dessus un pantalon et un pull noirs, le bas de son pantalon enfoncé dans des bottines en cuir noir également. Mattie voyait bien, derrière sa sollicitude de médecin, l'inquiétude qui assombrissait les doux yeux marron de son amie.

– J'aimerais le savoir, répondit-elle en ajustant le mince oreiller dans son dos.

– Tu as dit au neurologue que ton pied s'était endormi ?

– Oui. Tu ne peux pas imaginer. Impossible de sentir la pédale de frein. J'avais beau la chercher du bout du pied, là où je savais qu'elle se trouvait, rien. L'horreur.

– Ça t'était déjà arrivé ?

– Oui, le matin. Je suis même tombée. Jake est là ?

– Il est venu. Il a dû repartir travailler.

– Comment l'as-tu trouvé ?

– Jake ? Bien. Inquiet à ton sujet, évidemment.

Évidemment...

– En résumé, tu n'as eu ces problèmes que ce matin et cet après-midi, c'est tout ?

– Non. Il m'est déjà arrivé d'avoir des fourmis dans les jambes. – Elle s'arrêta, intriguée par l'insistance de son amie. – Où veux-tu en venir?

– Combien de fois? demanda Lisa, ignorant sa question, les lèvres tombantes, les yeux encore souriants, comme si cet interrogatoire n'était que pure routine. Une fois par semaine? Tous les jours?

– Plusieurs fois par semaine.

– Depuis combien de temps?

– Je ne sais pas. Deux ou trois mois.

– Pourquoi ne m'en as-tu jamais parlé?

– Ça ne m'inquiétait pas vraiment. Et je ne t'appelle pas dès que j'ai un pet de travers.

Lisa lui lança un regard qui signifiait : « Ah bon, c'est nouveau ! »

– Où est le problème? Ça arrive à tout le monde d'avoir des fourmis dans les jambes.

– Tu n'étais jamais tombée avant aujourd'hui?

Mattie secoua la tête vigoureusement. Elle en avait assez de cette conversation. Le médecin commençait à lui taper sur les nerfs. Où était passée Lisa Katzman, son amie?

– On a prévenu Kim?

– Jake l'a appelée. Il passera plus tard avec elle. Il pense la laisser chez ta mère jusqu'à ton retour.

– Chez ma mère? La pauvre enfant! Elle ne me le pardonnera jamais.

– Tu ne resteras pas ici assez longtemps pour qu'elle la haïsse vraiment. Jake m'a raconté que tu avais éclaté de rire au beau milieu de sa plaidoirie, continua Lisa, l'air de rien.

– Il t'en a parlé? Oh, mon Dieu! il avait l'air vraiment contrarié?

– Je croyais que tu avais décidé de ne pas y aller, dit Lisa, et Mattie lut dans ses yeux : « Pourquoi m'as-tu demandé mon avis, si c'était pour n'en faire qu'à ta tête? – Je n'ai pas pu m'en empêcher », répondit-elle de la même manière et la conversation continua silencieusement entre elles, sans qu'il fût besoin de paroles.

– Qu'est-ce qui t'a fait rire? demanda brusquement Lisa.

– Je ne sais pas. Ça m'a pris d'un coup.

– Tu pensais à quelque chose de drôle?

– Pas que je me souvienne.

– Tu t'es simplement mise à rire?

– Oui. Pourquoi? Quel rapport avec le reste?

– Ça t'était déjà arrivé avant?

– Quoi?

– Eh bien, de rire comme ça, sans raison? Ou de pleurer? Ou d'avoir des réactions incongrues?

– Oui, quelquefois, répondit Mattie en pensant à ses larmes sur les marches de l'Art Institute, quand elle s'était soudain sentie perdue, à la dérive.

– Ces deux derniers mois?

– Oui.

– Et as-tu ressenti des fourmillements dans les mains?

– Non. – Elle réfléchit. – Enfin, parfois, j'ai du mal avec mes clés.

– Comment ça?

– Je n'arrive pas à les mettre dans la serrure.

Lisa se rembrunit et toussa pour cacher son inquiétude.

– Des problèmes de déglutition?

– Non.

– Tu es sûre que tu ne me caches rien?

– Quoi donc? Tu sais bien que je te dis toujours tout. – Mattie s'arrêta, écarta une mèche imaginaire de son front. Elle avait mis Lisa au courant de la dernière aventure de Jake. – Tu crois que ça pourrait être nerveux?

– Peut-être. – Lisa se pencha, prit les mains de son amie dans les siennes et essaya d'afficher un grand sourire. – Attendons les résultats de l'IRM.

– Et après?

Lisa se redressa et prit son attitude la plus professionnelle.

– À chaque jour suffit sa peine. Tu en as déjà eu assez pour aujourd'hui, tu ne crois pas?

Mais le sourire avait disparu de ses yeux, seule restait sa bouche pincée.

7.

Deux jours plus tard, Jake vint chercher Mattie à l'hôpital. Elle disparaissait dans le jean et le sweat-shirt qu'elle lui avait demandé d'apporter, si mince, si meurtrie, si fragile dans ses gestes qu'il eut peur qu'elle ne s'évanouît avant d'arriver à la voiture. Il lui était pénible de la voir dans cet état, non parce qu'il compatissait à sa souffrance – il lui en voulait encore suffisamment pour ne pas la plaindre – mais parce que cette vulnérabilité représentait une forme de dépendance. Et il ne voulait plus que Mattie compte sur lui. Plus maintenant.

L'égoïsme de ses pensées le fit tressaillir. Il regarda l'infirmier aider Mattie à descendre du fauteuil roulant dont l'usage était imposé par le règlement jusqu'aux portes de l'hôpital. Elle sourit d'un air contraint et s'avança à petits pas vers lui, deux taches mauves sur les pommettes, de larges cernes jaunes dessinant des monocles désuets autour de ses yeux. Jake savait qu'il était de son devoir de l'aider, de la réconforter, mais il fut tout juste capable de lui dire avec un petit sourire fatigué qu'elle s'en sortait bien pour une femme rescapée d'une voiture en accordéon.

Il la prit consciencieusement par le coude, et, ajustant son pas sur le sien, la conduisit lentement vers la porte. Ils sortirent sur le perron. Mattie s'abrita les yeux d'une main tremblante devant la lumière crue du soleil de midi.

– Attends-moi là, dit Jake. Je vais chercher la voiture.

– Je peux venir avec toi, proposa-t-elle d'une voix faible.

– Non, ce sera plus rapide. J'en ai pour une seconde. La voiture est juste devant, ajouta-t-il en faisant un geste vague vers le parking. Je reviens tout de suite.

Il partit d'un pas vif, la tête rentrée dans les épaules sous le vent froid d'automne, et monta dans sa BMW verte, sa monnaie déjà à la main. Le temps qu'il revienne, deux minutes au maximum, Mattie avait descendu l'escalier et l'attendait sur le trottoir. Elle tenait à affirmer son indépendance, à lui prouver qu'elle n'avait besoin de personne. Parfait, se dit-il. On devrait s'entendre.

Comment se faisait-il qu'il puisse éprouver tant de compassion envers un assassin comme Douglas Bryant et, bizarrement, aucune pour sa femme ? Ne pouvait-il oublier sa colère et se soucier sincèrement de son bien-être ? Ce qui lui était arrivé la laissait visiblement aussi perplexe que lui, même s'ils n'en avaient pas vraiment parlé. Enfin, à quoi bon en discuter maintenant ? C'était fini et bien fini.

Comme leur mariage le serait avant la fin de la journée.

Il avait déjà emporté la plupart de ses vêtements chez Cherry et descendu ses affaires de toilette dans la salle de bains du rez-de-chaussée. Kim dormait chez la mère de Mattie. Quand elle rentrerait le lendemain, il serait encore là. Il attendrait évidemment que Mattie se rétablisse et n'ait plus besoin de lui avant de quitter vraiment la maison. Il expliquerait plus tard à sa fille les raisons de son départ, en essayant de la convaincre de son bon droit. Jake réprima un rire en s'arrêtant devant Mattie. Il courut lui ouvrir la porte. Kim serait le juré le plus difficile qu'il eût jamais affronté. Elle était la digne fille de sa mère. Il n'avait pas une seule chance.

— Attention à ta tête, dit-il en aidant Mattie à s'asseoir.

— Ça va, lui dit-elle.

— Ça va, répéta Jake avec soulagement.

Pas de fractures, pas d'infirmités, que des contusions qui auraient disparu dans moins d'un mois. L'IRM n'avait révélé aucune hémorragie interne, pas de tumeurs, aucune anomalie d'aucune sorte.

— Je n'ai rien du tout dans la tête, lui avait annoncé Mattie au téléphone, en éclatant de rire, ce qui avait ravivé le souvenir douloureux de son esclandre du matin.

— Fatiguée ? demanda-t-il en prenant la direction de Lakeshore Drive.

— Un peu.

— Il faudra peut-être que tu te reposes quand nous arriverons à la maison.

— Oui, peut-être.

Ils se turent jusqu'à Evanston. Comment avait-il pu se laisser persuader de venir habiter si loin ? se demanda-t-il en contemplant les demeures bourgeoises sur sa gauche et les eaux glacées du lac Michigan sur sa droite. Il jeta un regard absent à sa montre et s'aperçut avec surprise qu'il était presque deux heures. Que pouvait faire Cherry, pensait-elle à la même chose que lui ?

— Tu crois qu'elle est au courant ? avait-elle encore demandé la veille. À mon sujet, avait-elle ajouté inutilement, voyant qu'il ne répondait pas. Tu crois que c'est pour cette raison qu'elle a fait ça ? Par dépit ?

Il avait secoué la tête. Allez comprendre les femmes !

— Elle est très jolie.

Sans doute.

— Qu'est-ce qu'on va faire à sa sortie de l'hôpital ? s'était-elle inquiétée au moment où ils se couchaient.

— Qu'est-ce qu'on va faire ? demanda Mattie à côté de lui sur le siège du passager.

— Quoi ?

60

Jake s'aperçut qu'il serrait le volant si fort qu'il en avait des crampes dans les doigts. Mattie avait le don de lire dans ses pensées. Elle pénétrait comme elle voulait dans son cerveau. Avec elle, il devait se méfier de la moindre idée qui lui traversait l'esprit.

– Retourneras-tu au bureau après m'avoir déposée?

– Non, je n'en avais pas l'intention.

– C'est gentil, lui dit-elle simplement.

Pas de « Oh! je t'en prie, ne reste pas à la maison à cause de moi! » ni de « Ce n'est vraiment pas la peine ». Pas de vaines protestations. Pas les mots qu'il aurait aimé entendre.

Elle ne lui rendrait pas les choses faciles.

– Encore toutes mes félicitations, ajouta-t-elle tranquillement, les yeux baissés.

Elle l'avait appelé de l'hôpital, peu après l'annonce du verdict. Au bout de vingt-sept heures seulement de délibération du jury, Douglas Bryant était libre et Jake Hart devenu une célébrité. « J'ai appris la bonne nouvelle, s'était-elle timidement lancée. Je voulais te féliciter. » Il avait repoussé ses compliments comme il s'apprêtait à le faire maintenant.

– Je suis tellement désolée...

– Je t'en prie, la coupa-t-il.

– ... du scandale que j'ai provoqué.

– C'est du passé.

– Je ne sais pas ce qui m'est arrivé.

– Ça n'a plus d'importance.

– Lisa pense qu'il y aurait peut-être une explication médicale.

Une explication médicale?

Jake sentit la bile monter dans sa gorge. Comment osait-elle invoquer un prétexte pareil pour excuser son comportement inqualifiable? C'était la meilleure!

– Tu es toujours fâché, dit Mattie, énonçant une évidence.

– Non. Pas du tout. N'en parlons plus.

– Je pense qu'il le faudrait, au contraire.

– Qu'y a-t-il à dire?

La grosse BMW commençait à lui faire l'effet d'une prison. Pourquoi fallait-il toujours que Mattie lance des discussions dans des endroits où il lui était impossible de se lever et de partir? Était-ce pour cela qu'elle attendait toujours qu'ils soient en voiture? Parce qu'il était coincé?

– Tu dois savoir que jamais je ne t'aurais mis dans une situation aussi délicate délibérément.

– Vraiment ? – Il se sentait entraîné malgré lui, en dépit de toutes ses résolutions. – Pourquoi es-tu venue au tribunal, Mattie ?

– Pourquoi m'as-tu dit de ne pas venir ? contra-t-elle immédiatement.

– Objection. Question hors de propos et litigieuse.

– Désolée, s'empressa-t-elle de s'excuser. Je ne voulais pas te froisser.

Pas besoin de le vouloir, faillit-il répondre, mais il préféra se taire jusqu'à leur retour à la maison. Il se pencha pour augmenter le volume de la radio en l'observant du coin de l'œil. Une raison médicale ! Il était grand temps qu'il s'en aille.

C'est seulement après sa sieste qu'elle s'aperçut de la disparition des vêtements de Jake.

Il l'entendit aller et venir au-dessus de sa tête, ouvrir et fermer les portes des placards, tirer et repousser les tiroirs. Il imaginait la surprise qui devait marquer ses traits réguliers, dessiner de petites rides sur son front et déformer la douce courbe de ses lèvres.

– Jake ?

Elle descendait l'escalier.

Il était assis sur le plus petit des deux canapés de cuir bordeaux, dans l'ancien salon transformé en bureau, face à l'élégante cheminée en marbre, flanquée d'étagères couvertes de livres. Divers diplômes universitaires ornaient les murs lambrissés ; un tapis floral au petit point, dans des tons de bleu et de rose, couvrait le parquet. Son bureau en chêne massif, fait sur mesure, sur lequel trônait un équipement informatique dernier cri, occupait le côté opposé, devant les fenêtres qui donnaient sur la large rue ombragée. En résumé, une pièce à la fois pratique et agréable à regarder, où l'on pouvait aussi bien se détendre que travailler. Mattie l'avait réussie. Il aurait dû en profiter plus souvent, se dit-il, repoussant aussitôt ces remords déplacés.

Non coupable ! eut-il envie de crier en se levant d'un bond. Je ne suis pas coupable. Pas coupable. Pas coupable.

– Que se passe-t-il, Jake ? demanda Mattie depuis le seuil de la pièce.

À contrecœur, il tourna la tête vers elle et haussa involontairement les épaules alors qu'il avait décidé d'afficher un maintien placide. Pourquoi fallait-il qu'elle parût si vulnérable ? Le sommeil avait souligné ses contusions et creusé ses écorchures sur le visage et le cou. Le moment était sans doute mal choisi. Il ferait peut-être mieux d'attendre son rétablissement complet, ou au moins que ses bleus aient disparu.

Mais cela prendrait encore un mois, un mois de plus à se sentir coupable, seul, piégé et amer. Et alors surgirait autre chose. Un nouveau prétexte pour le retenir ici. Et il ne pouvait pas prendre un tel risque. S'il restait, il périrait étouffé. S'il ne partait pas, et tout de suite, il mourrait. C'était aussi simple que cela.

D'une certaine façon, l'éclat de Mattie au tribunal lui avait rendu service. Il lui avait donné le courage d'agir enfin. Il ne devait pas se sentir coupable. Il allait simplement formuler à voix haute ce que tous deux pensaient depuis des années.

Jake se leva et conduisit Mattie vers les canapés, mais elle secoua la tête et préféra rester debout. Toujours aussi têtue, se dit-il. Et dure. Plus dure que lui. Elle survivrait.

– Où sont passées tes affaires ? demanda-t-elle.

Jake s'enfonça dans les coussins et le cuir crissa pendant qu'il cherchait une position confortable. Mattie n'avait peut-être pas besoin de s'asseoir, mais lui si.

– Je crois qu'il vaut mieux que je quitte la maison, s'enten-dit-il annoncer.

Le sang se vida du visage de Mattie, accentuant les taches de différentes couleurs qui marquaient sa peau, la faisant ressembler à un portrait de ces peintres expressionnistes allemands qu'elle aimait tant.

– Si c'est à cause de ce qui s'est passé au tribunal...

– Non, pas du tout.

– Je me suis excusée...

– Le problème n'est pas là.

– Alors de quoi s'agit-il ? demanda-t-elle en articulant à peine, la voix blanche.

– Inutile de chercher un coupable. Ce n'est la faute de personne, dit-il, essayant de retrouver à quelle réplique il en était dans le script qu'il répétait depuis des semaines.

– De quoi parles-tu ? répéta-t-elle.

Jake regarda le corps de Mattie se tasser contre le mur comme si elle cherchait un support. Allait-elle s'évanouir ?

– Tu ne crois pas que tu devrais t'asseoir ?

– Je n'en ai aucune envie, riposta-t-elle d'un ton cinglant. Je n'arrive pas à croire que tu puisses me faire une chose pareille maintenant.

– Je ne pars pas tout de suite. Pas avant quelques jours, dit-il, faisant marche arrière.

– Mais, Seigneur, je rentre à peine de l'hôpital! J'ai eu un accident de voiture, au cas où tu l'aurais oublié. Ça me fait mal de respirer.

Moi aussi, aurait-il voulu hurler.

– Je suis désolé.

– Tu es désolé?

– J'aurais préféré que les choses se passent différemment.

– Tu m'étonnes! rétorqua-t-elle d'un ton méprisant, tirant si fort ses cheveux en arrière de sa main contusionnée que Jake crut qu'elle allait les arracher. Voyons si j'ai bien compris, commença-t-elle, sans le laisser reprendre la parole. Tu me quittes, mais ça n'a aucun rapport avec la scène au tribunal, qui n'a sans doute été qu'un catalyseur. Ce n'est la faute de personne, nul n'a rien à se reprocher. C'est bien ça? Et tu es désolé de devoir me le dire si peu de temps après ma sortie de l'hôpital, tu sais que le moment est vraiment mal choisi, mais ce genre de nouvelle tombe toujours mal, de toute façon. Comment je m'en sors jusqu'à présent? Ah, oui, ça fait des années que nous sommes malheureux, nous ne nous sommes mariés qu'à cause de Kim, nous avons fait de notre mieux tous les deux : quinze ans, ce n'est quand même pas rien. Nous devrions être fiers, pas tristes. C'est vrai, non? Ça va très bien s'arranger pour nous deux. En fait, tu me rends même service. – Elle s'arrêta, le sourcil interrogateur. – Qu'est-ce que tu en dis? Tu crois que je suis sur la bonne voie?

Jake expira longuement sans rien dire. Il avait été fou de croire qu'il s'en sortirait indemne! Mattie serait impitoyable. Il se retrouverait aussi meurtri et abattu qu'elle avant d'atteindre la porte.

Mattie s'approcha de la cheminée et s'y appuya, lui tournant le dos.

– Tu vas t'installer chez ta petite amie?

– Quoi? s'écria-t-il, sentant son sang se figer.

– Tu m'as bien entendue.

Il regarda vers la fenêtre, sans savoir que répondre. Que se passait-il? À la limite, son éclat au tribunal était prévisible. Mais ça, non! Ça ne faisait pas partie du script. Que devait-il lui dire? Que pouvait-il lui révéler? Jusqu'à quel point voulait-elle connaître la vérité? Que savait-elle exactement?

– Je ne suis pas sûr de comprendre, répondit-il, cherchant à gagner du temps.

Mattie pivota vers lui, des éclairs dans les yeux, prête au combat.

– Oh! je t'en prie, ne me prends pas pour une idiote! Je suis parfaitement au courant pour ta dernière conquête.

Comment pouvait-elle le savoir? se demanda-t-il, sidéré de s'être fait piéger. Un bon avocat ne devait-il pas tout envisager? Ne devait-il pas arriver à la table de la défense muni de tous les éléments, afin d'éviter toute surprise désagréable? Comment pouvait-elle être au courant? Prêchait-elle seulement le faux pour savoir le vrai? Devait-il continuer à feindre de ne pas comprendre? Lui dire qu'elle bluffait?

– Comment l'as-tu découvert? dit-il, optant pour la franchise totale.

– Comme d'habitude! – Elle secoua la tête d'un air dégoûté. – Pour un avocat aussi malin, tu te montres parfois d'une stupidité affligeante.

Jake sentit son dos se raidir.

– J'espérais que nous pourrions éviter les remarques désobligeantes.

– Comment ça? Tu me quittes pour une autre femme et tu voudrais que je ne dise rien?

– J'espérais ne pas en venir aux insultes. Que nous pourrions rester amis, offrit-il timidement.

– Tu voudrais que nous restions amis?

– Si possible.

– Quand l'avons-nous jamais été? demanda-t-elle d'une voix incrédule.

Il baissa les yeux vers le parquet et son regard suivit les veines du bois.

– Justement.

– Où veux-tu en venir?

– Mattie...

Il s'arrêta. Que dire? Elle avait raison. Ils n'avaient jamais été amis. Pourquoi diable commenceraient-ils maintenant?

– Depuis combien de temps le sais-tu?

– Pour celle-là? Pas très longtemps. – Elle haussa les épaules, fit une grimace et s'approcha de la fenêtre pour regarder dans la rue. – Au fait, comment était votre chambre au Ritz-Carlton? J'ai toujours adoré cet hôtel.

– Tu m'as fait suivre?

Mattie laissa échapper un rire rauque, dur, qui déchira l'air comme les griffes d'un chat, en y laissant presque des traces.

– Question hors de propos et litigieuse, rétorqua-t-elle, lui renvoyant ses propres paroles.

– Qu'as-tu l'intention de faire?

– Je n'ai pas encore décidé.

Il y eut un long silence. Elle était donc au courant de sa liaison. Jake se demanda si Mattie avait repéré Cherry au tribunal, si c'était ce qui avait déclenché son éclat. Était-elle vindicative à ce point? Ou son rire avait-il été aussi spontané qu'elle le prétendait, aussi gênant pour elle qu'il l'avait été pour lui? Il l'ignorait, se dit-il, avec un pincement au cœur. Il la connaissait si mal au bout de quinze ans de mariage.

– Peut-être ton subconscient a-t-il déjà décidé à ta place.

– Peut-être, acquiesça-t-elle tranquillement, en se tournant vers lui, sa silhouette se découpant dans la lumière déclinante.

Malgré la pénombre, Jake vit à son regard que sa colère était passée. Elle avait des gestes moins secs, elle semblait moins tendue. Et plus petite, plus douloureusement vulnérable qu'il ne l'avait jamais vue.

– Alors, tout est terminé, dit-elle simplement.

Jake ne savait pas très bien ce qui avait déclenché ce brutal changement d'attitude, peut-être avait-elle compris qu'il avait raison, qu'il était inutile d'argumenter, ou n'avait-elle plus la force de protester. Peut-être était-elle aussi soulagée que lui de voir tout étalé au grand jour afin qu'ils puissent enfin refaire leur vie. Elle était encore jeune. Et indéniablement ravissante, même couverte de bleus. Il se détourna, sidéré de sentir qu'il la désirait. Il était malade ou quoi? N'était-ce pas justement cela qui les avait fourrés dans ce guêpier?

– Tu devrais partir maintenant, dit Mattie.

– Quoi? s'exclama Jake, perturbé par ce soudain retournement de situation, l'esprit ballotté dans tous les sens tel un voilier pris dans un tourbillon.

Ne lui avait-il pas dit qu'il ne s'en irait que lorsqu'elle serait rétablie? Ne lui avait-il pas fait comprendre qu'en dépit de tout il tenait à assumer ses responsabilités, à se montrer attentionné et magnanime? Comment pouvait-elle le repousser aussi dédaigneusement?

– Tu n'as aucune raison de rester, lui dit-elle d'un ton pragmatique. Je vais très bien.

– Je peux attendre demain..., commença-t-il.

– Non, ce n'est pas la peine. Je préfère que tu t'en ailles.

Jake laissa s'écouler quelques secondes avant de s'extirper du canapé. Devait-il poursuivre son plan initial et insister pour rester, ou simplement quitter la pièce en lui faisant au revoir de la main, ou encore l'embrasser une dernière fois?

– Au revoir, Jake, lui dit-elle d'une voix posée, lisant une fois de plus dans ses pensées, décidant à sa place. Tu as fait le bon choix, ajouta-t-elle, à sa grande surprise. Peut-être pas pour le bon motif. Mais il fallait le faire.

Jake sourit, déchiré entre l'envie de la serrer dans ses bras et celle de sauter de joie. C'était fini, il était libre, et mis à part quelques moments de tension, tout s'était passé sans douleur, presque facilement. Bien sûr, ce n'était que le début. Ils n'avaient pas encore parlé d'argent ni de la répartition de leurs biens. Dieu sait ce qui se passera quand ils se mettront entre les mains des avocats.

Les avocats! se dit-il en quittant la pièce et en traversant la grande entrée. Une race vraiment à part.

– Je t'appelle demain, dit-il à Mattie qui l'avait suivi.

Elle passa devant lui et lui ouvrit la porte, comme s'il était un invité dans sa propre maison, un invité indésirable d'ailleurs. Il n'avait pas atteint sa voiture qu'il entendit la porte se refermer derrière lui.

8.

– Qu'est-ce que tu dis? Tu l'as laissé partir? Mais tu es folle!

– Je vais très bien, Lisa. Il n'avait aucune raison de rester.

– Tu trouves! – Lisa repoussa machinalement une mèche imaginaire. Un geste inutile : elle était, comme toujours, impeccablement coiffée. – Alors que tu viens d'avoir un grave accident de voiture et une commotion cérébrale et que tu rentres à peine de l'hôpital!

– Je peux me débrouiller seule.

– Tu peux te débrouiller seule! répéta Lisa d'un air hébété.

Elle se leva pour aller se servir une autre tasse de café. Elle s'était précipitée à Evanston dès que sa journée avait été terminée et portait encore sa blouse de médecin sur son pantalon et son pull bleu marine. Mattie avait fait un café, décongelé des muffins à la banane et aux airelles avant d'annoncer calmement à son amie horrifiée qu'elle et Jake avaient décidé de se séparer.

– Et si tu tombes?

Une question d'autant plus judicieuse que Mattie avait déjà failli dégringoler une fois depuis le départ de Jake, ce qu'elle s'était bien gardée de dire à Lisa.

– Je me relèverai.

– Ne plaisante pas.

– Ne t'inquiète pas.

– Arrête de faire l'idiote.

Cette rebuffade inattendue fit à Mattie l'effet d'une gifle. Piquée, elle sentit les larmes lui monter aux yeux. Sous ses allures de petite hirondelle, Lisa Katzman cachait les serres d'un aigle.

– Quelle façon de parler aux malades, docteur! Est-ce ainsi que tu traites tes patients?

– Je te parle en amie, soupira Lisa en croisant ses bras maigres sur sa poitrine.

– Tu es sûre?

Lisa revint vers la table, s'assit et prit les mains de Mattie dans les siennes.

– Bon, d'accord, je t'avoue que tu m'inquiètes vraiment.

– Je ne comprends pas, soupira Mattie, qui n'avait guère envie de mettre la conversation sur ce sujet, en tout cas pas maintenant. Le neurologue a dit que mon IRM était normale. Que j'allais très bien.

– Oui, l'IRM est normale.

– Je vais très bien, répéta Mattie, attendant que son amie lui fasse écho.

– Je voudrais te faire passer un autre examen.

– Ah bon? Pourquoi?

– Pour vérifier certains détails.

– Quels détails? Quel genre d'examen?

– Un électromyogramme.

– Qu'est-ce que c'est?

– Un test qui vérifie l'activité électrique musculaire. Malheureusement, pour faire cet examen, il faut insérer une aiguille à électrodes directement dans les muscles, ce qui est assez désagréable.

– Comment ça?

– Il se produit un craquement déplaisant quand les aiguilles pénètrent dans les muscles, un peu comme le bruit des pop-corn qui explosent. C'est parfois pénible à supporter.

– Non, tu crois? demanda Mattie d'un ton franchement sarcastique.

– Je pense que tu pourras l'endurer.

– Je pense, moi, que je préférerais m'abstenir.

– Et je pense que tu devrais réfléchir.

Mattie se frotta le haut du nez, en essayant de repousser le mal de tête qui lui barrait le front. Elle trouvait cette conversation encore plus insupportable que celle qu'elle avait eue avec Jake. Elle en venait même à regretter le moment où elle se trouvait sur les marches de l'Art Institute avec Roy Crawford et sa grosse tête lubrique.

– Que se passe-t-il, Lisa? Quelle horrible maladie m'as-tu découverte?

– Je ne sais pas encore si tu as quoi que ce soit, répondit Lisa d'une voix égale, indéchiffrable. Mais je préfère être prudente.

– Tu préfères être prudente, répéta Mattie.

– Je veux éliminer tout éventuel dysfonctionnement musculaire. Laisse-moi te prendre rendez-vous pour la semaine prochaine, d'accord?

Mattie sentit une immense vague de fatigue déferler sur elle. Elle ne voulait pas discuter. Ni avec son mari. Ni avec sa meilleure amie. Elle avait juste envie de se glisser dans son lit et de mettre un point final à cette horrible journée.

– Combien de temps dure cet examen?

– Une heure. Parfois plus.

– Beaucoup plus?

– Ça peut prendre deux heures, même trois.

– Deux ou trois heures! Tu veux que je laisse un sadique me planter des électrodes dans les muscles pendant trois heures?

– Normalement, ça ne dure qu'une heure, tenta de la rassurer Lisa.

– C'est une mauvaise plaisanterie?

– Pas du tout, Mattie. Je ne te demanderais pas de passer cet examen si je n'étais pas convaincue de son importance.

– Je vais réfléchir, dit Mattie après une longue pause pendant laquelle elle s'interdit de penser à quoi que ce soit.

– Promis?

– Je ne suis pas une enfant, Lisa. J'ai dit que j'y réfléchirais. Je le ferai.

– Voilà que je t'ai inquiétée. Excuse-moi. Ce n'était pas mon intention.

Mattie hocha la tête. Elle se sentait aussi impuissante que dans les secondes qui avaient suivi son accident, comme si elle était encore prisonnière de sa voiture lancée à pleine vitesse sans pouvoir trouver la pédale de frein. Pas moyen de s'arrêter ni même de ralentir. Quoi qu'elle fasse, malgré tous ses efforts, elle allait s'écraser et exploser.

Light my fire. Light my fire. Light my fire.

– Veux-tu que je parle à Jake? demanda Lisa.

– Alors là, surtout pas. Pour quoi faire d'ailleurs?

– Pour qu'il sache ce qui se passe.

– Il a décidé de sortir de ma vie, n'oublie pas.

– Le salaud!

– Non. Enfin, si.

Elle éclata de rire et, à son grand soulagement, Lisa se mit à rire à son tour. Ce n'était donc pas si grave que ça. Elle n'aurait pas à subir cet horrible test où l'on vous transperçait avec des aiguilles. Et même si elle le passait, l'examen ne révélerait rien, comme l'IRM.

– Tiens. Et si je dormais ici ce soir? proposa Lisa.

– En voilà une drôle d'idée!

– Allez. Fred peut s'occuper des garçons une soirée. Ça nous rappellera quand on s'invitait à dormir. On pourra se commander une pizza, regarder la télé, essayer de nouvelles coiffures. Ça sera génial.

La gentillesse de son amie fit sourire Mattie.

– Je vais très bien, Lisa. Vraiment. Je n'ai pas besoin que tu passes la nuit ici. Mais je te remercie. Ta proposition me touche beaucoup.

– Ça m'ennuie de te savoir toute seule alors que tu rentres à peine de l'hôpital, c'est tout.

– Et si je voulais être seule?

– Le veux-tu vraiment?

Mattie prit le temps d'y réfléchir.

– Oui, dit-elle finalement alors que tout son corps protestait de fatigue. Vraiment.

La maison ne lui avait jamais paru si grande, si vide, si tranquille.

Après le départ de Lisa, Mattie passa d'une pièce à l'autre, dans un état second, caressant les murs jaune pâle, admirant le décor comme si elle le voyait pour la première fois. Par ici, nous avons la salle à manger, qui peut accueillir jusqu'à douze convives, un minimum pour une femme qui vient d'être plaquée. Et par là, l'immense salon avec son énorme canapé en daim beige où le maître de maison aura plaisir à se reposer après son dur labeur, à ce détail près qu'il n'y a plus de maître de maison.

Où es-tu, Jake Hart? se demanda Mattie, connaissant déjà la réponse. Il était parti retrouver la nouvelle élue de son cœur, chez elle, ou peut-être dans une chambre romantique du Ritz-Carlton, et fêtait sa liberté retrouvée en faisant l'amour et en buvant du champagne. Bref, en se payant du bon temps pendant qu'elle errait sans but dans sa grande maison vide, rongée d'inquiétude à la perspective d'un horrible examen qui ferait craquer ses muscles comme des pop-corn.

Mattie refit le tour de la grande entrée en décrivant, d'un pas chancelant, des cercles de plus en plus petits. Je réduis mes horizons, se dit-elle en se demandant si elle resterait ici ou si ses perspectives finiraient par se limiter à un deux pièces.

Le pied de plus en plus engourdi, elle se dirigea vers l'escalier et s'assit sur la dernière marche pour se masser. Elle avait une mauvaise circulation, c'est tout. Elle tenait ça de famille, non ? Elle regarda en direction de la cuisine, cherchant ce qu'elle allait faire maintenant.

– Je peux faire tout ce que je veux, annonça-t-elle à la maison vide. M'acheter une nouvelle cuisinière à gaz. Regarder la télé jusqu'à trois heures du matin. Passer la nuit au téléphone. Lire le journal et le laisser traîner sur la moquette blanche de la chambre du maître des lieux maintenant qu'il ne réside plus ici. Je peux même regarder la télé en lisant le journal et en parlant au téléphone, continua-t-elle en haussant le ton et en riant. Et personne ne m'en empêchera. Personne ne manifestera sa désapprobation. Personne ne me critiquera.

Mais que voulait-elle faire exactement ?

Que voulait-elle faire de sa vie, maintenant que Jake en était sorti ?

Elle avait deviné ses intentions à la seconde même où elle s'était aperçue que ses affaires avaient disparu du placard. Ce qui ne l'avait pas empêchée de commencer par nier l'évidence, comme elle le faisait depuis des années, en cherchant à tout prix d'autres explications : il avait tout envoyé à la teinturerie, il avait décidé de s'offrir une nouvelle garde-robe, il avait mis ses affaires dans la chambre d'ami pour lui laisser plus de place le temps qu'elle se rétablisse. Et elle avait continué d'énumérer des excuses douteuses jusqu'à ce qu'elle le rejoigne dans son bureau.

Clair. Net. Droit au but. Il valait mieux qu'il s'en aille. Il lui avait débité les inévitables fioritures. Ce n'était la faute de personne. Nul n'était coupable. Il était désolé. Il espérait qu'ils resteraient amis.

Mattie tendit la main vers la rampe en bois, se releva, et monta l'escalier d'un pas prudent. Peut-être referait-elle toute la décoration de la maison, se dit-elle en arrivant sur le grand palier qui faisait écho à l'entrée au rez-de-chaussée, juste en dessous. Elle pourrait peindre les murs d'un orange soutenu, Jake détestait cette couleur. Remplacer tous les cuirs virils par des chintz fleuris plus féminins. Jeter les stricts stores blancs pour pendre aux fenêtres des kilomètres de dentelles à fanfreluches. N'importe quoi. Du moment que cela déplairait à Jake. Elle pouvait faire maintenant ce qu'elle voulait de cette maison. Personne ne pourrait l'en empêcher. En tout cas pas lui. Elle n'avait plus besoin de demander l'avis de quiconque. Finis les conseils et les compromis.

Enfin, pas encore. Pas tant que Jake ne serait pas venu lui présenter la liste de ses exigences. Elle verrait bien jusqu'où iraient ses protestations d'amitié quand il serait question de la pension. Elle pensa à son amie Terry, à l'enfer que lui avait fait vivre son ex-mari. Il avait refusé de quitter la maison jusqu'à ce qu'elle renonce à tout dédommagement quand il serait à la retraite, la condamnant à une vie misérable, versant toujours en retard la pension alimentaire de ses enfants. Jake se conduirait-il ainsi une fois ses remords dissipés ?

Mattie, qui gagnait un salaire décent comme marchand de tableaux, s'était toujours assumée financièrement. Elle avait même mis de l'argent de côté, espérant partir un jour en amoureux avec Jake à Paris, mais son rêve n'avait guère de chances de se réaliser maintenant. Combien de temps pourrait-elle tenir avec ses économies ? Elle n'avait jamais eu de problème d'argent depuis qu'elle avait épousé Jake. Cela changerait-il ? Voudrait-il tout garder pour sa nouvelle femme, pour sa nouvelle vie ?

Mattie entra dans sa chambre et alluma la télévision. Un bruit de fusillade emplit la pièce, oblitérant ses pensées désagréables. Elle considéra son lit immense, la couette bleue encore froissée de sa sieste de l'après-midi. On aurait dit que quelqu'un était couché en dessous.

Je peux dormir où je veux, se dit-elle en sautant délibérément du côté de Jake. Mais son oreiller sentait tellement son odeur qu'elle le jeta par terre et le piétina en descendant du lit. Et je peux fermer cette saleté de fenêtre. Dire qu'elle avait gelé pendant quinze ans parce que Jake ne pouvait dormir que la fenêtre ouverte ! Elle la claqua d'un geste sec et autoritaire.

Mattie récupéra la télécommande qui traînait sur le gros fauteuil en velours côtelé bleu près du lit.

— Tout est à moi, clama-t-elle, en faisant défiler les chaînes les unes après les autres sans laisser à son cerveau le temps d'analyser ce qu'il voyait.

Elle abandonna la télécommande et partit vers la salle de bains, retira son jean et son gros sweat-shirt et se regarda dans les glaces qui tapissaient les murs. Elle commencerait déjà par supprimer tous ces miroirs. Elle ôta son soutien-gorge et son slip et contempla avec désarroi son corps meurtri. Eh bien, je sens que les hommes vont se bousculer au portillon, songea-t-elle en ouvrant les robinets de la baignoire.

– Je vais utiliser toute l'eau chaude! annonça-t-elle d'une voix forte qui résonna sur le carrelage vert amande. Et après je me ferai interner dans une maison de fous, ajouta-t-elle, en sentant le picotement familier engourdir son pied.

Elle se dirigea en boitant vers les toilettes, baissa le couvercle et s'assit pour se masser. Mais cette fois le fourmillement persista et elle dut traverser le carrelage glacé à quatre pattes pour aller arrêter l'eau. Elle s'aperçut alors dans un morceau de miroir que la buée n'avait pas encore troublé et se détourna, brusquement nauséeuse. C'est seulement un problème de circulation, se répéta-t-elle, en se glissant avec prudence dans l'eau chaude, regardant sa peau rougir. Rouge, mauve, jaune et marron, énuméra-t-elle, comme si son corps était une toile. Elle ferma les yeux, appuya sa tête contre le bord de la baignoire, et sentit l'eau laper les égratignures sur son menton, à la façon dont les chiens léchaient le visage de sa mère.

La maison lui semblait bizarre sans Jake.

Pourtant elle était habituée à ses absences. Il avait des horaires impossibles, et alors même qu'il était assis à côté d'elle, elle ne l'avait jamais senti présent. Quand il partait en voyage d'affaires, elle dormait seule dans leur grand lit. Mais ce soir, c'était différent. Il ne reviendrait pas.

Lorsqu'il lui avait annoncé qu'il partait, elle avait eu l'impression de recevoir un direct à l'estomac. Et elle s'était effondrée malgré sa résolution de ne pas pleurer. Pourquoi? N'était-elle pas soulagée de voir enfin la vérité étalée au grand jour, de ne plus passer chaque jour dans l'attente du couperet? Oui, elle serait seule. Mais ces dernières années lui avaient appris qu'on pouvait être encore plus malheureux à deux.

Le téléphone sonna.

Mattie hésita à répondre. Elle finit par attraper une serviette et se dirigea à cloche-pied vers l'appareil posé sur la table de chevet de Jake. Peut-être était-ce Lisa qui l'appelait pour prendre de ses nouvelles. Ou Kim. Ou Jake, se dit-elle en décrochant.

– Allô?

– Martha?

Le nom déchira l'air tel un poignard assassin. Mattie se laissa tomber sur le lit, blessée avant même que la conversation n'ait commencé.

– Maman? répondit-elle sans oser aller plus loin.

– Je ne te retiendrai pas très longtemps, commença sa mère, ce qui voulait dire qu'elle n'avait aucune envie de s'attarder au téléphone. J'appelle seulement pour savoir comment tu vas.

– Je vais très bien, merci, répondit Mattie au-dessus des aboiements qui retentissaient dans l'écouteur. Et toi?

– Oh! tu sais, ce n'est pas facile de vieillir!

Elle n'avait que soixante ans, pensa Mattie sans rien répondre. À quoi bon?

– Je suis désolée de ne pas être venue te voir à l'hôpital. Tu sais que je ne supporte pas ce genre d'endroits.

– Tu n'as pas à t'excuser.

– Jake m'a dit que tu avais été sacrement secouée.

– Tu l'as vu?

– Il est passé prendre Kim pour l'emmener au restaurant.

– Quand ça?

– Il y a une heure environ.

– A-t-il dit autre chose?

– À quel sujet?

– Comment va Kim? demanda Mattie, changeant de conversation.

– Elle est adorable, dit sa mère avec une tendresse qu'elle réservait d'ordinaire à ses chiens. Elle m'a bien aidée quand Lucy a eu ses petits.

Mattie faillit éclater de rire. Tout s'explique, se dit-elle en faisant tourner son pied droit qui ne voulait pas sortir de son engourdissement.

– Écoute, maman, j'étais dans mon bain. Je dégouline.

– Alors je te laisse, répondit sa mère avec un soulagement audible. J'appelais juste pour avoir de tes nouvelles.

Je me sentais bien avant, pensa Mattie.

– Ça ira. Bonne nuit, maman. Merci de m'avoir appelée.

– Au revoir, Martha.

Mattie raccrocha et appuya de tout son poids sur son pied défaillant. Elle soupira de soulagement en sentant le sol sous ses orteils. Ça ira, répéta-t-elle, en repartant vers la salle de bains. Elle monta dans la baignoire et trouva l'eau moins chaude et moins revigorante qu'avant. Ça ira.

9.

– Comment te sens-tu?

Kim s'éclaircit la gorge, essayant vainement de maîtriser sa voix chevrotante. Pourquoi posait-elle cette question? La réponse n'était-elle pas évidente? Jamais elle n'avait vu sa mère aussi mal. Sa peau semblait presque transparente sous la palette d'ecchymoses qui se décoloraient peu à peu. Le bleu éclatant de ses yeux était voilé par l'angoisse et la douleur. Ses larmes avaient laissé des sillons sur le maquillage soigneusement appliqué quelques heures plus tôt. Elle avait les mains qui tremblaient, la démarche chancelante. Jamais sa mère ne lui avait paru aussi fragile. Kim dut faire un énorme effort pour ne pas fondre en larmes.

– Maman, tu te sens bien?

Dis oui, dis oui, dis oui.

– Ta mère a besoin de se reposer quelques instants, entendit-elle une voix lui répondre.

Elle remarqua alors seulement la forte femme qui se tenait à ses côtés. Comment osait-elle respirer à ce point la santé? se demanda-t-elle rageusement.

– Qui êtes-vous?

– Rosie Mendoza, répondit la robuste infirmière, en tapotant le badge qui pendait à son cou. – Elle conduisit Mattie vers une des chaises alignées dans le couloir du quatrième étage de l'hôpital. – Je suis l'assistante du Dr Vance.

– Comment va ma mère?

– Je vais bien, ma chérie, murmura Mattie, d'une voix mourante. – Elle semblait terriblement souffrir. – J'ai juste besoin de m'asseoir quelques instants.

– Elle doit rentrer chez elle et se coucher, dit Rosie Mendoza.

– Et après elle ira bien, n'est-ce pas? demanda Kim en se laissant tomber sur une chaise à côté de sa mère et en lui prenant la main.

– Le médecin devrait avoir les résultats de l'examen dans un jour ou deux, continua l'infirmière. Il les transmettra aussitôt au Dr Katzman.

– Merci, dit Mattie, les yeux fixés sur les bottes marron qui dépassaient de son pantalon brun, incapable de bouger.

– Ça t'a fait mal? demanda Kim après le départ de l'infirmière.

Dis non, dis non, dis non.

– Oui. Affreusement.

– Où ont-ils mis les aiguilles?

Ne me dis pas.

Mattie montra du doigt ses épaules et ses cuisses, ouvrit les mains, les paumes en l'air. Kim remarqua alors le pansement sur sa main gauche.

– Combien tu en as eu?

– Beaucoup trop.

– Tu as encore mal?

Dis non, dis non, dis non.

– Pas trop, répondit Mattie, mais Kim vit qu'elle mentait.

Pourquoi lui posait-elle toutes ces questions? Ne lui suffisait-il pas de savoir qu'elle avait subi pendant une heure et demie un examen, aussi pénible qu'inutile, et cela uniquement pour faire plaisir à Lisa Katzman? Kim fut envahie d'une brusque bouffée de colère. Pourquoi la meilleure amie de sa mère lui imposait-elle une épreuve aussi terrible si c'était superflu?

– Tu veux boire quelque chose? demanda Kim, refusant d'envisager que Lisa pouvait avoir de bonnes raisons de lui imposer cette épreuve.

Mattie secoua la tête.

– Je veux juste me reposer quelques minutes. Et après nous rentrerons à la maison.

– Comment allons-nous faire? demanda brusquement Kim.

Mattie avait insisté pour venir en ville avec sa voiture, bien que Lisa l'eût prévenue que l'examen la fatiguerait, surtout après l'accident qu'elle avait eu. Mais Mattie avait refusé de mettre à contribution l'une de ses amies et avait interdit à Kim d'appeler sa grand-mère, sous le prétexte qu'aucun être humain ne pouvait compter sur elle en cas d'urgence. Quant à Jake, pas question de lui demander quoi que ce soit et Kim était bien de cet avis. Que feraient-elles d'un homme qui avait préféré aller vivre avec une autre? Mattie n'avait pas plus besoin de l'aide de son futur ex-mari que Kim n'en avait de son futur ex-père.

– Tu pourras toujours compter sur moi, avait-il tenté de lui dire lors de cette affreuse soirée, une semaine plus tôt, quand il était venu la chercher chez sa grand-mère. Je serai toujours ton père. Rien ne pourra jamais le changer.

– Tu l'as changé, protesta Kim.

– Je quitte la maison, avait-il protesté, mais je ne sors pas de ta vie.

– Loin des yeux, loin du cœur, avait-elle rétorqué sèchement.

– Il faut que tu saches que tu n'as rien à voir dans cette histoire.

– Au contraire, je suis directement impliquée, avait riposté Kim, jouant délibérément sur les mots.

– Ce sont des choses qui arrivent.

– Ah, vraiment ? Et elles arrivent toutes seules ? Comme ça ? Par hasard ? – Kim avait haussé la voix. Son ton outragé lui avait plu, et surtout le malaise de son père assis en face d'elle dans le petit restaurant italien. – Tu veux dire que tu n'y es pour rien ?

– Je veux seulement dire que je t'aime, que je serai toujours là quand tu auras besoin de moi.

– Sauf que tu ne seras plus là.

– Je vivrai ailleurs.

– Donc tu seras ailleurs quand j'aurai besoin de toi, avait-elle dit, ravie de son esprit.

Elle en ressentait un sentiment de puissance qui empêchait son cœur de se briser en mille morceaux.

– Je t'aime, Kim, avait répété son père.

– Eh bien, me voilà comme les autres !

Et quand Lisa avait annoncé à Mattie qu'elle avait pu lui prendre un rendez-vous pour l'électromyogramme le mardi de la semaine suivante, Kim avait aussitôt proposé d'accompagner sa mère à l'hôpital, alors que cela lui faisait manquer un après-midi de classe. Et à sa grande surprise, celle-ci avait accepté.

– Nous devons nous soutenir, entre femmes, avait dit Kim, en se glissant dans le lit de Mattie cette nuit-là.

Et comme tous les soirs depuis le départ de Jake, un bras protecteur posé sur le ventre de sa mère, elle avait réglé sa respiration sur la sienne, inspiré et expiré à son rythme, pour ne plus former qu'un seul corps avec elle.

– Tu pourras conduire ? demanda Kim à sa mère.

– Laisse-moi encore quelques minutes.

Mais vingt minutes plus tard, Mattie regardait toujours ses pieds, sans avoir trouvé la force ni le courage de bouger, le visage toujours livide sous les ecchymoses jaunes et bleutées, les mains toujours tremblantes.

– Tu ferais mieux d'appeler ton père, finit-elle par dire à Kim, de nouvelles larmes roulant sur ses joues.

– Nous pouvons prendre un taxi.

– Appelle ton père.

– Mais...

– Ne discute pas. Je t'en prie. Appelle-le.

Kim partit à contrecœur vers la cabine téléphonique située près des ascenseurs.

Mais pourquoi ne pas prendre tout simplement un taxi? marmonna-t-elle dans sa barbe en regardant un vieillard en robe de chambre toute tachée s'approcher d'elle en traînant sa perfusion. Elle comprenait maintenant l'aversion de sa grand-mère envers les hôpitaux. C'étaient des endroits sinistres et dangereux, remplis de corps blessés et d'âmes perdues. Même les gens qui y entraient en bonne santé, comme sa mère, en ressortaient pliés de douleur, anéantis. Elle se sentait nauséeuse et se demanda si elle n'aurait pas attrapé un virus mortel rien qu'en restant dans la salle d'attente. Combien de mains avaient feuilleté ces vieux magazines? À combien de microbes avait-elle été exposée pendant ces minutes interminables? Kim frotta ses paumes sur son jean, comme pour se débarrasser d'éventuelles bactéries, et composa le numéro de la ligne privée de son père en espérant qu'il serait au tribunal ou occupé. La tête lui tournait et elle avait des bouffées de chaleur, au bord de l'évanouissement.

– Jake Hart, annonça brutalement son père.

Sa voix glaciale lui fit l'effet d'une douche froide. Kim se raidit brutalement, au garde-à-vous, les épaules droites, les jambes coupées. Elle repoussa une mèche imaginaire de son front, le regard rivé sur les portes des ascenseurs. Que devait-elle dire? Salut, papa? Bonjour, père? Salut, Jake?

– C'est Kim, dit-elle finalement, pendant que le vieil homme à la perfusion faisait brusquement demi-tour et revenait sur ses pas.

Kim remarqua des cercles de peau rasée sur ses jambes entre les pans de sa robe de chambre. Quels horribles examens lui avait-on fait subir?

– Kim, ma chérie...

– Je suis à l'hôpital Michael-Reese avec maman, annonça-t-elle sans préambule.

– Que se passe-t-il?

Kim enfonça son menton dans le col boule de son pull rose, le cœur lourd, les lèvres pincées, et laissa échapper un soupir.

– Nous avons besoin de toi.

78

– Je suis désolé d'avoir mis si longtemps, s'excusa-t-il, quarante minutes plus tard, lorsqu'il les retrouva dans le hall de l'hôpital. Je me suis fait harponner dans le couloir au moment où je quittais le bureau.

– Tu es un homme très occupé, ricana Kim en le fusillant du regard.

– Merci d'être venu, dit Mattie.

– Ta voiture est au parking?

Mattie lui tendit les clés du véhicule qu'elle avait loué. Son Intrepid n'était plus qu'une épave.

– C'est une Oldsmobile blanche.

– Je la trouverai. Comment te sens-tu?

– Elle va bien, dit Kim en glissant un bras sous celui de sa mère.

– Et toi, ma chérie? demanda Jake en tendant la main vers sa fille, comme pour lui caresser les cheveux.

– En grande forme, répondit sèchement Kim, reculant hors de sa portée, ravie du regard blessé qu'il lui jeta. Tu peux aller chercher la voiture? Maman doit s'allonger.

– Je reviens tout de suite.

Quelques minutes plus tard, il se garait le long du trottoir et se précipitait pour aider Mattie à s'asseoir sur le siège du passager.

Kim se trouva reléguée à l'arrière et mit un temps exagéré à s'installer sur la banquette. Elle donna délibérément des coups de botte dans le dossier de son père tandis qu'elle croisait et décroisait les jambes. Qui pouvait concevoir des voitures avec si peu d'espace? Elle passait beaucoup de temps sur les banquettes arrière ces derniers jours, se dit-elle en pensant à samedi soir et à l'insistance de Teddy. *Allez, Kim. Je sais que tu en as envie.*

– Tu n'es pas trop mal installée, ma chérie? demanda son père.

Pour qui te prends-tu? s'exclama silencieusement Kim, un regard incendiaire sur la nuque de son père. Pour un courageux chevalier sur son fringant destrier? Tu te vois comme ça. Eh bien, reviens sur terre, Jake Hart, avocat célèbre mais nullité de première. Tu n'es pas à cheval mais dans une Oldsmobile. Et on n'a pas besoin de toi. On s'en sort très bien comme ça. En fait, on ne s'est même pas aperçues que tu étais parti.

– Je suis désolée de t'avoir dérangé, prononça sa mère d'une voix plus ferme, mais pas encore normale.

Pourquoi n'était-elle pas plus fâchée? Bon sang, pourquoi diable se montrait-elle si polie?

– Il fallait m'appeler plus tôt. Tu n'aurais pas dû venir en ville avec ta voiture.

– Maman n'est pas une infirme, dit Kim.

– Non, mais elle a eu un grave accident de voiture il y a dix jours à peine et elle n'est pas encore tout à fait remise.

– On croirait entendre Lisa.

– C'est du simple bon sens.

– Je vais bien, protesta Mattie.

– Elle va bien, répéta en écho Kim.

Comment osait-il critiquer la conduite de sa mère ! Ce que Mattie faisait, ce qu'elles faisaient toutes les deux ne le regardait plus. Il n'avait plus le droit d'énoncer le moindre jugement. Il l'avait perdu le jour où il avait franchi la porte. Kim posa la main sur l'épaule de sa mère. Elle n'aurait jamais dû l'appeler, lui, mais sa grand-mère ou Lisa ou une autre amie de sa mère. N'importe qui sauf Jake.

En fait, il n'avait jamais tenu une place importante dans leur vie. Aussi loin qu'elle se souvienne, son rôle s'était borné à lui dire au revoir d'un geste de la main le matin, à lui souhaiter bonne nuit s'il rentrait à temps pour la border dans son lit. C'était sa mère qui l'emmenait à l'école, l'accompagnait chez le médecin et le dentiste, la conduisait à ses leçons de piano et de danse, assistait à toutes les réunions de parents d'élèves, à la pièce de théâtre de fin d'année, aux matchs de l'école et restait avec elle à la maison quand elle était malade. Non pas que son père s'en moquât. Mais il avait tant d'autres choses à faire. Tant d'autres choses qui passaient en priorité.

Lorsque Kim avait grandi, elle l'avait vu encore moins souvent, avec leurs emplois du temps constamment décalés. Et depuis qu'ils étaient venus vivre à Evanston, ils ne se croisaient pratiquement plus. Maintenant Jake Hart n'était plus qu'un fantôme dans une maison qu'il avait désertée.

Kim avait cru que sa mère craquerait. Mais Mattie, en dépit de ses blessures, avait supporté le départ de Jake d'une façon étonnante. En fait, elle s'inquiétait surtout pour sa fille.

– C'est seulement superficiel, l'avait rapidement rassurée Mattie, lorsqu'elle avait failli s'évanouir à la vue de son beau visage couvert d'affreuses contusions. – Elle avait même défendu Jake. – Ne le juge pas trop durement, ma chérie. C'est ton père et il t'aime.

Foutaises ! Son père ne l'aimait pas. Il n'avait jamais voulu sa naissance.

Elle ne voulait plus de lui maintenant.

Après cette conversation, elles avaient rarement parlé de lui. Les ecchymoses de sa mère avaient rapidement changé de couleur, pâlissant de jour en jour. Ses blessures avaient cicatrisé. Les raideurs dans ses articulations avaient disparu. Elle avait repris sa vie de tous les jours, loué une voiture, fait les courses et même contacté quelques clients et donné des rendez-vous pour les semaines suivantes. À part ses petits problèmes d'engourdissements qui la gênaient de temps en temps, elles s'en sortaient très bien. Toutes les deux.

Elles n'avaient pas besoin de lui.

– Comment ça va à l'arrière ? demanda son père, tentant une nouvelle fois sa chance.

Il l'observait dans le rétroviseur, d'un regard chargé à la fois d'inquiétude et d'espoir.

Kim ne répondit que par un grognement. Si sa mère voulait se montrer courtoise et agréable, libre à elle. Kim n'était pas obligée d'en faire autant. Il fallait bien que quelqu'un joue le rôle de la femme abandonnée.

– On devrait me proposer une place d'associé très prochainement, annonça Jake. C'est la raison de mon retard. On m'arrête constamment dans les couloirs pour me féliciter.

– C'est merveilleux, entendit-elle sa mère répondre. Tu as travaillé si dur. Tu l'as bien mérité.

Tu mérites d'aller rôtir en enfer, pensa Kim.

– Comment retourneras-tu en ville ? demanda Mattie alors que Jake engageait la voiture dans Walnut Drive.

– On doit venir me chercher dans une demi-heure.

– Ta petite amie ? – La voix de Kim, acérée, avait fendu l'air comme un rasoir. – Ne regarde pas maman comme ça, dit-elle sans lui laisser le temps de le faire. Elle ne m'a rien dit.

– Il faut qu'on parle, Kimmy...

– J'ai horreur que tu m'appelles comme ça.

Il l'appelait ainsi quand elle était toute petite, se souvint-elle vaguement alors que de grosses larmes lui montaient aux yeux.

– Je t'en prie, Kim. C'est important.

– Je m'en fiche.

– Que se passe-t-il ? demanda sa mère, et un bref instant Kim crut qu'elle s'adressait à elle, qu'elle était en colère, qu'elle prenait la défense de son père contre elle. Elle vit alors la voiture de police garée devant chez elle et les deux policiers en uniforme devant sa porte.

– C'est sans doute au sujet de l'accident, dit Jake.

– J'ai déjà vu la police, répondit sa mère tandis que Jake se garait dans l'allée et sortait de la voiture.

– Des problèmes? demanda-t-il.

Kim aida sa mère à descendre, les yeux rivés sur les policiers. L'homme, qui mesurait un peu moins d'un mètre quatre-vingts, avec des bras gros comme des troncs d'arbres et des cheveux si courts qu'on avait du mal à en distinguer la couleur, annonça qu'il était le sergent Peter Slezak. Il présenta ensuite son adjointe, Judy Taggart, une brune d'un mètre soixante-cinq environ, les cheveux tirés en queue-de-cheval, et un bouton sur le menton maladroitement caché sous son maquillage. Kim vérifia machinalement qu'elle n'avait rien au menton.

– Vous habitez ici? demanda le policier.

– Oui, répondit Jake.

Non, faillit hurler Kim. Ce n'est pas chez toi.

– Que se passe-t-il? intervint Mattie, prenant les choses en main.

– Ça va, m'dame? s'inquiéta le policier en regardant fixement les contusions sur son visage.

– Est-ce au sujet de l'accident? demanda Jake.

– On ne peut pas dire que ce soit un accident, répondit le policier.

– Pardon? dit Mattie, du ton dont elle aurait dit : « Je suis désolée », comme si elle s'excusait d'avance.

– Et si vous nous disiez de quoi il s'agit, suggéra Jake, reprenant le contrôle de la situation.

– Nous cherchons Kim Hart.

– Kim! s'exclama sa mère.

Kim fit un pas en avant, prise brusquement d'une crampe d'estomac.

– Je suis Kim Hart.

– Nous aimerions vous poser quelques questions.

– À quel sujet? l'interrompit Jake.

– Si nous entrions? suggéra Mattie en montant les marches du perron.

Kim vit que sa mère se débattait avec les clés, les lui prit doucement des mains et ouvrit la porte.

Quelques secondes plus tard, ils s'asseyaient tous autour de la table de la cuisine, Mattie proposa un café, les policiers refusèrent.

– Que pouvez-vous nous dire sur la soirée de samedi dernier chez Sabrina Hollander? commença le sergent Slezak, les yeux fixés sur la poitrine de la jeune fille, pendant que le sergent Taggart sortait un carnet et un crayon de la poche arrière de son pantalon bien repassé.

– C'était une soirée comme les autres.

Kim haussa les épaules, le cœur battant la chamade, et se demanda si c'était sa poitrine que le policier regardait fixement.

– Vous y étiez?

– J'y suis restée une heure environ.

– À quelle heure était-ce?

– Vers neuf heures.

– Vous êtes donc repartie de chez les Hollander à dix heures?

– Même un peu avant.

– Comment était l'ambiance?

– Pas terrible.

Certains dansaient, d'autres buvaient de la bière en se passant un joint. Teddy l'avait convaincue de tirer deux ou trois bouffées avant de l'entraîner sur la banquette arrière de sa voiture. L'aurait-on dénoncée? Les policiers venaient-ils l'arrêter?

– Où voulez-vous en venir? demanda Jake Hart.

– Sabrina Hollander a profité de ce que ses parents étaient en voyage pour donner une petite soirée. Et elle s'est retrouvée avec plus de deux cents personnes chez elle.

– Deux cents personnes! répéta Kim, estomaquée, en se disant qu'elle avait dû s'endormir à l'arrière de la voiture et que tout cela n'était qu'un mauvais rêve.

– Et des petits rigolos se sont amusés à saccager la maison, continua le policier. Ils ont crevé les tableaux, déchiré les tapis, déféqué sur les meubles, fait des trous dans les murs. Il y a pour plus de cent mille dollars de dégâts au total.

– Oh, mon Dieu! gémit Mattie en couvrant ses lèvres contusionnées de sa main bandée.

– Vous n'avez rien remarqué pendant que vous étiez là-bas, rien entendu?

– Non, rien, dit Kim, les jambes coupées.

– Mais il y avait de l'alcool et de la drogue, déclara la policière d'un ton catégorique.

– J'ai vu quelques jeunes boire de la bière, rectifia Kim d'une petite voix, le regard glissant vers la piscine dans laquelle elle aurait bien aimé disparaître.

– Et vous dites que vous êtes partie à dix heures?

– Elle a déjà répondu à cette question, intervint Jake.

Heureusement, il était meilleur avocat que père, pensa Kim, reconnaissante malgré elle.

– Mais vous saviez qu'il y avait eu des problèmes, affirma le policier.

– J'en ai entendu parler au lycée, reconnut Kim, en essayant de ne pas voir la surprise qui tomba comme un suaire sur le visage de sa mère.

– Quoi exactement ?

– Juste que la soirée s'était mal terminée. Que la maison avait été saccagée.

– Et qui avait fait ça d'après eux ?

– Des types que personne ne connaît.

– Vous êtes sûre ?

– Elle a aussi répondu à cette question-là, souligna Jake d'une voix tranquille. Je vous précise que je suis non seulement le père de Kim mais également avocat.

Et aussi adultère, ajouta silencieusement Kim.

– Il me semblait bien vous connaître, dit le policier d'une voix plate, visiblement peu impressionné. C'est grâce à vous que ce gamin qui a assassiné sa mère a pu s'en tirer.

Bravo, papa ! pensa Kim. J'aurai de la chance si on ne me pend pas.

Quelques minutes plus tard, le policier signala la fin de l'entretien d'une grande claque sur sa hanche. Son adjointe rangea son carnet dans sa poche. Kim les raccompagna à la porte, la referma derrière eux et appuya son front contre le dur panneau de chêne.

– Tu nous caches quelque chose ? demanda son père qui arrivait derrière elle.

– Dans quelques mois, j'aurai mon permis de conduire et on n'aura plus besoin de toi, lui lança-t-elle avant de passer devant lui et de disparaître dans l'escalier.

Quelques minutes plus tard, de la fenêtre de sa chambre, elle vit son père descendre l'allée. Il leva la tête, comme s'il savait qu'elle était là, et lui fit au revoir de la main.

Elle ne répondit pas.

10.

Le lundi suivant, Mattie était au téléphone avec Roy Crawford quand elle entendit le signal de double appel.

– Pouvez-vous patienter une seconde, Roy ? Veuillez m'excuser. Je ne serai pas longue.

Mattie se demanda pourquoi elle n'avait pas ignoré ce bip, comme elle le faisait souvent quand elle était en communication avec un gros client. Elle disposait déjà d'une boîte vocale pour prendre ses messages. Qu'avait-elle besoin du double appel ? Mais Kim avait insisté, d'autant plus que, ces derniers temps, la plupart des coups de fil lui étaient destinés. Il était peut-être temps que sa fille ait sa propre ligne, quoique cette dépense parût peut-être inutile depuis le départ de Jake. Tôt ou tard, il faudrait bien qu'elle réfléchisse sérieusement à sa situation financière.

— Allô, dit-elle, étonnée de toutes les pensées qui défilaient dans sa tête en une fraction de seconde.

— Mattie, c'est Lisa.

Elle jeta un regard distrait vers les portes coulissantes de sa cuisine et remarqua le soleil qui brillait incongrûment à travers le ciel lourd de nuages gris. Elle n'avait aucune envie de lui parler. Son amie allait encore lui raconter des choses qu'elle ne voulait pas entendre.

— Lisa, je peux te rappeler dans cinq minutes ? Je suis déjà en ligne.

— Ça ne peut pas attendre.

Mattie sentit tout son corps s'engourdir.

— J'ai comme l'impression que tu vas être désagréable.

— Il faut que tu viennes à mon cabinet.

— Je ne veux pas subir d'autre examen.

— Non. Écoute, j'ai déjà appelé Jake. Il passe te prendre dans une demi-heure.

— Quoi ! Comment ça, tu l'as appelé ? Mais je te l'interdis !

— C'est déjà fait.

— Mais de quel droit ? Écoute, c'est ridicule. Ne quitte pas.

Mattie enfonça une touche pour reprendre sa conversation précédente avec Roy Crawford.

— Roy, puis-je vous rappeler plus tard ? demanda-t-elle d'une voix saccadée.

— Et si je vous retrouvais à midi pour qu'on déjeune ensemble ?

— D'accord, acquiesça-t-elle, basculant aussitôt sur l'autre ligne. Qu'est-ce qui t'a pris ? mugit-elle dans l'oreille de Lisa. Je ne t'ai pas autorisée à parler de mon cas avec lui.

— Je ne lui ai rien dit du tout.

— Alors pourquoi passe-t-il me prendre dans une demi-heure ?

– Parce que je lui ai dit que c'était important.

– Si c'est tellement important, pourquoi ne viendrais-je pas tout de suite à ton cabinet ?

– Parce qu'il vaut mieux t'abstenir de conduire.

– Je suis tout à fait capable de le faire, contra Mattie, essayant de reprendre le contrôle de la conversation, de la situation, de sa vie.

– Mattie, murmura Lisa d'une voix hachée, le Dr Vance vient de m'appeler avec le résultat de tes examens.

Mattie retint son souffle.

– Et ?

Le mot tomba de ses lèvres malgré elle. Lisa marqua un long silence avant de lui répondre.

– Viens. Je préférerais t'en parler de vive voix.

– Pourquoi as-tu appelé Jake ?

– C'est ton mari, Mattie. Je dois le mettre au courant.

– Nous sommes séparés.

– Sa présence est indispensable.

– Pour quelle raison ? Je ne comprends pas.

Mattie enfouit sa tête dans sa paume bandée et crut entendre l'écho désagréable de son muscle claquer comme un pop-corn.

– Écoute, dit Lisa, du ton que Mattie adoptait avec Kim quand elle voulait convaincre sa fille de lui obéir. Laisse juste Jake te servir de chauffeur. Rien de plus. Si tu ne veux pas qu'il participe à la discussion, il sera toujours temps d'en décider tout à l'heure. Mais, au moins, auras-tu quelqu'un pour te raccompagner chez toi. Je t'en prie, Mattie. Fais-le pour moi.

– Jake est très occupé. Il ne peut pas se dégager comme ça un lundi matin. Que lui as-tu dit, Lisa ?

– Juste que c'était très important qu'il vienne.

– Que c'était une question de vie ou de mort ? s'entendit demander Mattie.

Lisa resta muette.

– Je suis en train de mourir ?

– C'est compliqué, répondit Lisa après un silence qui dura quelques secondes de trop. – Et, pour la première fois Mattie perçut des larmes dans sa voix. – Je t'en prie, Mattie. Viens avec Jake. Nous parlerons quand tu seras là.

Mattie raccrocha sans ajouter un mot, faisant un terrible effort pour ne pas céder à la panique. Compliqué ? se dit-elle. Pourquoi diable fallait-il que tout soit toujours aussi compliqué ? Elle compara l'heure de sa montre à celle qu'indiquaient les deux horloges de la cuisine. Elle retardait de cinq minutes. Cela me laisse encore moins de temps que je ne le pensais, se dit-elle en luttant contre les larmes. Heureusement que Kim était au lycée. Elle avait déjà bien assez de soucis comme ça. Mattie quitta la cuisine et monta l'escalier dans un brouillard. Elle rentra dans sa chambre, souleva la couette et se glissa tout habillée dans le lit qu'elle venait de faire.

Elle y était encore allongée une demi-heure plus tard, les couvertures remontées jusqu'au menton, quand elle entendit la sonnerie de la porte d'entrée, suivie presque aussitôt du bruit d'une clé qui tournait dans la serrure.

– Mattie? appela Jake depuis l'entrée. Mattie, c'est Jake! Tu es prête? Il faut y aller.

Mattie s'assit, regonfla ses cheveux, rentra son chemisier en soie verte dans son pantalon noir et prit une profonde inspiration.

– J'arrive tout de suite!

– Tu as ce qu'on appelle une sclérose latérale amyotrophique, expliqua Lisa d'une voix chevrotante, pendant que Mattie la regardait, assise toute raide à côté de Jake.

– Ça semble grave, grommela Mattie, refusant de regarder son amie, les yeux fixés sur le tableau accroché derrière sa tête.

– Ça l'est, murmura Lisa.

– Pourquoi n'en ai-je jamais entendu parler? demanda Mattie, comme si cela changeait quoi que ce soit, comme si le fait de connaître l'existence de cette maladie aurait pu l'empêcher de l'attraper.

– Tu la connais peut-être sous le nom plus commun de maladie de Charcot ou de Lou Gehrig.

– Oh, mon Dieu! balbutia Mattie.

Elle sentit Jake s'affaisser dans son fauteuil.

– Comment te sens-tu? Tu veux un verre d'eau?

Mattie secoua la tête. La seule chose qu'elle voulait c'était sortir de là. Dormir dans son lit. Reprendre sa vie.

– Qu'est-ce que ça signifie exactement? Bon, je sais que Lou Gehrig était un célèbre joueur de base-ball et qu'il est mort d'une horrible maladie. Et tu dis que j'ai la même que lui? Comment le sais-tu?

– Le Dr Vance m'a faxé les résultats de ton électromyogramme à la première heure ce matin. Ils sont formels, ajouta Lisa en lui tendant d'une main tremblante la pochette en papier kraft qui contenait son dossier. – Voyant que Mattie ne bougeait pas, ce fut Jake qui prit l'enveloppe. – Il m'a demandé si je voulais moi-même t'apprendre...

Ne me dis rien, pensa Mattie.

– Dis-moi tout, déclara-t-elle, les oreilles bourdonnantes.

– L'examen montre une dénervation extensive.

– Parle en clair, la coupa sèchement Mattie.

– Il montre des dégâts irréversibles dans les neurones moteurs de la moelle épinière et du tronc cérébral.

– Ce qui veut dire?

– Les cellules nerveuses meurent, expliqua doucement Lisa.

– Les cellules nerveuses, répéta Mattie, essayant de comprendre tout le sens de ces mots. Elles meurent. Qu'est-ce que ça veut dire? Que je suis en train de mourir?

Il y eut un silence absolu. Personne ne bougea. Personne ne respira.

– Oui, murmura enfin Lisa d'une voix à peine audible, les yeux brusquement remplis de larmes. Oh, mon Dieu! Mattie, je suis vraiment désolée!

– Attends. – Mattie se leva d'un bond et commença à arpenter la minuscule pièce de long en large. – Je ne comprends pas. Si j'ai ta saleté de machin amyotrophique, comment se fait-il que ça n'apparaisse pas sur l'IRM? D'après l'IRM, tout allait bien.

– L'IRM ne détecte pas ce genre de maladie.

– Elle détecte bien la sclérose en plaques. Elle a montré que je n'avais pas cette maladie. Et pourtant tu dis que j'ai une sclérose?

– La SLA est différente, précisa Lisa en détachant chaque lettre.

– La SLA? répéta Mattie d'un ton interrogatif.

– C'est l'abréviation pour...

– J'avais compris, la coupa sèchement Mattie. Je ne suis pas idiote. Mon cerveau n'est pas encore atteint.

– Mattie..., intervint Jake, sans oser en dire plus.

– La maladie n'affectera pas tes facultés intellectuelles, ajouta Lisa.

– Non? – Mattie s'arrêta de marcher. – Alors que va-t-elle atteindre exactement?

– Peut-être pourrais-tu t'asseoir?

– Peut-être que je n'en ai aucune envie, Lisa. Peut-être que je veux seulement que tu me dises ce qui va m'arriver, pour que je puisse partir d'ici et reprendre le cours de ma vie. – Mattie faillit

88

éclater de rire. Le cours de sa vie. Elle était bien bonne, celle-là. – Combien de temps me reste-t-il ?

– On ne peut pas savoir exactement. C'est rare que la SLA frappe des gens de ton âge...

– Combien, Lisa ?

– Un an. – Les larmes roulèrent sur ses joues. – Peut-être deux, s'empressa-t-elle d'ajouter. Ou même trois.

– Oh, mon Dieu !

Mattie sentit ses jambes se dérober, son corps disparaître sous elle, sa tête transformée en une énorme boule de plomb basculer vers le sol. Lisa et Jake bondirent en même temps de leurs sièges et la rattrapèrent in extremis.

– Respire profondément, lui dit Lisa tandis qu'ils l'aidaient à se rasseoir dans son fauteuil.

Mattie entendit couler de l'eau, sentit un verre contre ses lèvres.

– Bois lentement. – Mattie reconnut le goût de l'eau fraîche sur le bout de sa langue à travers le sel de ses larmes. – Ça va ? demanda Lisa quelques secondes plus tard.

– Non, répondit doucement Mattie. Je meurs. Tu l'as oublié ?

– Je suis tellement navrée, gémit Lisa en serrant les mains de son amie entre les siennes.

Mattie vit alors Jake, appuyé contre la porte, littéralement sonné. Qu'est-ce qui t'arrive ? eut-elle envie de lui demander. Tu es contrarié de ne pas pouvoir jouer les magiciens ici ? De ne pas pouvoir m'épargner la sentence de mort qu'une cour supérieure vient d'ordonner ?

– Un an, répéta-t-elle.

– Peut-être deux ou trois, rappela Lisa d'un ton encourageant.

– Et que m'arrivera-t-il pendant ces une, deux ou trois années ?

– Il est impossible de prédire l'évolution exacte de la maladie. Elle affecte chaque individu différemment et, même prise individuellement, l'évolution n'est pas constante.

– Je t'en prie, Lisa. Je n'ai pas beaucoup de temps.

Mattie sourit et Lisa laissa échapper, malgré elle, un petit rire triste.

– D'accord. Bon. Tu veux toute la vérité ? La voilà. – Elle marqua une pause, déglutit, et respira profondément. – La SLA est une maladie dite neurodégénérative à l'issue fatale qui laisse ses victimes pleinement conscientes mais progressivement incapables de contrôler leur corps, récita-t-elle d'une voix mécanique, sans cesser de pleurer. D'abord tu ne pourras plus marcher. Tu as déjà ressenti des fourmillements dans les jambes. Tu commences à tomber. Ça ne fera qu'empirer. Et pour finir tu ne pourras plus marcher du tout. Tu seras dans un fauteuil roulant. – Lisa prit une autre inspiration comme si elle tirait sur une cigarette. – Tu m'as dit que tu avais du mal à mettre ta clé dans la serrure. C'est un des premiers symptômes de la SLA. Un jour tu ne pourras plus te servir de tes mains. Ton corps se recroquevillera peu à peu sur lui-même, alors que tu garderas l'esprit vif et clair.

— Je serai prisonnière de mon propre corps, résuma tranquillement Mattie.

Lisa hocha la tête, sans faire de geste pour essuyer ses larmes.

— Ton élocution deviendra confuse, difficile. Tu auras des problèmes de déglutition. Il faudra peut-être même te nourrir par sonde.

— Comment vais-je mourir?

— Mattie, je t'en prie...

— Dis-moi, Lisa. Comment?

— Tu auras d'abord des haut-le-cœur, puis tu suffoqueras. Et tu finiras par étouffer.

— Mon Dieu!

Mattie repensa à sa panique dans l'IRM. Quarante-cinq minutes où elle s'était crue enterrée vivante. Et maintenant, on lui demandait d'endurer ce calvaire pendant trois ans! Non, c'était impossible. Elle allait parfaitement bien. Elle ne pouvait pas être mourante. Il y avait eu une erreur quelque part.

— Je veux un second diagnostic.

— Bien sûr.

— Mais plus d'examen. J'allais très bien avant de commencer tous ces tests.

— Pas d'autres examens, acquiesça Lisa en essuyant ses larmes. Je demanderai au Dr Vance qui il peut me recommander.

— Il ne peut s'agir que d'une erreur, continua Mattie. Ce n'est pas parce que j'ai des fourmis dans le pied et que parfois j'ai du mal à mettre ma clé dans la serrure...

— Le scandale que Mattie a provoqué au tribunal..., commença Jake, aussitôt arrêté par le regard furieux de Mattie.

— Il venait aussi de là, répondit Lisa. Personne ne sait exactement pourquoi, mais ces éclats soudains, sans raison, sont d'autres symptômes possibles de cette maladie.

– Je n'ai plus envie d'en parler, dit Mattie en se levant d'un bond.

– Le Dr Vance voudrait que tu commences à prendre du Riluzole. C'est un médicament neuroprotecteur qui empêche la mort prématurée des cellules. Il te faut un comprimé par jour, et il n'y a pas d'effets secondaires. C'est cher mais ça vaut la peine.

– Mais pourquoi prendrais-je ce médicament? demanda Mattie, sentant sa colère revenir.

N'avait-elle pas déjà spécifié à Lisa qu'elle voulait avoir une autre opinion? Pourquoi parlaient-elles de traitement comme si son cas était réglé d'avance?

– Cela permet de gagner quelques mois.

– Des mois à ne pas pouvoir bouger, des mois à suffoquer, à rester parfaitement consciente pendant que mon corps se recroqueville sur lui-même! Merci beaucoup, Lisa, je préfère m'en passer.

– Le Riluzole ralentit la progression de la maladie.

– En d'autres mots, il retarde l'inévitable.

– La recherche découvre tous les jours de nouveaux traitements...

– Oh! s'il te plaît, Lisa, la coupa Mattie, épargne-moi le discours sur les merveilles du monde médical et sur les miracles qui peuvent toujours arriver! Ça ne te va pas du tout.

– Je t'en prie, Mattie.

Lisa griffonna une ordonnance et la tendit à Mattie qui refusa de la prendre.

– Je t'ai dit que je voulais un deuxième avis.

Jake saisit l'ordonnance et la glissa dans la poche de son costume rayé gris. À côté de la facture de la chambre au Ritz-Carlton, pensa Mattie avec amertume.

– Pourquoi la lui donnes-tu? demanda-t-elle à Lisa.

– Je pense que nous ferions mieux de la prendre, intervint timidement Jake.

– Nous? Quel est ce nous?

– Mattie...

– Non. Tu n'as plus voix au chapitre. Tu as abandonné tous tes droits, souviens-toi. Tu m'as juste accompagnée en tant que chauffeur.

– Mattie...

– Non. Cela ne te regarde pas. Ne te mêle plus de mes affaires.

– Tu es la mère de mon enfant, déclara-t-il simplement.

Oh, mon Dieu! Kim! pensa Mattie, en se couvrant l'estomac des deux mains, comme si on l'avait frappée. Comment allait-elle annoncer cela à Kim ? Lui faire comprendre qu'elle ne serait pas là pour la voir entrer à l'université. Qu'elle ne la verrait pas terminer ses études. Qu'elle ne pourrait pas danser à son mariage, ni tenir son premier petit-enfant dans ses bras. Qu'elle allait mourir étouffée sous ses beaux yeux terrifiés.

– La mère de ton enfant, répéta-t-elle. Bien sûr. – C'est tout ce qu'elle avait jamais été pour lui. C'était lamentable, se dit-elle en redressant les épaules et la tête. – Je voudrais rentrer, maintenant. – Elle jeta un regard à sa montre et vit qu'il était onze heures trente. – J'ai un rendez-vous.

– Quoi ?

L'ahurissement de Jake la dédommagea presque de l'angoisse de cette matinée.

– Puis-je avoir des relations sexuelles ? demanda-t-elle brusquement à Lisa.

– Quoi ?! s'exclama Jake une fois de plus.

– Je peux ? répéta Mattie, ignorant son mari.

– Tant que tu le supporteras, répondit Lisa.

– Parfait. Parce que j'en ai bien l'intention.

– Mattie, commença Jake avant de s'arrêter, les bras ballants.

– Pas avec toi, lui dit-elle. N'aie pas peur ! Tes services ne sont plus requis dans ce domaine. Tu l'as échappé belle. Maintenant, personne ne pourra t'accuser d'être un abominable salaud qui a plaqué sa femme en découvrant qu'elle était mourante. Tu as parfaitement choisi ton moment, comme toujours.

– Alors que faisons-nous maintenant ? demanda-t-il, impuissant.

– C'est très simple, rétorqua-t-elle. Tu vis. Je meurs. Et là, tout de suite, penses-tu pouvoir me reconduire à la maison ? On m'attend vraiment.

Jake s'abstint de tout commentaire. Il ouvrit la porte de la petite pièce et aspira une grande bouffée d'air frais.

– Je t'appelle dès que j'ai ton rendez-vous, dit Lisa.

– Rien ne presse, répondit Mattie en quittant la pièce.

11.

Aucun des deux ne put parler : Mattie, trop hébétée, trop révoltée, et Jake trop paralysé par la révolte de sa femme pour dire quoi que ce soit. Ils écoutèrent la radio, plus fort que Jake ne la mettait habituellement, plus fort que Mattie n'aimait l'entendre, mais aujourd'hui cela leur convenait parfaitement. Le rock emplissait la BMW comme l'eau envahit une voiture qui s'enfonce dans une rivière, s'infiltrant par la moindre ouverture, inondant rapidement le moindre espace libre, noyant tout sur son passage. La musique les assourdissait et leur interdisait toute velléité de dialoguer, et pourtant Mattie n'avait aucune idée de ce que pouvaient hurler les chanteurs. Il lui suffisait qu'ils hurlent.

Jake suivait lentement l'Eden's Expressway, les mains crispées sur le volant comme s'il avait peur, s'il les desserrait, de ne plus pouvoir contrôler la situation. La tension blanchissait ses articulations et déformait la cicatrice qui barrait trois de ses jointures, reste d'un accident qui lui était arrivé enfant et dont il avait toujours refusé de parler. Était-il tendu à cause des horribles nouvelles qu'elle venait d'apprendre, ou parce qu'elle avait prétendu avoir un rendez-vous galant ? L'un ou l'autre lui importait-il vraiment ?

Mattie appela chez elle depuis la voiture pour écouter ses messages et apprit ainsi que Roy aurait une heure de retard. Il proposait de la retrouver au Black Ram, un grill situé sur Oakton Road près de Des Plaines. Son seul problème, maintenant, c'était de se débarrasser de Jake qui tenait à la raccompagner.

– Tu peux me laisser là-bas, s'écria-t-elle brusquement en montrant le centre commercial Old Orchard, juste à la sortie de la voie rapide, sur Golf Road.

Jake éteignit la radio d'un coup sec et le silence leur parut aussi assourdissant que les cris qu'il remplaçait.

– Pourquoi là ?

– J'ai une heure à tuer, dit-elle en riant presque des mots qu'elle avait choisis. Autant que je fasse du lèche-vitrines.

– Comment iras-tu au restaurant ?

S'il s'était soucié autant d'elle autrefois, ils seraient toujours ensemble.

– Jake, je vais bien.

– Je ne crois pas, insista-t-il, le visage sillonné de nouvelles petites rides d'inquiétude.

– Eh bien, il me reste encore une année, alors ne t'inquiète pas pour moi.

– Pour l'amour du ciel, Mattie, là n'est pas la question !

– Non. Mais je suis une grande fille. Et tu n'es plus responsable de moi. Je n'ai pas besoin de ta permission pour me rendre au centre commercial.

Jake secoua la tête en soupirant d'exaspération, prit la sortie de Golf Road et mit son clignotant pour entrer dans l'immense parking.

— Et si nous allions prendre un café quelque part? suggéra-t-il, tentant une autre tactique.

— Je déjeune dans une heure.

— Il faut qu'on parle.

— Je n'en ai pas envie.

Il se gara sur la première place libre, entre une Dodge rouge et une Toyota argent métallisé, et coupa le moteur.

— Mattie, tu viens de subir un terrible choc. Moi aussi.

— Je ne veux pas en parler. Je suis sûre qu'il s'agit d'un énorme malentendu. Point final.

— Il faut que nous décidions de ce que nous allons faire, de la façon de l'annoncer à Kim, des mesures que nous devrons prendre...

— Comment se fait-il que lorsque tu ne veux pas parler d'une chose, on n'en parle pas, mais que quand je dis que la discussion est terminée, ça ne compte pas?

— Je veux seulement t'aider, protesta-t-il d'une voix tremblante, presque brisée.

Mattie se détourna pour ne pas voir sa peine. Sinon, elle aussi la ressentirait et elle ne pouvait pas se le permettre.

— Allez. Haut les cœurs, Jake, l'exhorta-t-elle en ouvrant la porte. Inutile de se faire du souci. C'est une erreur. Je vais très bien.

Jake se renfonça dans son siège et leva les yeux vers le toit ouvrant teinté.

— Puis-je t'appeler plus tard?

— Que dira ta petite amie? ironisa Mattie en descendant de la voiture sans attendre de réponse.

— Mattie...

Elle s'appuya à la portière.

— Comment t'es-tu fait cette cicatrice sur les doigts? demanda-t-elle, les surprenant tous les deux.

Elle vit le peu de couleur qui restait à Jake disparaître de son visage et le bleu de ses yeux virer du trouble à l'opaque. Le projecteur est sur toi, Jake, pensa-t-elle, consciente de sa difficulté à parler du passé. Se déroberait-il en prétendant avoir perdu la mémoire? Ou inventerait-il n'importe quoi pour se débarrasser d'elle?

Jake massa distraitement les jointures en question.

– Un jour, je devais avoir quatre ans, ma mère m'a écrasé la main avec un fer à repasser brûlant, avoua-t-il doucement.

– Mon Dieu ! – Mattie sentit ses yeux se remplir de larmes. – Pourquoi ne me l'as-tu jamais dit ?

– Quel intérêt ?

– J'étais ta femme.

– Et qu'aurais-tu fait de plus ?

– Je ne sais pas. J'aurais pu t'aider.

– C'est justement ce que je veux faire maintenant, Mattie, renchérit Jake, réussissant à ramener la conversation sur elle, se retirant du feu des projecteurs. Je veux t'aider autant que possible.

Mattie se redressa, tourna les yeux vers le centre commercial, puis ramena son regard sur lui.

– J'y penserai, dit-elle d'une voix froide, contrainte. Sois prudent, ajouta-t-elle avant de claquer la porte, et elle s'éloigna sans jeter un regard en arrière.

Une demi-heure plus tard, elle entra Aux voyages de Gulliver, une petite agence de voyages située au fond à gauche de la galerie marchande et laissa tomber ses deux gros sacs de courses devant le premier comptoir vacant.

– Je voudrais réserver un billet pour Paris, annonça-t-elle, s'asseyant sans attendre d'y être invitée devant une petite femme rondelette entre deux âges, répondant, d'après son badge, au nom de Vicki Reynolds.

– Si vous voulez bien me donner quelques instants, je m'occupe de vous tout de suite, répondit l'employée en rentrant avec de grands gestes des informations dans son ordinateur, le visage plissé de concentration.

Mattie se renfonça dans son siège, ravie de s'asseoir un peu. Elle avait couru comme une folle d'un magasin à l'autre et en était ressortie avec trois nouveaux pulls, dont un en angora rose, deux pantalons noirs, parce qu'on n'en a jamais trop, une paire de chaussures Robert Clergerie en daim vert qui, d'après le vendeur, iraient quasiment avec tout et une magnifique veste Calvin Klein en cuir rouge sang. Elle coûtait une petite fortune, mais la vendeuse lui avait affirmé que c'était un classique et que ça ne se démoderait jamais. « Elle vous fera une éternité. »

Une éternité, avait répété Mattie en s'admirant dans la glace. Elle se soucierait de son prix plus tard.

Il fallait aussi qu'elle pense à l'achat d'une nouvelle voiture. Elle ne pouvait pas rouler indéfiniment en véhicule de location.

Mais jamais elle n'était allée en choisir une toute seule. Ce serait une nouvelle expérience. Parfait. Les innovations étaient les bienvenues. Peut-être craquerait-elle pour une décapotable sport rouge vif, une de ces petites voitures étrangères. À moins qu'elle n'achète américain, une Corvette par exemple. Elle en avait toujours rêvé. C'était Jake qui l'avait dissuadée en lui faisant remarquer combien ce serait peu pratique pour elle d'avoir une deux-places, alors que, vivant en banlieue, elle devait servir de chauffeur à Kim et à ses amies. Mais Jake n'avait plus son mot à dire et la plupart des amies de Kim possédaient leurs propres véhicules. Alors c'était le moment ou jamais de s'offrir un coupé sport, peu importe ce que ça coûterait. Demain matin, elle mettrait son pull angora rose, sa veste en cuir Calvin Klein et elle irait s'acheter une Corvette flambant neuve. Peut-être demanderait-elle à Roy Crawford de l'accompagner.

– Alors, que puis-je faire pour vous ? demanda Vicki Reynolds, consentant enfin à lever le nez de son ordinateur et à saluer Mattie, le visage sans la moindre ride, la peau tendue comme un tambour.

– Je voudrais un billet de première classe pour Paris, répondit Mattie en faisant un effort pour ne pas la dévisager.

– Très bonne idée, approuva l'employée, en papillonnant des mains, réussissant péniblement à sourire. Quand voudriez-vous partir ?

Mattie réfléchit rapidement. On était déjà en octobre, et elle ne voulait pas découvrir Paris en hiver, quand tout serait gris. Il y avait trop d'étudiants et de touristes en été, et, d'autre part, que ferait-elle de Kim ? Elle avait beau adorer sa fille, Paris devait se découvrir de façon romantique, pas en compagnie d'une adolescente. Peut-être arriverait-elle à convaincre Roy Crawford de l'accompagner.

– En avril, annonça-t-elle d'un ton décidé. Avril à Paris, que peut-on souhaiter de mieux ?

– Ce sera donc en avril, acquiesça Vicki Reynolds, un sourire tendu relevant péniblement le coin de ses lèvres, pendant que Mattie se renversait sur son siège en souriant d'une oreille à l'autre.

– Alors, pourquoi les femmes font-elles subir de tels sévices à leur visage ? demandait Roy Crawford au-dessus de son second verre de bordeaux.

Assis dans un coin tranquille du petit restaurant, décoré comme bien des grills de murs lambrissés trop sombres, ils dégustaient d'énormes entrecôtes et des pommes de terre en robe des champs couvertes de crème, une faiblesse que Mattie ne s'était pas permise depuis des années.

– Pourquoi? s'exclama Mattie, incrédule. Comment un homme comme vous peut-il poser pareille question?

– Comment ça?

– Vous prenez des femmes de plus en plus jeunes. Regardez-vous, vous vivez avec une ado!

– C'est moins en raison de son physique que pour sa joie de vivre. Vous êtes absolument ravissante, me permettrais-je d'ajouter, continua-t-il du même souffle.

– Merci, mais...

– Si vous ne m'aviez pas parlé de votre accident, je n'aurais rien remarqué.

– Merci, répéta Mattie, en se demandant s'il fallait vraiment le féliciter d'être si peu observateur. Mais vous n'allez pas me faire croire que ce n'est pas pour leur physique que les hommes sont attirés par des femmes plus jeunes.

– Je n'ai pas dit ça non plus. J'ai dit que le physique comptait moins que le tonus.

– Donc, si une femme d'âge mûr avec une forme extra-ordinaire entrait ici derrière une jeune blonde amorphe à la poitrine magnifique, vous préféreriez l'âge à la beauté?

– Je ne prendrais ni l'une ni l'autre puisque je déjeune déjà avec l'une des femmes les plus séduisantes de Chicago.

Mattie ne put s'empêcher de sourire.

– Je pense donc que des femmes comme la fille de l'agence de voyages dont je vous parlais décident de passer sous le scalpel parce qu'elles s'y sentent obligées. Elles sont en compétition avec des femmes qui ont la moitié de leur âge alors que le nombre d'hommes disponibles ne cesse de s'amenuiser.

– Peut-être n'est-ce pas une question de compétition, dit Roy Crawford. Elles ne font pas ça forcément pour les hommes.

– Que voulez-vous dire?

– Peut-être luttent-elles contre elles-mêmes, contre l'image de ce qu'elles sont devenues. Peut-être refusent-elles de vieillir.

– Il y a des choses plus pénibles que ça.

– Nommez-m'en une, dit Roy en riant avant d'enfourner une énorme bouchée.

– Mourir jeune, répondit Mattie en reposant sa fourchette, son appétit envolé.

Elle secoua la tête et repoussa une mèche derrière son oreille.

– Bien vivre, mourir jeune et laisser un beau corps, récita Roy Crawford. C'est bien ce que dit le dicton?

– Est-ce de cette façon que vous souhaitez mourir?

– Moi? Mourir? Pas question. Je vivrai éternellement.

– Est-ce la raison pour laquelle vous courez après des filles de plus en plus jeunes? Pour tenir la mort à distance?

Roy Crawford la regarda fixement tout en repoussant du bout des doigts des miettes invisibles sur la nappe en lin blanc.

– Vous commencez à parler comme mes ex-femmes, murmura-t-il.

– Pourquoi les hommes trompent-ils leur femme?

Mattie réajustait brusquement le tir.

Roy Crawford se renversa sur son siège et prit une profonde inspiration.

– Est-ce un concours?

– Comment ça?

– Que gagnerai-je si je donne la bonne réponse?

– La connaissez-vous?

– J'ai réponse à tout.

– Voilà pourquoi je vous ai interrogé.

Roy Crawford but une nouvelle gorgée de vin et se pencha vers elle.

– Avez-vous un magnétophone caché sous ce joli chemisier de soie?

– Vous voulez me fouiller? rétorqua Mattie d'un ton provocateur.

– Voilà une idée intéressante.

– Vous devez d'abord répondre à ma question.

– Je l'ai oubliée, avoua piteusement Roy, et ils éclatèrent tous les deux de rire.

– Pourquoi les hommes sont-ils infidèles?

Roy haussa les épaules en riant et détourna les yeux.

– Vous connaissez la vieille blague. Pourquoi les chiens se lèchent-ils le derrière?

– Non, répondit Mattie en cherchant quel était le rapport.

– Parce qu'ils peuvent le faire, répondit Roy, et il éclata de rire à nouveau.

– Vous voulez dire que les hommes trompent leurs femmes parce qu'ils en ont la possibilité? C'est bien ça?

– Les hommes sont des créatures assez simples.

– Est-ce la raison pour laquelle vous êtes avec moi en ce moment?

– Je suis là parce que vous m'avez invité à déjeuner afin de parler de l'achat de nouveaux tableaux pour mon appartement, lui rappela-t-il.

– Celui que vous partagez avec miss Ado.

– Elle est très mûre, dit-il avec un clin d'œil coquin.

– Je suis sûre qu'elle sait donner du piment à la vie, dit Mattie en souriant.

Roy Crawford éclata de rire, la tête renversée en arrière, révélant une dentition parfaite.

– C'est le moins qu'on puisse dire.

– Alors, je répète, que faites-vous ici avec moi?

– Peut-être devriez-vous mieux formuler votre question en *vous* demandant ce que *vous* faites ici avec *moi*.

– Mon mari a une liaison.

Roy Crawford hocha la tête, voyant enfin les pièces du puzzle se mettre en place.

– Et vous cherchez à lui rendre la pareille?

– En partie.

– Et quoi d'autre encore?

– Je crois que c'est tout, finalement, répondit-elle.

Roy rit à nouveau.

– Eh bien, merci au moins pour votre franchise.

– Vous m'en voulez?

– Au contraire, je suis flatté. Enfin, je l'aurais été encore davantage si vous m'aviez déclaré que vous me trouviez beau et irrésistible. Enfin, tant pis, je me contenterai de la vengeance. Quand cela vous conviendrait-il?

Mattie le dévisagea en se demandant s'il se moquait d'elle. Il avait l'air sérieux.

– Mon après-midi est libre.

– Alors que diriez-vous de mettre nos projets à exécution maintenant? – Il prit sa serviette sur ses genoux, la laissa tomber sur ce qui restait de son entrecôte et fit signe au serveur de lui apporter l'addition. – Où voulez-vous aller?

Mattie se sentit un peu dépassée par la vitesse des événements. Tu l'as voulu, se rappela-t-elle, en pensant aux nouveaux sous-vêtements en satin qu'elle avait achetés.

– Autant aller chez moi, proposa-t-elle, sachant que Kim avait l'intention d'assister à un match de foot après les cours et ne rentrerait pas avant l'heure du dîner.

– Je ne crois pas que ce soit une bonne idée. Les maris bafoués ont la manie de surgir quand on les attend le moins.

– Ça ne risque pas.

– Il est parti en voyage ?

– Il est parti, point final. Il y a une quinzaine de jours.

– Vous êtes séparés ?

Il avait l'air hébété, comme s'il venait de percuter un mur de brique.

– Ça vous pose un problème ?

– Ça complique les choses, reconnut-il en essayant de sourire.

– Ah bon ? J'aurais pensé que ça les simplifiait au contraire.

– Comment vous expliquer ? J'ai quitté l'école à seize ans, je n'ai jamais passé d'examen. Mais je m'en suis bien sorti dans la vie. Pourquoi ? Pour deux raisons. Premièrement, je sais saisir la chance quand elle passe et, secondement, j'aime les situations claires. Si vous viviez encore avec votre mari, notre aventure serait une excellente opportunité, une simple relation entre deux adultes désireux de passer un bon moment. Vous n'attendriez rien de plus de moi. – Il s'arrêta et renvoya d'un geste de la main le serveur qui approchait avec l'addition. – Le fait que vous ne viviez plus avec votre mari crée des difficultés. Votre attente n'est plus la même.

– Je n'attends rien de vous, protesta-t-elle.

– Pas maintenant. Mais plus tard. Faites-moi confiance, je parle d'expérience. – Il s'arrêta, regarda la salle autour de lui, puis se pencha vers elle comme s'il allait lui confier un grave et terrible secret. – Vous voudrez au moins que nous ayons une liaison. Vous le méritez. Mais je ne veux plus entretenir ce genre de relations. Je ne veux pas avoir à me souvenir de votre anniversaire ni vous accompagner choisir une nouvelle voiture.

Mattie lui jeta un regard stupéfait.

– Je vous ai froissée. Je suis désolé. Ce n'était pas mon intention.

– Non, protesta Mattie, les idées brouillées par la rapidité avec laquelle il l'avait rejetée et la justesse de sa prédiction. Je ne suis pas froissée. Vous avez absolument raison.

– C'est vrai, s'esclaffa-t-il. Vous êtes bien la première femme à me le dire.

– Je sais moi aussi donner du piment à la vie, dit-elle.

Une femme aux cheveux courts ondulés passa près de leur table et Mattie crut un instant que Lisa l'avait suivie pour annoncer son diagnostic à la cantonade.

– Je suppose que ça ne changera rien si je vous dis que je ne devrais plus être là très longtemps.

– Vous déménagez ?

– J'y pense, dit Mattie en haussant les épaules avec un petit sourire triste.

– Eh bien, ne partez pas trop loin, dit-il en faisant à nouveau signe au serveur. Mes murs seraient perdus sans vous.

« Vivre bien, mourir jeune. » La citation lui revint à l'esprit alors qu'elle regardait Roy tendre sa carte de crédit au serveur. « Laisser un beau corps. »

12.

– Tu ne me dis jamais que je suis belle.

Jake se mit sur le dos en gémissant puis sur le côté gauche et remonta la couverture rose par-dessus ses oreilles pour ne plus entendre la voix de sa mère.

– Pourquoi tu ne me le dis jamais ?

– Je n'arrête pas de te le répéter mais tu n'écoutes pas, grommela le père de Jake, d'un ton las.

Jake entendait le froissement du journal entre les mains de son père. Il gémit plus fort, espérant vainement échapper à la suite. Il la connaissait déjà suffisamment.

– Et si on sortait ? On pourrait aller danser, insistait sa mère en valsant au premier plan de son rêve, le remplissant tout entier de ses cheveux blonds et de ses yeux sombres, balayant de sa large robe à fleurs toutes les autres images.

Il la vit onduler lascivement devant son père qui s'obstinait à lire son journal, bien décidé à l'ignorer.

– Tu m'entends ? J'ai dit allons danser.

– Tu as bu.

– Pas du tout.

– Je sens ton haleine d'ici.

La moue de sa mère emplit l'écran géant de l'esprit inconscient de Jake.

– Tu ne veux pas aller danser, qu'à cela ne tienne ! Si on allait voir un film ? Ça fait des mois qu'on n'est pas allés au cinéma.

– Je n'ai pas envie. Appelle une de tes amies, si tu y tiens tant.

– Je n'ai pas d'amies, rétorqua sèchement Eva Hart. C'est toi qui en as.

Jake se retourna, en grognant d'irritation dans son sommeil. *Il est temps de te réveiller*, gémit une petite voix dans sa tête. *Tu ne veux pas entendre ça.*

– Parle moins fort, continuait son père. Tu vas réveiller les garçons.

– Je parie que tu ne demandes jamais à tes petites amies de parler moins fort. Quand elles crient pour en redemander, tu ne leur dis pas de baisser la voix.

– Pour l'amour du ciel, Eva...

– Pour l'amour du ciel, Warren, le singea-t-elle, le visage déformé par la rage.

Warren Hart remonta son journal devant ses yeux sans répondre et, bannissant sa femme de sa vue, se replongea dans sa lecture. Non, pensa Jake. Ne fais surtout pas ça. Tu ne peux pas l'ignorer. Elle ne te laissera pas faire. La colère de sa mère, telle une tempête tropicale, enflait en prenant de la puissance, et emportait tout sans se soucier de ceux qu'elle blessait au passage, prise d'un besoin de tout ravager, de tout détruire. Nul ne pouvait ignorer ce véritable fléau naturel. Son père ne le savait-il pas ? Ne le comprendrait-il jamais ?

– Tu crois que je ne suis pas au courant pour tes petites amies ? criait Eva Hart. Tu crois que je ne sais pas où tu vas traîner le soir quand tu prétends retourner travailler à ton bureau ? Tu crois que je ne te connais pas sur le bout des doigts, sale fils de pute ?

Ne fais pas ça. Ne fais pas ça. Ne fais pas ça.

Le poing d'Eva Hart transperça le journal de son mari.

À ce souvenir, Jake leva la main gauche en l'air et la rabattit brutalement sur le lit.

Son père bondit de son fauteuil et jeta les lambeaux du journal sur le tapis beige. La petite pièce parut rétrécir sous sa colère.

– Tu es folle, hurla-t-il, en faisant les cent pas devant le canapé de velours marron. Tu es complètement givrée.

– C'est toi qui es givré.

Elle se rua sur lui et trébucha sur le tapis, manquant de renverser la lampe.

– Oui, je suis fou de rester avec une cinglée.

– Alors qu'attends-tu pour partir, pauvre minable ?

– Ça va peut-être finir comme ça. Et tout de suite d'ailleurs.

Jake regardait son père prendre sa veste dans le placard de l'entrée et se diriger vers la porte. *Tu ne peux pas partir. Tu ne peux pas nous laisser avec elle. Je t'en prie, reviens. Ne fais pas ça !*

– Si tu crois que je ne sais pas où tu vas ! Tu sautes sur la première excuse ! Qu'est-ce que tu crois ? Que je vais te laisser faire ? Pas question. Tu ne me laisseras pas ici toute seule !

Ne pars pas. Ne pars pas. Ne pars pas.

– Non ! hurlait sa mère en tambourinant de toutes ses forces sur la porte qu'il venait de lui claquer au nez.

Ses hurlements remontaient la salle de séjour et le couloir jusqu'à la porte close de la chambre de Jake, dans laquelle, dès les premiers cris, ses frères étaient venus se réfugier. Les enfants empilaient livres et jouets contre la porte, pauvre barricade de fortune qui ne résisterait pas à l'hystérie grandissante de leur mère.

Jake regardait derrière ses paupières closes les trois petits frères, âgés de trois, cinq et sept ans, tapis les uns contre les autres dans l'abri qu'il avait aménagé dans le fond du placard, son grand frère Luke, le regard vide, et le plus jeune, Nicholas, qui tremblait de peur dans ses bras.

– Tout ira bien, chuchotait Jake. Nous avons de l'eau et une trousse de secours, ajoutait-il en montrant ce qu'il avait préparé en prévision d'une telle urgence. Tout ira bien tant qu'on restera tranquilles.

– Où diable êtes-vous passés, sales mômes ? criait Eva Hart. Vous m'avez plaquée, vous aussi ?

– Non, gémit Jake, en s'agitant sur le grand lit.

– Chut ! murmurait l'enfant Jake en mettant un doigt sur ses lèvres.

– Comment avez-vous osé m'abandonner ? aboyait sa mère dans les ténèbres de sa petite chambre. N'y a-t-il personne qui m'aime dans cette foutue baraque ?

Les poumons de Jake sentaient la tension des trois enfants qui retenaient leur souffle. Il geignit de souffrance.

– Je ne peux plus vivre comme ça, hurlait Eva Hart. Vous m'entendez ? Je ne peux plus. Personne ne m'aime. Je peux mourir. Tout le monde s'en fout.

Nicholas se mit à pleurer. Jake posa doucement la main sur sa bouche et embrassa ses cheveux coupés en brosse.

– Ah ! vous êtes là, grondait sa mère, en s'approchant de leur cachette d'un pas lourd.

Luke se levait d'un bond pour tenir la poignée ronde de la porte déjà verrouillée de l'intérieur, et la serrait de toutes ses forces pendant qu'elle tournait dans sa main.

– Bon sang ! beuglait leur mère en donnant des coups de pied dans la porte avant d'abandonner. Ça n'a pas d'importance. Rien n'a d'importance.

Ils entendaient un craquement. Ma maquette d'avion, pensa Jake en revoyant celle sur laquelle il avait tant travaillé. Il se mordit la lèvre pour ne pas fondre en larmes.

– Vous savez ce que je vais faire ? Vous le savez ? – Elle attendit une réaction. – Vous n'êtes pas forcés de me répondre. Je sais que vous m'entendez. Alors je vais vous dire ce que je vais faire puisque personne ne m'aime et que tout le monde s'en fout si je meurs. Je vais aller ouvrir le gaz dans la cuisine et demain matin, quand votre père rentrera après avoir passé la nuit avec sa maîtresse, il nous trouvera tous morts dans nos lits.

– Non, sanglotait Nicholas dans les bras de Jake.

– Non, dit Jake, en repoussant les couvertures de ses épaules et en les écartant de ses pieds.

– C'est un service que je vous rends, continuait leur mère en trébuchant sur les livres et les jouets renversés. – Elle se relevait et jetait une chaussure contre la porte du placard. – Vous ne sentirez rien. Vous mourrez tranquillement dans votre sommeil, marmonnait-elle en sortant de la pièce d'un pas chancelant, avant d'éclater d'un rire de folle.

– Non ! criait l'enfant Jake en serrant ses frères contre lui.

– Non ! cria Jake, ses bras battant l'air dans tous les sens, frappant son oreiller, donnant de grands coups dans le vide. Il entendit un cri, sentit un corps sous sa main et ouvrit les yeux, réveillé par les cris de terreur de Cherry.

– Mon Dieu, Jason, mais qu'est-ce qui t'arrive ?

Jake mit plusieurs secondes à passer de l'enfant d'autrefois à l'adulte d'aujourd'hui, retrouvant peu à peu ses esprits.

– Je suis désolé, murmura-t-il, le front moite, la sueur coulant dans ses yeux, se mêlant à ses larmes. Mon Dieu, Cherry, excuse-moi. Je t'ai fait mal ?

– Je ne crois pas qu'il soit cassé, le rassura Cherry en tordant le bout de son nez. – Elle caressa son bras nu. – Que se passe-t-il ? C'est encore ton cauchemar ?

Jake enfouit sa tête entre ses mains, le corps couvert de sueur froide.

– Je ne sais pas ce qui m'arrive.

– Tu as trop de soucis, soupira Cherry en se retournant vers sa table de nuit pour allumer.

Immédiatement, les tons bruns de son enfance furent chassés par la douce chaleur du rose pêche de la pièce.

– Tu veux m'en parler ?

Cherry écarta ses boucles rousses et sourit d'un air désarmé quand elles lui retombèrent sur le visage.

Il secoua la tête, les cheveux collés sur son front.

– J'en ai déjà oublié la moitié.

104

Il mentait. Il se souvenait de chaque haussement d'épaules, de chaque frisson, de chaque mot. Même maintenant, les yeux grands ouverts, il se revoyait à l'âge de cinq ans, sortir à quatre pattes de sa cachette pour s'approcher de la fenêtre près de son lit et l'entrouvrir d'à peine quelques centimètres. C'était suffisant, comme il n'arrêtait pas de le répéter à ses frères pendant qu'ils passaient le reste de la nuit serrés les uns contre les autres. Ils ne risquaient plus d'être asphyxiés par le gaz.

— Je crois que je n'arrive toujours pas à dormir la fenêtre fermée, avoua-t-il piteusement.

— Tu penses que tes cauchemars viennent de là? s'inquiéta Cherry, perplexe à juste titre.

Jake haussa les épaules, secoua la tête et repoussa sa sollicitude d'un geste de la main. Il était un homme, bon sang! Sa mère était morte depuis des années. Il devrait bien finir par réussir à dormir dans une pièce fermée.

— Je suis vraiment désolée, Jason. C'est à cause des chats. Un jour quelqu'un a laissé la fenêtre à peine entrebâillée, Kanga s'est sauvé et j'ai mis des jours avant de le récupérer.

Comme si ces mots étaient un signal, les deux chats sautèrent sur le lit. Kanga était un gros matou tigré roux de huit ans. Roo, tout noir, n'en avait que quatre. Les deux mâles n'avaient aucune intention de partager leur territoire avec ce nouveau venu, ce rival à deux pattes qui leur disputait l'affection de leur maîtresse. Jake leur rendait bien leur antipathie. Il n'avait jamais beaucoup aimé les chats à qui il préférait les chiens, bien que Mattie ait toujours refusé d'en avoir. Bon sang, se dit-il en écartant Kanga de sa jambe avant de se lever et d'enfiler un peignoir bleu marine. Pourquoi pensait-il à elle maintenant?

Il regarda Cherry disparaître dans la salle de bains avec son petit déhanchement provocateur, ses cheveux roux en bataille. Quelques secondes plus tard, elle ressortit, vêtue d'un peignoir blanc, les cheveux retenus par un élastique, mais quelques mèches s'échappaient déjà sur sa nuque.

— Si je nous faisais du café? suggéra-t-elle en jetant un coup d'œil au réveil sur sa table de chevet. Il est presque l'heure de se lever.

— Bonne idée.

— Des œufs au bacon, ça te va?

— Un café me suffira.

— C'est parti pour un café.

C'était la grande différence entre Mattie et Cherry. Mattie aurait insisté. « Tu es sûr? Il faut manger quelque chose, Jake.

Tu sais que le petit déjeuner est le repas le plus important de la journée. » Et il aurait fini par céder et avaler les œufs et le bacon dont il n'avait aucune envie, quitte à se sentir lourd et barbouillé toute la matinée. Cherry, elle, n'essayait pas de lire entre les lignes. Il avait dit qu'il voulait juste un café, il n'aurait rien de plus.

Cherry lui passa les bras autour du cou et l'embrassa à pleine bouche. Son haleine sentait le dentifrice, sa peau le lilas.

– Finalement, je ne dis pas non pour le bacon et les œufs, murmura-t-il.

Elle sourit.

– Tu te sens nerveux ?

– Oui, un peu.

Il avait un rendez-vous important avec un futur client, un homme d'affaires riche et influent, accusé d'avoir violé plusieurs femmes vingt ans auparavant, ce qu'il niait avec véhémence. L'affaire promettait d'être un de ces cas savoureux et retentissants comme il les aimait. Mais ce n'était pas de rencontrer son client qui le rendait nerveux, c'était le rendez-vous qu'il devait avoir ensuite avec Mattie.

Presque deux semaines s'étaient écoulées depuis le diagnostic dévastateur de Lisa. Mattie en avait profité pour consulter un deuxième puis un troisième spécialiste (l'un était neurologue en chef à l'hôpital Northwest General, l'autre exerçait dans une clinique privée de Lake Forest). Ils étaient parfaitement d'accord. Il s'agissait de sclérose latérale amyotrophique. La SLA. La maladie dite de Charcot ou de Lou Gehrig. Une maladie neuro-musculaire à progression rapide qui attaquait les motoneurones chargés de transmettre les informations aux muscles. Cela se traduisait par des faiblesses et des crampes dans les bras, les jambes, la bouche, la gorge et ailleurs pour culminer par la paralysie totale alors que le malade gardait toute sa lucidité.

Et comment Mattie avait-elle réagi devant ces nouveaux avis ? Eh bien, en achetant une Corvette toute neuve alors qu'il ne fallait plus qu'elle conduise. Elle avait débité près de vingt mille dollars sur sa carte de crédit. Elle avait réservé un voyage à Paris au printemps. Et, en plus, elle refusait toujours de prendre ses médicaments alors que Jake était allé lui-même les acheter. Quel intérêt de se droguer alors qu'elle se sentait en pleine forme ? Ses fourmillements dans le pied avaient disparu, ses mains fonctionnaient à merveille et elle n'avait aucun mal à avaler, à parler, à respirer, merci beaucoup. Les médecins se trompaient. Si elle avait une SLA, elle était visiblement en phase de rémission.

Elle refusait de voir la vérité. Jake se demandait comment il aurait réagi à sa place. Mattie était jolie, au seuil d'une nouvelle vie et soudain, catastrophe! Malaise, paralysie, mort. Quoi de plus normal que de refuser d'y croire? Et peut-être, sait-on jamais, avait-elle raison alors que tous les autres se trompaient. Le cas s'était déjà produit. Mattie était forte. Têtue. Indestructible. Elle les enterrerait tous.

– À quoi penses-tu? demanda Cherry, bien qu'à son regard il devinât qu'elle le savait déjà. Ça s'arrangera pour elle, Jason.

– Non, ça ne s'arrangera pas, dit-il doucement.

– Je suis confuse. J'ai mal choisi mes mots. Je voulais dire qu'elle finira par accepter sa maladie. Elle prendra ses médicaments. Tu verras. Il ne faut pas t'inquiéter comme ça. Elle sait qu'elle peut compter sur toi, que tu lui assureras les meilleurs soins possible et que tu t'occuperas de Kim. Tu ne peux rien faire de plus. – Elle l'embrassa au coin des lèvres en entrelaçant leurs doigts. – Allez. Je vais te préparer à manger. C'est un jour important pour toi.

– Je reviens tout de suite. Je vais juste prendre ma douche et me laver les dents...

– D'accord. Préviens-moi quand tu seras prêt.

Il la regarda sortir de la chambre. Malgré l'épaisseur du peignoir en éponge, il devinait ses ravissantes formes. Il aurait dû lui faire l'amour la veille au lieu de plaider la fatigue et de laisser ainsi son inquiétude pour Mattie le vider de toute son énergie. Il se ferait pardonner ce soir. Ou peut-être même dès ce matin.

Il regarda l'état dans lequel il avait mis le lit, la couverture par terre, les draps roses fleuris tout chiffonnés, les oreillers de plume complètement écrasés. En fait, cette pagaille ne jurait pas avec le capharnaüm ambiant. Cherry était de ces gens qui sont incapables de jeter quoi que ce soit. Et elle collectionnait tout : les vieux magazines, les bijoux fantaisie démodés, les stylos, enfin tout ce qui accrochait son regard curieux. En conséquence, le moindre centimètre carré de son appartement était envahi. Le dessus de sa commode ancienne était encombré de pièces de monnaie et de délicats foulards en mousseline, une petite chaise en bois disparaissait sous des piles de journaux et tout un assortiment de chemisiers en soie qu'elle se donnait rarement la peine d'accrocher dans sa penderie, déjà débordante de robes et d'ensembles plus habillés qu'elle ne portait jamais. Des poupées en porcelaine enrubannées de dentelles blanches se serraient sous la fenêtre à côté de la collection de peluches de son enfance.

Il y avait des paniers partout. Pas étonnant qu'il n'eût pas trouvé la moindre place pour ses propres affaires. Ils parlaient déjà d'emménager dans un appartement plus grand.

Ce ne devait pas être facile pour Cherry, pensa Jake en entrant dans la salle de bains. Il jeta son peignoir sur les deux chats qui s'étiraient à ses pieds. Ils se ruèrent hors de la minuscule pièce en protestant violemment pendant qu'il entrait sous la douche. Il ouvrit les robinets à fond. Aussitôt un violent jet brûlant le frappa au visage, le piquant au vif tels des centaines d'insectes malfaisants. Vilain Jason, sifflait l'eau.

Vilainjason, vilainjason, vilainjason.

Cherry n'avait rien demandé, reconnut-il en mettant la tête sous le torrent bouillant pour chasser l'écho de la voix de sa mère. Elle était simplement tombée amoureuse d'un homme malheureux en ménage. Elle avait peut-être espéré qu'il quitterait sa femme, qu'ils vivraient un jour ensemble. Mais jamais elle n'avait dû envisager qu'il viendrait s'installer chez elle aussi rapidement. Et il ne la sentait pas prête à accepter les conséquences de la maladie de sa femme et de sa mort prématurée, ni à devenir la mère d'une adolescente révoltée et complètement perturbée.

Les dernières semaines avaient été une sacrée épreuve pour tout le monde. Ils étaient encore secoués, désorientés, effrayés de ce que l'avenir leur réservait. Mais lui et Cherry s'en sortiraient alors que Mattie n'aurait pas cette chance.

Il avait fait beaucoup de recherches depuis que Lisa Katzman les avait convoqués à son cabinet. Tous les patients ne succombaient pas aussi vite qu'elle l'avait laissé entendre. Certains survivaient jusqu'à cinq ans, et vingt pour cent des personnes atteintes de SLA atteignaient un stade où la maladie, pour des raisons inconnues, se stabilisait. Des gens comme Stephen Hawking, le célèbre physicien anglais qui avait survécu plus de vingt-cinq ans et suffisamment bien pour plaquer son épouse qui l'avait soigné fidèlement pendant presque toutes ces années pour partir avec une autre femme.

Les hommes sont vraiment des mufles, pensa-t-il en fermant l'eau d'un geste sec.

Il s'essuya avec une des serviettes couleur dragée de Cherry en se demandant s'il s'habituerait jamais à tant de rose. Était-il possible que Mattie vive encore vingt-cinq ans, prisonnière d'un corps en lente dégradation ? Le voudrait-elle ?

– Jason ! appela Cherry depuis la pièce voisine. – Il l'imagina dans sa minuscule cuisine au milieu de tout son bric-à-brac de vieux pots et de verrerie. – Tu es prêt ?

– Deux minutes !

Il prit le coin de sa serviette pour essuyer la vapeur sur la glace au-dessus du lavabo. Son image déformée apparut sur le verre embué pour disparaître aussitôt sous un fin brouillard. Comment pourrait-il l'abandonner ? se demanda-t-il pendant que le visage de Mattie se superposait au sien. Elle avait partagé son existence pendant seize ans. Comment pourrait-il la quitter alors qu'il ne lui restait plus qu'une ou deux années à vivre ?

Ou trois. Ou cinq.

Comment pourrait-il la laisser s'éteindre ainsi ?

Tu as déjà perdu quinze ans de ta propre vie.

Comment pourrait-il la laisser mourir seule ?

Nous sommes seuls devant la mort. Pense à ton frère. Pense à Luke.

Comment pourrait-il la laisser sans défense, alors qu'elle suffoquait déjà d'angoisse ?

J'ai été étouffé toute ma vie.

Et alors, tu n'es plus à un ou deux ans près ?

Ou trois. Ou cinq.

Comment pourrait-il retourner là-bas alors qu'il ne l'aimait pas et qu'il avait enfin trouvé le courage de la quitter ?

Il n'était pas question de l'aimer mais juste d'être présent.

Qui fallait-il être pour l'abandonner maintenant ? Pour qui le prendrait-on ?

Vilain Jason. Vilain Jason. Vilain Jason.

Vilainjason. Vilainjason. Vilainjason.

Mattie l'avait piégé il y a seize ans et elle le piégeait à nouveau aujourd'hui. Qu'importe qu'elle meure, qu'elle n'ait pas choisi cette situation, qu'elle ne l'ait pas plus souhaitée que lui. Le résultat final était le même. Il était piégé. Il serait enterré vivant avec elle.

– Merde, putain de merde ! cria-t-il en frappant le miroir, laissant une belle empreinte de son poing dans la buée.

– Jason, tu vas bien ?

Cherry se tenait sur le seuil de la salle de bains encore pleine de vapeur.

Elle semblait si lointaine, se dit Jake sans oser détourner les yeux de peur qu'elle ne disparaisse brusquement. Combien de temps attendrait-elle ?

– Cherry...

– Oh ! oh ! j'ai comme l'impression que tu vas me dire quelque chose de désagréable.

Jake la prit par la main et la conduisit vers le lit où il la fit asseoir à côté de lui.

— Il faut que je te parle.

13.

— Je ne veux pas parler, protesta Mattie en sortant de la cuisine comme une furie. Je te l'ai déjà dit. Je croyais pourtant avoir été claire.

— Nous n'avons pas le choix, Mattie, dit Jake en la suivant dans la salle de séjour. Nous ne pouvons pas faire comme si de rien n'était.

— Il n'y a rien de nouveau.

Elle commença à tourner autour de la pièce comme un chien qui court après sa queue, les bras tendus pour tenir son mari à distance. Elle portait un jean, un vieux pull rouge et des chaussons écossais éculés. Jake était vêtu de son uniforme d'avocat : costume classique en flanelle grise, chemise bleu clair, cravate d'un bleu plus sombre. Ils n'étaient pas à égalité, décida-t-elle en regrettant de ne pas avoir mis au moins des chaussures correctes. Mais elle avait du mal à en porter ces derniers temps. Elle n'arrêtait pas de se tordre les pieds. Il lui était plus facile de marcher en chaussons.

Elle tourna les yeux vers l'immense baie vitrée et pensa à la piscine qui venait d'être vidée et reposait sous cette affreuse couverture d'hiver qui ressemblait à un sac-poubelle géant. Elle souffrait toujours d'une certaine nostalgie les premières semaines qui suivaient la mise en hibernation du bassin. Cette année encore plus que les autres. Peut-être la ferait-elle couvrir l'an prochain. Ce serait coûteux, elle le savait, mais ça valait la peine. Elle pourrait ainsi nager toute l'année. Et si Jake râlait, qu'il aille au diable. Elle s'en moquait.

Mattie envisageait également de faire retapisser les deux fauteuils devant la fenêtre pour remplacer l'ancien coton à rayures rose et or par quelque chose de plus doux, peut-être du velours, mais elle conserverait la bergère beige et or et le tapis au motif floral. Jake pourrait prendre le demi-queue qui se trouvait dans le fond à gauche de la pièce et qui n'avait plus servi depuis que Kim avait abandonné ses leçons de piano quelques années auparavant. En revanche, elle se battrait bec et ongles pour garder la petite statuette en bronze de Trova qui se trouvait derrière le piano et les deux photographies de Diane Arbus accrochées juste derrière, la peinture de Ken Davis pendue sur le panneau perpendiculaire et la litho de Rothenberg qui occupait presque tout le mur opposé, au-dessus du canapé.

N'était-ce pas la raison de la visite de Jake ? Partager le butin ?

C'était ce qu'elle avait cru comprendre la veille quand il l'avait appelée en disant qu'il passerait cet après-midi vers deux heures et demie pour régler certains détails. Mais lorsqu'il était arrivé sur le seuil de la porte, sa porte à elle, avec un petit sourire triste, qui lui donnait envie de shooter dans ses dents parfaites, et un air de chien battu qui annonçait la gravité de ses intentions avant même qu'il n'eût ouvert la bouche, elle avait compris que la discussion ne porterait pas sur l'avance de leur divorce ni sur qui prendrait quoi. Ce serait la répétition des dernières semaines, une façon subtile de revenir à la charge qui marchait peut-être très bien avec les jurés mais qui ne l'impressionnait pas le moins du monde, cette douce insistance à vouloir la persuader de voir les choses à sa manière à lui. Tout cela pour la forcer à affronter une vérité qu'elle refusait d'envisager et encore moins d'accepter.

Depuis deux bonnes semaines, Jake l'appelait au minimum une fois par jour ; il avait insisté pour l'accompagner à ses rendez-vous à Northwest General et à la clinique de Lake Forest ; il s'était précipité à la pharmacie acheter le médicament qu'elle n'avait aucune intention de prendre ; il s'était rendu totalement disponible pour elle. En bref, il s'était transformé en ce qu'il n'avait jamais été pendant leurs presque seize ans de mariage : un mari.

– Retourne à ton cabinet. Tu es débordé de travail.

– J'ai terminé pour aujourd'hui.

– Mon Dieu, je dois être vraiment très malade !

– Mattie...

– Je plaisantais, Jake. Juste un peu d'humour noir. De toute façon, continua-t-elle sans lui laisser le temps de l'interrompre, si ta journée est terminée, pourquoi ne vas-tu pas rejoindre ta petite amie ? Je suis sûre qu'elle serait ravie de te voir rentrer de bonne heure.

– Je n'y retournerai pas, répondit-il d'une voix si basse que Mattie n'était pas sûre d'avoir bien entendu.

– Quoi ? s'exclama-t-elle malgré elle.

– Je ne peux pas retourner là-bas, insista-t-il, changeant subtilement de mots, sans donner plus d'explications.

– Elle t'a jeté dehors?

Mattie n'en revenait pas. Il l'avait quittée après seize ans de mariage pour une fille qui le mettait à la porte moins de trois semaines plus tard! Et maintenant, il s'attendait à ce qu'elle oublie sa trahison, qu'elle enterre sa colère et son cœur brisé et qu'elle l'accueille à bras ouverts? Ma maison est ta maison? Compte là-dessus mon bonhomme! C'est pas comme ça que ça marche.

– Ce fut une décision mutuelle, expliqua Jake.

– Et qu'avez-vous décidé exactement?

– Que je devais rentrer chez moi.

– Chez toi, répéta Mattie. Tu veux dire que tu espères revenir ici?

– Je veux revenir ici.

– Et pourquoi donc?

À la crampe qui lui serra l'estomac, elle comprit qu'elle connaissait déjà la réponse. Il voulait revenir à la maison non parce qu'il l'aimait, non parce qu'il avait compris qu'il avait fait une terrible erreur, non parce qu'il voulait être son mari, ni même parce que sa petite amie l'avait jeté dehors mais parce qu'il la croyait mourante.

– Ce mariage ne mérite pas de seconde chance, rétorqua-t-elle rageusement. Il est fini, terminé, mort et enterré. Il n'y a rien eu de changé depuis que tu es parti.

– Tout a changé.

– Oh, vraiment? Tu m'aimes?

– Mattie...

– Sais-tu qu'en plus de quinze ans de mariage tu ne m'as pas dit une seule fois que tu m'aimais? Voudrais-tu me faire croire que cela aurait changé?

Jake resta muet. Que pouvait-il répondre?

– Je vais te faciliter les choses, Jake. Tu ne m'aimes pas.

– Tu ne m'aimes pas, riposta-t-il.

– Alors pourquoi nous disputer? Nous sommes d'accord. Il n'y a aucune raison que tu reviennes.

– C'est la meilleure chose à faire, dit simplement Jake.

– Qui a dit ça?

– Nous savons tous les deux que c'est la bonne décision.

– Et tu l'as prise quand exactement?

– J'y pensais déjà depuis plusieurs jours. Et ce matin, j'ai fini par me rendre à l'évidence.

– Je vois. Et ta petite amie ? Quand cette évidence lui est-elle apparue ?

Jake se laissa tomber sur les épais coussins du canapé et passa les doigts dans ses cheveux bruns.

– Mattie, la question n'est pas là.

– Vous n'êtes pas au tribunal, monsieur l'avocat. Je suis le juge ici, et je trouve la question tout à fait pertinente. Je vous ordonne d'y répondre.

Jake détourna les yeux et fit mine de s'intéresser au tableau impressionniste de Ken Davis qui représentait un coin de rue tranquille, éclairé par un soleil rose qui brillait derrière les arbres au feuillage estival.

– Nous en avons parlé ce matin. Elle est d'accord avec moi.

– Sur quoi exactement ?

– Sur le fait que ma place est ici, avec toi et Kim.

– Ta petite amie pense que tu devrais être chez toi avec ta femme et ta fille. Quelle révélation ! Et que fera-t-elle pendant ce temps ?

Jake secoua la tête en levant les mains au ciel, comme pour dire qu'il l'ignorait, que ça ne le regardait plus.

– Que lui as-tu raconté, Jake ? J'ai le droit de savoir, continua-t-elle en voyant qu'il ne répondait pas.

– Elle connaît la situation.

– Elle pense que je suis en train de mourir. – Mattie se remit à faire les cent pas devant lui, comme une lionne en cage, furieuse, prête à bondir. – Alors elle a l'intention d'attendre que je quitte la scène, c'est ça ? Elle pense pouvoir tenir un an ou deux, à condition que je ne fasse pas traîner les choses en longueur ?

– Elle comprend que ma place est ici.

– Oui, elle est très compréhensive. Je vois. Et ensuite ? Tu continueras à la retrouver en cachette ? C'est ça le plan ? Comme ça, elle pourra jouer à la fois les femmes nobles et compréhensives et les putes.

– Pour l'amour du ciel, Mattie...

– Comment s'appelle-t-elle, au fait ?

Mattie surprit un petit tressaillement dans le regard de Jake qui trahit son hésitation. Devait-il lui répondre ? À quoi cela servirait-il ? Cela ferait-il avancer sa cause ? Que ferait-elle de cette information ? Pourrait-elle l'utiliser contre lui ?

– Cherry, répondit-il doucement.

Un bref instant, Mattie crut qu'il s'adressait à elle. Elle sentit son corps se pencher vers lui, son pouls s'accélérer et ses défenses s'évanouir.

– Cherry Novak.

– Quoi?

– Elle s'appelle Cherry Novak, répéta-t-il pendant que le corps de Mattie se redressait.

– Cherry, dit-elle. N'est-ce pas mignon? Pardonne mon humour, ajouta-t-elle en éclatant de rire.

Quelle idiote! Il suffisait d'un moment de tendresse illusoire pour qu'elle soit prête à tout concéder, accepter, approuver.

– Elle s'appelle vraiment comme ça?

– Un surnom qui lui est resté de son enfance.

– Il lui va si bien.

Une fois de plus Mattie s'entendit rire, d'un rire encore plus âpre, plus crispé que le précédent. « Il lui va si bien », répéta-t-elle, en essayant désespérément de se maîtriser, d'empêcher ce fou rire de s'étendre, de produire des métastases, d'étaler son poison. Mais il partait de l'intérieur de son corps, comme si une créature étrangère en avait pris possession et se servait de ses poumons et de sa bouche pour lancer son message diabolique. Elle ne pouvait pas l'arrêter. Elle en était captive. « Oh, mon Dieu! cria-t-elle. Oh, mon Dieu, mon Dieu! » Et soudain elle se mit à haleter, à suffoquer, à chercher sa respiration. Mais elle ne trouvait plus d'air, elle ne pouvait pas respirer. La créature étrangère riait, toussait et hoquetait en expulsant la vie de son corps.

Jake se leva d'un bond et la prit dans ses bras. Il la soutint ainsi jusqu'à ce que Mattie sente les affreux râles régresser dans sa gorge, ses spasmes se calmer et sa respiration redevenir normale. Elle s'écarta aussitôt de lui, prit une profonde inspiration, puis une autre encore, s'essuya les yeux et le nez du dos de la main. Pendant combien de temps aurait-elle encore l'usage de ses mains? se demanda-t-elle, prise de panique. Pendant combien de temps pourrait-elle encore essuyer ses larmes? Elle se dirigea vers le piano au fond de la pièce et laissa tomber ses doigts lourdement sur les touches. Une suite discordante de notes déchira le silence.

– Merde! hurla Mattie. Saleté de merde!

Pendant un moment, aucun des deux ne bougea, personne ne dit rien.

– Veux-tu quelque chose? demanda Jake, d'une voix calme, mais le visage livide.

Mattie secoua la tête, incapable de parler. Si elle ouvrait la bouche, elle serait forcée de reconnaître ce qu'ils savaient déjà

114

tous les deux : les résultats des examens étaient positifs, elle mourait. Jake avait raison, tout avait changé.

– Je vais à Paris en avril, annonça-t-elle finalement.

– Bonne idée. – Le calme de sa voix était démenti par la stupéfaction peinte dans son regard. – Je t'accompagnerai.

– Tu m'accompagneras ?

– Je ne suis jamais allé à Paris.

– Tu n'as jamais voulu. Tu n'as jamais eu le temps.

– Je le trouverai.

– Parce que je meurs, dit tranquillement Mattie.

C'était une affirmation, pas une question.

– Je t'en prie, Mattie, laisse-moi t'aider.

– Comment veux-tu m'aider ? Comment pourrait-on m'aider ?

– Laisse-moi revenir à la maison.

Mattie, assise seule sur le canapé du salon à la place que Jake avait occupée, essayait d'assimiler les événements de l'après-midi, des dernières semaines et des seize années précédentes, et que diable ! elle pouvait même revenir trente-six ans en arrière pendant qu'elle y était. Elle écarta ses cheveux et essuya ses larmes qui semblaient ne jamais devoir se tarir.

Son regard se posa sur la rue tachetée de soleil de la grande peinture de Ken Davis, accrochée au mur au-dessus du piano. C'était une rue comme celle dans laquelle elle avait grandi, s'aperçut-elle pour la première fois. Elle vit alors une petite fille aux cheveux blond filasse qui revenait chez elle en courant, de peur d'arriver en retard au déjeuner. Son père devait l'emmener à l'Art Institute. Il y avait une grande exposition d'impressionnistes qu'il voulait lui montrer. Il ne parlait que de ça depuis des semaines. Et c'était aujourd'hui le grand jour.

Mais où était sa voiture ? Elle n'était plus garée dans la rue, là où elle l'avait vue ce matin en partant chez Lisa. Peut-être était-il juste allé faire une course pour le déjeuner. Il ne fallait pas s'inquiéter. Il rentrerait à temps.

Et bien sûr, il n'était jamais revenu. Sa mère lui avait expliqué qu'il était parti avec une putain de son bureau et bien qu'ignorant ce que sa mère entendait par « putain », elle comprit que son père ne l'emmènerait jamais à l'Art Institute.

Dans les semaines qui suivirent, Mattie était restée assise à regarder sa mère effacer méticuleusement toute trace de son père. Elle mit ses vêtements dans des cartons qu'elle envoya à l'Armée du Salut, brûla tous les papiers et documents qu'il avait laissés derrière lui, et découpa sa tête sur toutes les photos de famille, si bien qu'au bout d'un moment ce fut comme s'il n'avait jamais existé. Mattie remarqua que sa mère évitait également de la regarder.

– Chaque fois que je te vois, j'ai l'impression de voir ton père, lui avait-elle expliqué d'un ton irrité, avant de la chasser pour s'occuper de son nouveau chiot.

Et ainsi, chaque fois que Mattie rentrait de l'école, elle courait vérifier dans l'album de photos qu'elle n'avait pas été décapitée, qu'elle était toujours là et, rassurée par son sourire d'enfant, elle essayait de se convaincre que tout finirait par s'arranger.

Hélas! ce ne fut pas le cas. Malgré ses efforts, malgré ses prières, rien ne put ramener son père ni forcer sa mère à l'aimer. Ni les bonnes notes qu'elle obtenait, ni les bourses qu'elle décrochait. Aucun de ses succès n'était jamais récompensé.

Et tout ça pour quoi finalement? Elle avait échangé un foyer sans amour pour un autre, et consacré seize ans de sa vie à un homme qui était parti à son tour avec une putain.

En fin de compte, sa vie se résumait à deux petits mots : elle mourait. Elle laissa échapper un gloussement, vite réprimé. J'ai peur de mon propre rire, songea-t-elle tristement. Ça ne s'arrange pas.

Bien sûr, il restait toujours une chance infime que les médecins se fussent trompés. Peut-être que si elle consultait un autre spécialiste et acceptait de passer d'autres examens, ou si elle allait se faire soigner à Mexico, trouverait-elle quelqu'un qui donnerait un diagnostic différent et obtiendrait-elle enfin le dénouement heureux qu'elle avait cherché toute sa vie. Sauf que les fins heureuses n'existaient pas. Pas plus que les traitements miracles. Elle ne disposait que d'un médicament appelé Riluzole et il n'offrait que quelques mois de sursis. Mattie alla d'un pas traînant jusqu'à la cuisine et saisit le flacon de comprimés sur le comptoir.

– Encore faut-il que je les prenne, commenta-t-elle à voix haute, en le reposant sans l'ouvrir sur le comptoir carrelé blanc.

Comment sa mère réagirait-elle en apprenant la nouvelle? se demanda-t-elle, brusquement tentée de l'appeler. Découperait-elle tout de suite son visage sur les photos de famille, ou commencerait-elle seulement par ses pieds, avant de passer au tronc et aux bras, imitant l'évolution de la maladie, pour ne garder à la fin que la tête de sa fille?

Un père sans visage. Une fille sans corps. Une mère sans cervelle. Quelle famille !

Et maintenant Jake voulait revenir à la maison pour partager ce qui lui restait de vie. Il disait que c'était la meilleure chose à faire. Mais l'était-ce vraiment ? Et pour qui ?

– Tu auras besoin d'un chauffeur, avait-il allégué, en appelant à son sens pratique après avoir tout essayé.

– Je peux conduire.

– Non. Et si tu as un autre accident ? Si jamais tu tues quelqu'un, pour l'amour du ciel ?

– Kim aura son permis dans quelques mois. Elle me conduira.

– Tu ne crois pas qu'elle aura déjà beaucoup de choses à assumer ?

C'était cette question, éclatante dans sa simplicité, qui l'avait forcée à capituler. Comment exiger de sa fille d'être son seul soutien affectif, de la relever quand elle s'effondrerait, de ramasser ce qu'elle laisserait tomber et de retenir entre ses mains les lambeaux de leurs vies brisées sans risquer de la détruire ? Sa jolie petite fille, sa petite vieille fille chérie. Comment survivrait-elle sans elle ? Comment lui annoncer qu'elle allait la quitter ? se demanda-t-elle en entendant la clé tourner dans la serrure.

– Maman ? appela Kim depuis l'entrée alors que la porte s'ouvrait et se refermait d'un même élan. Que se passe-t-il ? s'inquiéta-t-elle en voyant sa mère apparaître sur le seuil de la cuisine. On dirait que tu as pleuré.

Mattie ouvrit la bouche pour lui répondre lorsqu'elle entendit une voiture arriver dans l'allée. Kim pivota sur elle-même et regarda par la petite fenêtre près de la porte d'entrée.

– C'est papa, dit-elle, en se retournant vers sa mère d'un air étonné. Qu'est-ce qu'il fait là ?

14.

– Vous jurez devant Dieu de dire la vérité, toute la vérité, rien que la vérité ?

– Je le jure.

– S'il vous plaît, énoncez votre nom et votre adresse.

– Leo Butler. 147, State Street, Chicago.

– Vous pouvez vous asseoir.

Jake, installé à la table de la défense, regarda l'élégant homme de soixante-deux ans retirer sa main de la Bible et s'installer précautionneusement sur son siège. Même assis, il restait d'une stature imposante, avec son mètre quatre-vingt-quinze tassé inconfortablement dans le petit box des témoins, ses épaules carrées sous sa veste de cachemire marron, son cou épais, ses mains larges et rudes malgré ses ongles soigneusement manucurés. Il avait beau ne plus jouer au football, il ne pouvait renier le sportif qu'il avait été. Pas quand on s'appelait Leo Butler, ancien arrière de l'équipe universitaire, qu'on avait hérité de l'énorme empire paternel à vingt-cinq ans et qu'on l'avait coulé en moins de dix ans. Il avait été sauvé par sa femme Nora, qui l'avait épousé et sorti d'affaire trente et un ans auparavant, pour finalement lui tirer une balle dans le dos à la veille de leur divorce.

Jake sourit à la petite dame menue à cheveux blancs assise près de lui sur le banc des accusés, ses mains croisées sur sa robe de soie grise et striées de veines proéminentes dont le bleu rivalisait avec l'éclat de ses bagues en diamants. « J'ai payé ces foutus bijoux. Pourquoi ne pourrais-je pas les porter ? » avait-elle déclaré à Jake dès leur première entrevue, de toute évidence moins fragile qu'elle ne le semblait. Une dureté intérieure dissimulée sous une délicatesse extérieure, la combinaison idéale pour une femme accusée de tentative de meurtre, situation où la résistance était aussi essentielle que l'apparence, et l'apparence souvent aussi essentielle que les preuves. Jake savait que le jury ignorait souvent ce qu'il entendait en faveur de ce qu'il voyait. Et ne vous apprenait-on pas dès vos premiers cours de droit qu'il importait autant de servir une apparence de justice que la justice elle-même ? Dans cette affaire, les jurés entendraient l'histoire d'une femme bafouée et malheureuse, furieuse d'avoir été abandonnée par son mari pour une femme plus jeune que sa fille, déstabilisée par l'étalage de leur liaison, et tenant plus que tout à conserver son rang dans la société. L'accusation montrerait comment elle avait attiré son mari à leur domicile la veille du nouvel an, un an auparavant, pour le supplier de revenir vivre avec elle. Ils s'étaient querellés. Il avait voulu partir. Elle lui avait tiré six coups de feu dans le dos. La petite amie qui attendait dans la voiture avait entendu les détonations et appelé la police. Nora Butler s'était livrée d'elle-même à la justice.

L'affaire était réglée, avait proclamé la police. Prise la main dans le sac, avaient opiné les journaux. Pas si vite, avait protesté Jake Hart, dès qu'il avait accepté d'assumer sa défense.

La procureur adjointe, Eileen Rogers, une petite brune sémillante vêtue d'un tailleur rayé bleu marine, dressée devant les jurés, demanda au témoin de décrire sa situation matérielle et son statut social actuel. Elle le guida ainsi rapidement et avec doigté à travers ses années de mariage. Elle lui fit décrire en détail leurs disputes, l'alcoolisme de son épouse, et son désespoir absolu jusqu'au jour où il avait demandé le divorce. Eileen Rogers marqua alors une pause et respira profondément.

— Monsieur Butler, reprit-elle à mi-voix, d'un ton mélodramatique, pouvez-vous nous raconter ce qui s'est passé le soir du 31 décembre 1997 ?

Jake pivota sur son siège et scruta rapidement les rangées de spectateurs jusqu'à ce qu'il trouve celle qu'il cherchait. Contrairement au reste de l'assistance, Kim était avachie sur son siège, au milieu de la quatrième rangée, la mine fatiguée, le visage empreint d'un ennui mortel. Il était inutile de la connaître pour voir qu'elle n'avait aucune envie d'être là. Elle avait tordu ses cheveux blond foncé en un chignon serré sur le haut du crâne et affichait une petite moue pincée qui clamait son mécontentement. Ses yeux bleus fixés droit devant elle, elle affectait un air blasé, mais elle savait qu'il la regardait. Sois attentive, Kim, aurait-il voulu lui crier. Tu pourrais t'intéresser à ce que je fais. Tu pourrais en apprendre un peu sur ton père.

Non qu'elle éprouvât le moindre intérêt en ce qui le concernait de près ou de loin. Elle le lui faisait d'ailleurs clairement sentir depuis trois mois qu'il était revenu à la maison. Elle ne lui adressait la parole que contrainte et forcée, ne le regardait que lorsqu'il lui bouchait la vue, ne prenait note de son existence que d'un œil assassin. La sollicitude qu'elle témoignait à sa mère n'avait d'égal que son dédain envers lui, comme si l'un entraînait l'autre. Il était évident que si Jake souhaitait se rapprocher de sa fille, il avait du pain sur la planche. Voilà pourquoi, quand il avait découvert que ce jour-là était consacré par son lycée à la découverte des métiers, il avait sauté sur l'occasion pour lui demander de l'accompagner au tribunal.

— Ça devrait te plaire, lui avait-il dit. C'est une affaire retentissante, assez dramatique. Je t'emmènerai déjeuner au restaurant. Nous passerons une bonne journée.

— Ça me dit rien, avait-il aussitôt reçu en guise de réponse.

— Sois prête pour huit heures, avait-il insisté.

Il entendait encore l'écho de son grognement. Mais quelque chose dans le ton de Jake avait dû faire comprendre à Kim qu'il valait mieux ne pas pousser le bouchon trop loin, à moins que ce ne fût Mattie qui n'ait fini par la convaincre d'accepter. Toujours est-il que Kim l'attendait à l'heure prévue, quoique vêtue d'un jean débraillé et d'un sweat-shirt. Elle avait fait semblant de dormir dans la voiture pendant le trajet jusqu'au tribunal, ce qui n'avait pas gêné Jake, car il en avait profité pour finir de se préparer mentalement au contre-interrogatoire qui l'attendait.

— Nous sommes arrivés, avait-il annoncé, en lui tapotant doucement le bras, au moment où il entrait dans le parking qui jouxtait le tribunal.

Elle s'était écartée brutalement et il avait eu l'impression qu'on lui arrachait le bras. « Donne-moi une chance, Kimmy », avait-il eu envie de la supplier, alors qu'elle courait sans l'attendre vers les ascenseurs.

— Kim..., avait-il commencé au moment où il entrait dans la salle d'audience.

— J'ai besoin d'aller aux toilettes, avait-elle répondu, et elle avait disparu dans les WC d'où elle n'était ressortie qu'un quart d'heure plus tard, si bien que Jake s'était demandé si elle avait l'intention de revenir un jour.

Et maintenant elle était vautrée là, quatrième rangée, cinquième siège en partant de l'allée centrale, comme si un rouleau compresseur lui était passé dessus et qu'elle allait disparaître sous les pieds des deux hommes âgés qui l'encadraient, raides comme des piquets. Je n'aurais pas dû insister pour qu'elle vienne, pensa Jake en se demandant ce qu'il était allé espérer.

— Nora m'a appelé à mon appartement vers sept heures du soir, commença Leo Butler, d'une belle voix de baryton. Elle m'a dit qu'il fallait qu'elle me voie tout de suite, qu'elle avait un gros problème avec Sheena, notre fille. Elle a refusé de m'en dire plus.

— Vous êtes donc allé à Lake Forest ?

— Oui.

— Et que s'est-il passé quand vous êtes arrivé ?

— Nora m'attendait devant la porte d'entrée. J'ai demandé à Kelly de m'attendre dans la voiture...

— Kelly ?

— Kelly Myerson, ma fiancée.

— Continuez.

Leo toussa dans sa main.

— Je suis entré. Nora pleurait si fort que je n'arrivais pas à comprendre ce qu'elle disait. Elle avait bu.

— Objection, dit Jake.

— Votre Honneur, protesta aussitôt la procureur adjointe, Leo et Nora Butler ont été mariés plus de trente ans. Je pense qu'il est qualifié pour savoir quand elle a bu.

— Objection rejetée, dit le juge Pearlman.

— Continuez, monsieur Butler, ordonna Eileen Rogers.

— Nora a reconnu que notre fille allait bien, que ce n'était qu'un prétexte pour me faire venir à la maison. Elle était bouleversée parce qu'elle avait reçu les papiers du divorce, et elle n'était pas satisfaite de mon offre, elle ne voulait pas divorcer, elle exigeait que je revienne à la maison, elle refusait que je me rende à la soirée avec Kelly, et ainsi de suite. Elle était de plus en plus hystérique. J'ai tenté de la raisonner. Notre mariage battait de l'aile depuis longtemps, nous nous rendions mutuellement malheureux, lui ai-je rappelé.

Ce n'était la faute de personne, elle serait plus heureuse sans lui, continua silencieusement Jake, en se tortillant sur sa chaise.

— Nora s'est brusquement arrêtée de pleurer, continua Leo Butler, le regard encore perplexe à ce souvenir. Elle était très calme et m'a dévisagé d'un air bizarre. Elle m'a demandé, puisque j'étais là, d'en profiter pour vérifier le néon au-dessus du comptoir qui faisait un drôle de bruit. Je lui ai dit qu'il fallait probablement le changer et elle m'a demandé de le faire. J'ai pensé : la belle affaire, change son foutu machin et fiche le camp. Je suis entré dans la cuisine et, au même moment, j'ai entendu un pan ! et j'ai senti une brûlure à l'épaule, comme si on m'avait poussé. Puis il y a eu une deuxième détonation, et d'autres encore. Je me suis alors retrouvé par terre, Nora debout au-dessus de moi, un fusil à la main, qui me regardait d'un air sinistre. J'ai alors compris qu'elle m'avait tiré dessus. J'ai dû dire un truc du genre : « Mon Dieu, Nora, qu'est-ce que tu as fait ? » mais elle n'a pas répondu. Elle s'est juste assise par terre à mon côté. C'était irréel. Je lui ai demandé de prévenir la police et elle l'a fait. J'ai appris plus tard que Kelly l'avait déjà appelée. Je me suis évanoui dans l'ambulance qui m'emmenait à l'hôpital.

— Combien de balles avez-vous reçues exactement, monsieur Butler ?

— Six au total, mais elles ont toutes miraculeusement épargné ma colonne vertébrale et mes organes vitaux. Je dois la vie à la maladresse de mon ex-femme.

L'audience gloussa. Jake tenta d'identifier le rire de sa fille et fut soulagé de ne pas le reconnaître.

– Merci, dit la procureur adjointe. Je n'ai pas d'autres questions.

Jake se leva aussitôt. Il s'avança vers le jury, qui était constitué de quatre hommes, huit femmes, et deux suppléantes.

– Monsieur Butler, vous avez dit que votre femme vous avait appelé vers sept heures du soir.

– Oui, mon ex-femme, corrigea Leo Butler.

– Oui, votre ex-femme, répéta Jake. Celle que vous avez quittée après trente et un ans de mariage.

– Objection !

– Accordée, dit le juge.

– Pardonnez-moi, s'excusa rapidement Jake. Donc, votre ex-femme vous a appelé à sept heures en disant qu'elle avait un problème avec votre fille et vous vous êtes précipité chez elle. C'est bien cela ?

– Eh bien, pas tout à fait. Nous étions invités pour le réveillon du nouvel an avec Kelly et nous avons décidé de finir de nous préparer et de passer chez Nora en allant à cette soirée.

– Alors à quelle heure êtes-vous arrivé au 265, Sunset Drive à Lake Forest ? Sept heures et demie, huit heures ?

– Je crois que c'était un peu après neuf heures.

– Neuf heures ? Deux bonnes heures après l'appel urgent de votre femme vous disant qu'elle avait de gros soucis avec votre fille !

Jake haussa les sourcils et prit un air de feinte stupéfaction.

– Nora m'avait déjà joué ce genre de numéro, répondit Leo Butler, sans pouvoir cacher son irritation. J'étais persuadé que rien ne pressait.

– C'est évident.

Jake sourit à la plus âgée des femmes du jury. Votre mari vous a-t-il jamais traitée aussi cavalièrement ? demandait le sourire.

– Et j'avais raison.

Il toussa à nouveau dans sa main.

– Je crois que vous avez dit que vous alliez à une soirée dans les environs, enchaîna Jake, changeant brusquement de tactique.

– Oui, à Lake Forest.

– Chez des amis ?

– Objection, Votre Honneur. Quel rapport ? demanda la procureur adjointe, son impatience soulignée par le haussement de ses fins sourcils.

– Je pense que le rapport sera vite établi, insista Jake.

– Continuez, lui intima le juge.

– C'était une soirée chez des amis? répéta Jake.

– Oui, répondit Leo Butler. Chez Rod et Anne Turnberry.

– Je vois. C'étaient de nouvelles connaissances?

– Non, je les connais depuis de nombreuses années.

– Combien?

– Comment?

– Depuis combien de temps connaissez-vous les Turnberry? Cinq ans? Dix ans? Vingt ans?

– Au moins vingt ans.

Leo Butler avait le cou écarlate au-dessus du col jaune pâle de sa chemise.

– Dois-je en déduire que les Turnberry étaient également des amis de votre ex-femme?

– Effectivement.

– Mais Nora n'était pas invitée à leur réveillon, n'est-ce pas?

– Rod pensait que ce serait délicat de nous recevoir en même temps, vu les circonstances.

– Vu que vous ameniez votre petite amie?

– Vu que Nora et moi divorcions et que je commençais une nouvelle vie.

– Une nouvelle vie qui n'incluait plus Nora mais qui incluait virtuellement tous ses anciens amis, déclara Jake.

– Objection, Votre Honneur, protesta la procureur adjointe en se levant d'un bond. Je ne vois toujours pas le rapport.

– Mettez-vous à la place de l'accusée, Votre Honneur, protesta Jake. C'était le soir du réveillon, l'accusée le passait seule pendant que son mari allait à une soirée avec tous ses anciens amis. Elle se sentait isolée, abandonnée, repoussée.

– Objection, répéta Eileen Rogers. Vraiment, Votre Honneur, Me Hart se perd en digressions.

– Gardez cela pour votre plaidoirie, le sermonna le juge, indiquant d'un geste aux jurés de ne pas tenir compte des derniers commentaires de Jake tout en écartant l'objection de la procureur adjointe.

– Donc, monsieur Butler, continua Jake, en jetant à nouveau un coup d'œil vers la salle d'audience pour essayer de forcer sa fille à le regarder, vous avez déclaré qu'en arrivant à votre ancien domicile vous avez trouvé votre femme dans un état très agité.

– Ma fille n'avait rien à voir dans cette histoire, précisa Leo Butler en prenant garde de ne pas se montrer sur la défensive.

– Non, acquiesça Jake. Votre femme était contrariée parce qu'elle avait reçu les papiers du divorce, nous avez-vous dit. Elle n'était pas satisfaite de vos propositions. C'est bien cela?

– Exactement.

– Que lui proposiez-vous?

– Pardon?

– Que proposiez-vous à votre épouse de soixante ans après plus de trente ans de mariage?

– Mon offre était généreuse. – Leo Butler jeta un regard suppliant à la procureur adjointe, mais Eileen Rogers n'éleva aucune objection. (Il fait mon travail à ma place, Jake pouvait presque l'entendre penser. Il établit le mobile du crime. Je serais bien bête de l'arrêter.) – Elle gardait la maison, sa voiture, ses bijoux, ses fourrures, plus une bonne pension.

– Et l'affaire?

– J'ai hérité cette affaire de mon père. Nora n'avait aucun droit dessus.

– Bien que vous ayez été au bord de la faillite lorsque vous l'avez épousée? Bien qu'elle vous ait littéralement évité la ruine?

– Je pense que c'est beaucoup exagérer...

– Niez-vous qu'elle ait utilisé pratiquement tout son propre héritage pour payer vos créanciers?

– Je ne connais pas les chiffres exacts.

– Je suis sûr qu'on doit pouvoir les trouver.

– Nora m'a beaucoup aidé, reconnut à contrecœur Leo Butler.

– Mais qu'a-t-elle fait pour vous récemment?

– Objection!

– Objection retenue.

– Vous disiez que votre femme avait bu avant votre arrivée?

– C'est exact.

– Vous avez également déclaré que votre femme buvait beaucoup du temps de votre mariage. Quand a-t-elle commencé à boire?

– Je ne saurais pas répondre.

– Se pourrait-il que cela remonte à l'époque où vous avez commencé à la battre?

– Objection, Votre Honneur! cria la procureur adjointe qui faillit tomber de sa chaise dans sa précipitation.

– Objection rejetée, déclara le juge pendant qu'Eileen Rogers se laissait lourdement retomber sur son siège. Que le témoin réponde à la question.

– Je n'ai jamais battu ma femme, annonça Leo Butler en baissant ses mains sur ses jambes comme pour les cacher aux jurés.

– Vous dites qu'il ne vous est jamais arrivé de la gifler?

– Je l'ai peut-être giflée une fois ou deux lors d'une dispute.

– Une fois ou deux par mois, par semaine, par jour ? demanda Jake, en jetant un regard rapide vers Nora Butler, qui, dans l'effort qu'elle faisait pour rester droite, paraissait encore plus vulnérable.

– Objection.

– Continuez.

– N'est-il pas vrai, monsieur Butler, qu'un jour vous avez frappé votre femme si fort que vous lui avez éclaté le tympan ?

– C'était un accident.

– J'en suis convaincu. – Jake se retourna en décrivant un petit cercle, entraînant sans effort les jurés dans son orbite. Ses yeux parcoururent les rangées de spectateurs jusqu'à ce qu'ils rencontrent le regard bleu de sa fille, qui l'écoutait maintenant penchée en avant. Elle recula aussitôt pour reprendre sa position avachie. Jake faillit sourire. – N'est-il pas vrai que vous terminiez presque toutes vos disputes en tapant sur votre femme ?

– Objection, Votre Honneur. Ce n'est pas M. Butler qui est jugé ici.

– Continuez, maître.

– Vous vous êtes disputé avec votre femme ce fameux soir, n'est-ce pas ? demanda Jake.

– Je ne l'ai pas frappée.

La réponse fut immédiate.

– Mais elle avait des raisons de craindre que vous ne finissiez par le faire, déclara Jake, attendant l'inévitable objection, qui suivit aussitôt. Vous avez déclaré que votre femme s'était brusquement calmée et vous avait demandé de changer une ampoule dans la cuisine.

– Oui.

Leo Butler respira profondément, visiblement soulagé de changer de sujet.

– Quelle tête avait-elle ?

– Quoi ?

– Votre femme. Votre ex-femme, corrigea Jake en souriant à nouveau aux femmes mûres du jury. Comment décririez-vous son comportement ?

Leo Butler haussa les épaules, comme s'il n'avait jamais réfléchi à la façon dont il pourrait décrire celle à laquelle il avait été marié pendant plus de trente ans.

– Elle s'est juste calmée d'un coup, dit-il finalement. Elle avait le regard un peu voilé.

– Comment ça, voilé? Vous voulez dire qu'elle semblait en transe?

– Objection, protesta Eileen Rogers. Mᵉ Hart parle à la place du témoin.

– Au contraire, je cherche à clarifier ses dires.

– Objection repoussée.

– Nora Butler vous a-t-elle semblé en transe? répéta Jake.

Leo Butler épuisa tout son répertoire de grognements et de toussotements.

– Oui, finit-il par admettre en se tortillant.

– Et après vous avoir tiré dessus, comment vous a-t-elle paru?

– Pareille.

– Toujours en transe? dit Jake une troisième fois.

– Oui.

– Lorsque vous lui avez demandé d'appeler la police, comment a-t-elle réagi?

– Elle l'a appelée.

– Sans discuter? Sans faire de difficultés?

– Non.

– Comment décririez-vous ses mouvements? Vifs? Ralentis? A-t-elle couru vers le téléphone?

– Elle bougeait lentement.

– Comme si elle était en transe?

– Oui.

– Je n'ai pas d'autres questions, monsieur Butler. Vous pouvez regagner votre place.

Jake regarda Leo Butler s'extirper de la barre des témoins et d'un pas rapide, légèrement courbé en avant comme pour camoufler sa lourde silhouette, rejoindre son siège à côté de la procureur adjointe. Un point pour les bons, pensa Jake en glissant un regard vers la salle, espérant saisir un sourire de félicitations sur le visage de sa fille. Mais lorsque ses yeux atteignirent la quatrième rangée, il ne vit qu'une place vide là où elle était assise. Un mouvement attira son attention et il eut tout juste le temps de la voir disparaître entre les lourdes portes de bois au fond du tribunal.

15.

– Alors, qu'en penses-tu?

Kim regarda en haussant les épaules la gargote minable qui

faisait le coin de California Avenue et de la 27ᵉ Rue. Son père s'était déjà excusé à plusieurs reprises du manque de bons restaurants dans les environs, mais il l'assurait que Fredo faisait des hamburgers du tonnerre. Du tonnerre, elle trouvait l'expression intéressante.

– Je ne mange pas de viande, lui dit-elle.

– Depuis quand ?

– Depuis que c'est dégoûtant, cruel et que ça fait grossir.

– Tu manges du poulet.

– Oui, mais pas de viande rouge, précisa-t-elle. Suis-je à la barre des témoins ?

– Bien sûr que non. Je m'intéressais seulement à toi.

Kim fit une grimace censée exprimer son total manque d'intérêt pour le sujet. Il y avait beaucoup de choses que son père ignorait à son propos, pensait-elle en se demandant comment elle pourrait ne pas retourner au tribunal l'après-midi. Il lui demanda à ce moment précis son impression des événements de la matinée, mais Kim ne fut pas dupe. En fait, il voulait savoir ce qu'elle pensait de sa prestation.

– Ça allait.

Elle haussa encore les épaules, mais de façon moins prononcée que la fois précédente.

– C'est tout ?

– Qu'est-ce que tu veux que je te dise ?

– Je voulais juste savoir ce que tu en pensais.

– Ça allait.

Cette fois, Kim ne prit même pas la peine de hausser les épaules.

– On peut commander maintenant ?

Jake fit signe au serveur qui s'approcha de leur petit box, situé à droite du bar qui se remplissait rapidement.

– Avez-vous de la salade de poulet thaïlandaise ? commença Kim, sans regarder le menu.

– Nous avons des sandwiches au poulet et à la salade, répondit le garçon avec un fort accent espagnol.

– Je n'en veux pas. C'est toujours plein de mayonnaise. Autant manger une plaquette de beurre.

– Ça sera parfait pour moi, dit Jake en souriant au serveur, et il referma le menu.

Kim se demanda s'il cherchait délibérément à la contrarier.

– Deux sandwiches au poulet ? s'enquit le serveur.

– Non, cria Kim. Oh, tant pis ! Pourriez-vous au moins faire le mien avec de la mayonnaise allégée ?

– Avec des frites ou de la salade?

Le serveur s'adressait à Jake, ignorant complètement Kim.

– Des frites.

– De la salade, dit Kim, malgré la bonne odeur de frites qui venait de la table voisine. Et pourriez-vous mettre la sauce à part?

– Que voulez-vous boire? enchaîna le serveur en continuant de s'adresser à Jake.

– Un café.

– Un Coca light, ajouta Kim d'une voix forte.

– J'ai lu quelque part que le Coca light n'était pas bon pour la santé, dit Jake quand le serveur fut parti.

– N'aurais-je pas lu la même chose au sujet du café? répondit Kim.

Jake sourit, ce qui acheva d'irriter Kim. Elle n'avait rien dit de drôle ni de gentil ni même de vaguement positif. Était-ce de la provocation? D'abord il commençait par la traîner au tribunal pour qu'elle le regarde s'acharner sur un pauvre type jusqu'à ce qu'il reparte la queue entre les jambes, alors que, punaise! c'était lui qui s'était fait tirer dessus. Et pas moins de six fois. Dans le dos en plus! Et, pour finir, il lui avait donné le choix entre la cafétéria du tribunal et ce restaurant minable. Qui diable avait jamais entendu parler de ce boui-boui crasseux où les avocats de passage se disputaient l'attention du barman avec les ivrognes du coin?

– Où es-tu allée ce matin quand tu as disparu si longtemps? demanda Jake.

– Ça n'a pas duré tant que ça.

– Une demi-heure.

– J'avais besoin de prendre l'air, soupira Kim en regardant vers la porte.

– De prendre l'air ou de fumer une cigarette?

Kim le fusilla du regard.

– Qui a dit que j'avais fumé?

– Personne. Je sens d'ici l'odeur dans tes cheveux.

Kim faillit protester et se ravisa.

– Et alors? demanda-t-elle d'un air de défi.

– Eh bien, tu n'as pas seize ans. Tu sais combien c'est dangereux de fumer.

– J'en mourrai, c'est ça?

– Il y a de grandes chances.

– Maman n'a jamais fumé.

– C'est vrai.

– Elle va mourir, déclara sèchement Kim, avec l'impression que ces mots lui arrachaient la bouche.

– Kim...

– Je ne veux pas en parler.

– Je crois qu'on le devrait pourtant.

– Pas maintenant.

– Quand?

Elle haussa les épaules, poussa un profond soupir et entendit son père faire de même.

– Ai-je raté quelque chose d'intéressant pendant mon absence? demanda-t-elle. As-tu réduit en bouillie un autre idiot sans défense?

– C'est toute l'opinion que tu as sur ce que je fais? s'exclama-t-il, sincèrement étonné.

– Je me trompe?

– J'aime à penser que je cherche à obtenir la vérité.

– La vérité, c'est que ta cliente a tiré six balles dans le dos de son mari.

– La vérité, c'est que ma cliente a perdu l'esprit à ce moment-là.

– En fait, ta cliente a tout prémédité.

– C'était une crise de folie passagère.

– C'était un acte froidement calculé.

Bizarrement, Jake lui sourit.

– Tu ferais un sacré bon avocat, lui dit-il, avec une fierté non dissimulée que Kim ne put s'empêcher de remarquer.

– Plutôt crever! rétorqua-t-elle, notant qu'il tressaillait. Je le pense vraiment. Comment peux-tu défendre des gens pareils? Tu sais qu'ils sont coupables.

– Tu crois que tous les accusés sont coupables?

– La plupart.

Mais le croyait-elle vraiment? Le pensait-elle sincèrement?

– Même si c'était vrai, répondit Jake, notre système judiciaire est fondé sur le principe que tout le monde a droit à la meilleure défense possible. Si les avocats se mettaient à agir comme les juges et les jurés et refusaient de défendre ceux qu'ils croient coupables, le système entier s'écroulerait.

– J'ai l'impression qu'il s'écroule déjà. Regarde-toi, tu fais constamment acquitter des coupables. Tu appelles ça de la justice?

– Pour paraphraser Oliver Wendell Holmes, mon travail n'est pas de rendre la justice mais de jouer le jeu selon ses règles.

– Alors ce n'est qu'un jeu pour toi ?

– Je n'ai pas dit ça.

– Pardon. C'est ce que j'ai cru comprendre.

– Tu veux dire que si ça ne tenait qu'à toi, tu ne laisserais pas de place aux circonstances atténuantes ? demanda Jake.

Kim fit une grimace qui équivalait presque à un grognement. De quoi parlait-il maintenant ?

– Qu'est-ce que c'est ?

– Ce sont des circonstances qui réduisent la gravité d'une action, qui peuvent justifier...

– Qu'on tire six balles dans le dos de son mari ? Heureusement que maman n'avait pas de fusil.

Jake pâlit et sentit sa cage thoracique s'enfoncer comme si lui-même avait reçu une balle.

– Je voulais simplement dire que les choses ne sont pas toujours aussi tranchées. Parfois il y a de bonnes raisons...

– De tuer quelqu'un ? Je ne le pense pas. Et je trouve dégoûtant que tu puisses le croire.

Kim s'attendait à une réaction de colère. Mais elle vit un sourire se dessiner aux coins de ses lèvres.

– Sans oublier que c'est cruel et que ça fait grossir.

– Quoi ?

– Pardon. J'essayais d'être drôle.

– En te moquant de moi ?

– Pardon, répéta Jake tandis que Kim luttait pour refréner les larmes qui lui montaient aux yeux, furieuse de s'être laissé emporter alors qu'elle voulait le mettre hors de lui. Franchement, Kimmy, je n'ai pas voulu te vexer.

– Moi, vexée ? Tu crois que je m'intéresse à ce que tu penses ?

– Moi, je m'intéresse à ce que tu penses, souligna Jake.

Kim ricana, détourna les yeux, et reporta son attention sur le jeune serveur derrière le bar. Elle le regarda servir un whisky à un client, une vodka à un autre. Il finit par se rendre compte qu'elle l'observait et lui sourit. Kim fit une petite moue qu'elle espérait sexy et provocante.

– Qu'est-ce qui t'arrive ? demanda son père. Tu as quelque chose de coincé entre les dents ?

– Quoi ? De quoi tu parles ?

Le serveur s'approcha avec leurs boissons.

– Les sandwiches arrivent dans une seconde.

– Je meurs d'impatience, dit Kim en laissant son regard errer sur la foule qui les entourait. Qui est-ce ? demanda-t-elle en indiquant d'un signe de tête une femme séduisante qui leur faisait signe à l'autre bout de la salle. Une de tes petites amies ?

– Elle s'appelle Jess Foster, dit Jake d'un ton égal, ce qui n'empêcha pas Kim de remarquer une petite contraction des muscles de ses tempes. Elle est procureur adjointe, ajouta-t-il en répondant au salut de la jeune femme.

– Elle est très jolie.

Jake hocha la tête.

– Tu as couché avec elle ?

– Quoi ?

Kim crut qu'il allait laisser tomber sa tasse de café.

– Tu as couché avec elle ? répéta-t-elle en imaginant son père sautant sur la table et la prenant à la gorge à deux mains pour l'étrangler.

Que plaiderait-il pour se défendre de l'assassinat de son unique enfant ? La folie passagère ? La légitime défense ? Les circonstances atténuantes ?

– Ne sois pas ridicule, dit son père, et Kim trouva ces mots plus pénibles que les mains imaginaires autour de sa gorge.

Les yeux remplis de larmes, elle baissa la tête, attrapa son grand sac en cuir noir et se leva, en regardant désespérément autour d'elle, la vue trouble.

– Qu'est-ce que tu fais ? Où vas-tu ? s'inquiéta son père.

– Où sont les toilettes ? demanda-t-elle au serveur qui apportait leurs sandwiches.

Il indiqua du menton le fond de la salle.

– En bas de l'escalier.

Kim traversa rapidement le restaurant, le regard voilé par les larmes. Bon sang ! se dit-elle. Comment son père osait-il lui témoigner un tel mépris ? Sa question était peut-être déplacée mais ça ne lui donnait pas le droit de se moquer d'elle et de lui dire qu'elle était ridicule. C'était lui qui était grotesque avec son costume bleu strict et ses cheveux noirs coiffés en arrière, son petit sourire supérieur et ses airs de monsieur-je-sais-tout, à lui faire la leçon sur le système judiciaire alors que tout le monde savait qu'il n'y avait plus de justice. S'il y en avait eu une, sa jolie maman, qui n'avait jamais fait de mal à personne de toute sa vie, ne serait pas à mourir d'une stupide maladie au nom imprononçable, pendant que son père, menteur et infidèle, qui se dévouait corps et biens à éviter la prison aux assassins et autres gredins, éclatait de santé. Où était la justice dans tout cela ?

Kim trouva un escalier raide au fond de la salle mal éclairée et descendit lentement les marches en laissant glisser sa main contre le mur pour se retenir. Elle entendait en fond sonore John Denver chanter les gloires de la nature. Encore une preuve, pensa Kim en poussant la minuscule porte des toilettes en bas de l'escalier. Ce pauvre type a passé sa vie à chanter le soleil, les montagnes et les joies simples de la vie et que lui est-il arrivé? Son avion tombe en panne d'essence au-dessus de la mer et il se tue sur le coup. Vous parlez d'une justice!

Kim poussa la porte de l'unique cabinet, abaissa le couvercle des WC et s'assit dessus. Elle n'avait aucune envie pressante à part celle de fumer. Et pas une vulgaire cigarette mais une de celles que Teddy lui avait préparées le week-end précédent.

– Allez, ne vous cachez pas, grommela-t-elle en fouillant dans son sac où elle finit par trouver quelques joints mal roulés dans le fond. – Elle en mit un entre ses lèvres. – Qu'est-ce qui t'arrive? Tu as un truc coincé entre les dents? demanda-t-elle en singeant son père tout en allumant la grossière cigarette, gloussant avant même d'avoir commencé. Elle prit une profonde inspiration, sentit la fumée âcre lui brûler les poumons pendant les cinq secondes qu'elle retint sa respiration, comme Teddy le lui avait montré. Que tous mes problèmes partent en fumée, murmura-t-elle en expirant lentement, le goût de la marijuana s'attardant sur sa langue. Elle prit une nouvelle bouffée, s'appuya contre la tuyauterie qui courait sur le mur vert hôpital et attendit que son corps se détende. Teddy avait raison. Seulement deux bouffées et déjà les paroles de son père perdaient de leur amertume. Monsieur le Vertueux, monsieur Circonstances atténuantes. Encore une bouffée et plus rien de ce qu'il avait dit ne la blesserait. D'autres encore et, sait-on jamais, la justice pourrait bien revenir. Mon travail n'est pas de rendre la justice, avait-il dit, citant Sherlock Holmes ou un type du genre. Son boulot c'était de jouer selon les règles du jeu.

Sauf qu'il ne les respectait pas, n'est-ce pas? Les règles du mariage demandaient fidélité, loyauté, amour. Celles-là, Jake Hart s'en était dispensé.

Kim ferma les yeux en savourant la fumée qu'elle retenait dans ses poumons. Pourquoi sa mère avait-elle permis à son père de revenir à la maison? Elles n'avaient pas besoin de lui. Et Mattie se rétablirait, malgré ce qu'elle avait pu dire tout à l'heure. Les chercheurs étaient à deux doigts de découvrir un traitement. Elles réussiraient très bien à s'en sortir sans Jake d'ici là.

Kim entendit des pas dans l'escalier. Ils s'arrêtèrent. La porte s'ouvrit et se referma et, en se penchant, Kim aperçut une paire de chaussures noires et des jambes fuselées dans l'espace étroit entre les toilettes et le lavabo. Elle se leva d'un bond, souleva le couvercle et jeta le peu qui restait de sa cigarette dans la cuvette. Elle tira la chasse et vérifia que tout disparaissait. Puis elle balaya la fumée à grands gestes. Elle n'osa se risquer à l'extérieur que lorsque l'air lui parut suffisamment dégagé.

Kim reconnut immédiatement la procureur adjointe qui avait salué son père. Jess Cousins, ou Costner? Un nom comme ça. Kim sourit à la jeune femme qui la regarda d'un air impassible. Quelle pimbêche! pensa Kim en feignant de se laver les mains, puis elle quitta la pièce sans un regard en arrière.

– Ça va? demanda son père quand elle regagna sa place dans le box.

Elle essaya de se concentrer sur les sandwiches posés dans l'assiette devant elle. Mais elle voyait flou et avait du mal à mettre au point.

– Je t'ai gardé des frites.

Kim secoua la tête, ce qu'elle regretta aussitôt. Ce mouvement lui souleva le cœur. Elle porta le sandwich à sa bouche et mordit dedans à pleines dents.

– C'est bon, s'entendit-elle déclarer, comme si sa voix appartenait à une autre.

– Écoute, Kimmy, dit son père. Je sais combien c'est dur pour toi en ce moment. Ça te fait beaucoup de choses à digérer.

– Je mange aussi vite que je peux, dit Kim, en ricanant.

– Tu me comprends. Je suis là si tu veux qu'on en parle.

– Je t'ai déjà dit que je n'en avais pas envie.

– Moi si.

Kim éclata de rire.

– En fait, tu veux dire que moi je suis là si toi tu as envie d'en parler.

Elle rit à nouveau, se trouvant très spirituelle.

– Kim, tu te sens bien?

– Très bien. – Elle prit une énorme bouchée et sentit de la salade lui dégouliner sur le menton. – C'est délicieux. Fredo fait vraiment des sandwiches terribles.

– Je sais que mon retour à la maison t'a contrariée, persévéra Jake.

– Pourquoi es-tu revenu? demanda-t-elle, la première étonnée de la véhémence de cette question qui venait de lui échapper. Et je t'en prie, ne me raconte pas que tu l'as fait pour moi.

Il y eut un long silence.

– Sais-tu seulement pourquoi tu es revenu? insista-t-elle. Laisse tomber, ajouta-t-elle presque aussitôt. Ça n'a plus d'importance. Tu es revenu. C'est un point que l'on peut discuter. N'est-ce pas l'expression que vous employez, vous autres avocats?

Elle finit son sandwich et attaqua le suivant.

– Tu es très en colère, Kim, et je le comprends.

– Tu n'as rien compris du tout. Comme toujours.

– Peut-être que si tu me donnais une petite chance...

– Écoute, le coupa Kim, en reposant brutalement le reste de son sandwich qui s'éparpilla dans son assiette. Si ma mère a accepté de te laisser revenir à la maison après ce que tu lui as fait, ça la regarde. Je lui ai dit ce que j'en pensais, mais à l'évidence elle ne partageait pas mon avis, alors est-ce que j'ai eu le choix? Non. Quoi que veuille Jake Hart, il l'obtient. Il veut batifoler, il batifole. Il veut partir, il part. Il veut revenir, il revient. La seule question que je me pose c'est combien de temps as-tu l'intention de rester une fois que maman sera rétablie?

Kim essaya de reconstituer son sandwich en remettant les morceaux de poulet entre les tranches de pain.

– Kim, ma chérie, elle ne se rétablira pas.

– Tu n'en sais rien, protesta-t-elle en refusant de le regarder, de peur de lui jeter son sandwich à la figure.

– Sa santé va continuer à se dégrader.

– Alors te voilà également médecin maintenant?

– Et c'est très important qu'on allie nos forces pour...

– Je ne t'écoute pas.

– Pour lui rendre la vie aussi confortable et heureuse que possible.

– Pour soulager ta conscience? Pour que tu te sentes mieux?

– Peut-être. Peut-être est-ce une des raisons.

– C'est la seule et tu le sais.

Jake se frotta le front, secoua la tête, et finit par poser son menton au creux de sa main.

– Tu me détestes vraiment, n'est-ce pas?

C'était plus une constatation qu'une question. Kim haussa les épaules.

– Les enfants ne sont-ils pas censés détester leurs parents? Tu détestais les tiens.

– Oui, c'est vrai.

Kim attendit qu'il se défende, qu'il souligne les différences entre leurs deux situations mais il ne dit rien. Il parlait rarement de son enfance. Kim savait que ses frères et lui avaient été marty-risés. Elle avait souvent eu envie de l'interroger à ce sujet et main-tenant qu'il lui en offrait une occasion unique, elle refusait de lui donner la satisfaction de montrer sa curiosité. Il a l'air crevé, son-gea-t-elle, le plaignant presque.

— Ne devrait-on pas retourner au tribunal ? demanda-t-elle.

Jake regarda sa montre et fit aussitôt signe au serveur d'appor-ter l'addition. Quelques secondes plus tard, il laissait l'argent sur la table et entraînait sa fille vers la sortie.

— Jake ! appela une voix féminine derrière eux.

Kim se retourna et vit Jess Cousins, ou Costner, peu importe, venir vers eux. Son père s'empressa de faire les présentations d'usage.

— Comment vas-tu ? demanda Jake.

— Très bien, répondit la jeune femme, son regard allant de Jake à Kim. Je pourrais te parler une petite minute ?

— Bien sûr.

— Je t'attends dehors, proposa Kim.

— Un problème ? entendit-elle son père demander au moment où elle ouvrait la porte et sortait dans la rue.

Le bruit de sa voix fut aussitôt couvert par le vent. Un pro-blème, répéta le vent. Un problème ? Un problème ?

Un problème ? Un problème ? Un problème ?

16.

Mattie se tenait sur le pas de la porte de la chambre d'ami et regardait le lit de Jake. Comme d'habitude, il avait rabattu la couette rayée jaune et blanc pour faire croire qu'il était fait, mais Mattie voyait bien les draps en désordre en dessous. Comment pouvait-on dormir correctement dans un lit défait ? se demanda-t-elle en s'approchant lentement. Elle se pencha pour regonfler un oreiller ; il lui échappa des mains et atterrit sur la table de nuit où il faillit décapiter la lampe à l'abat-jour délicatement plissé.

— Joli ! dit-elle à voix haute, en se laissant tomber sur le som-mier. À quand la prochaine acrobatie ?

Elle ramassa l'oreiller, le cala entre sa nuque et la tête du lit et allongea ses jambes. Elle regarda sa montre. Presque cinq heures. Jake et Kim reviendraient bientôt du tribunal. Elle devrait commencer à préparer le dîner, mais elle ne s'en sentait pas le courage. Ils n'auraient qu'à se faire livrer le repas.

Mattie ferma les yeux et sentit l'odeur de Jake monter de l'oreiller dans son dos. La taie lui chatouillait le cou comme les lèvres d'un amant. Elle avait toujours aimé l'odeur de son mari, se dit-elle en imaginant sa bouche sur le lobe de son oreille, son haleine chaude alors qu'il enfouissait sa tête dans ses cheveux. Elle s'entendit soupirer et rouvrit les yeux. Arrête, murmura-t-elle, incapable d'empêcher les mains de Jake de surgir de son subconscient pour caresser ses seins et son ventre. Elle referma les yeux et s'étendit de tout son long sur le lit. Soudain Jake fut partout : à côté d'elle, contre elle, sous elle, sur elle. Elle sentait le poids de son corps qui se pressait sur le sien et ses jambes qui écartaient doucement les siennes. Pas question ! protesta-t-elle en s'asseyant brusquement, renversant l'image de Jake par terre. Pas question que je fasse une chose pareille.

Ça ne risquait pas. Depuis trois mois que Jake était revenu s'installer à la maison, ils n'avaient eu presque aucun contact physique. Il s'était installé dans la chambre d'ami sans même en parler, comme s'il pensait que c'était ce que Mattie souhaitait, à moins, tout simplement, que ce ne fût ce que lui-même désirait. En pratique, ils étaient toujours séparés. Le domaine de Jake se limitait à son bureau et à la chambre d'ami, pendant que Mattie partageait le reste de la maison avec Kim. Jake leur rendait visite à l'occasion, mais la plupart du temps il restait l'étranger qu'il avait toujours été, toujours prêt à se rendre utile tout en maintenant une saine distance entre eux.

Son train-train quotidien n'avait pas beaucoup changé. Il travaillait toujours dix heures par jour en moyenne. À supposer qu'il fût vraiment à son bureau et non chez sa petite amie, sa chérie, Cherry, songea-t-elle avec ironie, sachant que même lorsqu'il était à la maison, son esprit se trouvait à des lieues de là. Au tribunal. Chez *elle*. Et les rares fois où il était physiquement assis près d'elle pendant toute une soirée, il avait vraiment la tête ailleurs.

Son corps, pensa-t-elle à nouveau en l'imaginant allongé nu à côté d'elle sur le lit, sa main jouant dans les poils sombres de sa poitrine, caressant ses abdominaux et ses cuisses musclées. Un gémissement lui échappa.

Le téléphone sonna quelque part derrière sa tête. Les yeux toujours fermés, elle chercha à tâtons l'appareil sur la table de nuit.

– Allô?

– C'est Stéphanie. Je te réveille?

Mattie se força à rouvrir les yeux, se redressa et posa les pieds par terre.

– Non, bien sûr que non, répondit-elle en se représentant son amie, des cheveux courts platine, des yeux bruns et des joues rondes en harmonie avec ses formes généreuses.

– Comment vas-tu? Tu as l'air fatiguée.

– Non, ça va, répliqua-t-elle avec une pointe d'impatience.

Depuis qu'elle avait mis ses amies au courant de sa maladie, celles-ci la noyaient de sollicitude et de gentillesse, et lui proposaient sans cesse de la conduire à ses rendez-vous et de faire ses courses, toutes plus impatientes les unes que les autres de l'aider.

– Que puis-je faire pour toi? reprit Mattie.

– Nous nous demandions, Enoch et moi, si vous aimeriez venir dîner avec nous demain soir. Nous allons chez Fellini, sur East Hubbart Street. Ils en disaient beaucoup de bien dans les journaux du week-end dernier.

Enoch Porter était entré dans la vie de Stéphanie six mois plus tôt, presque trois ans jour pour jour après que son ex-mari eut vidé leur compte joint pour s'enfuir à Tahiti avec la baby-sitter. Stéphanie prenait sa revanche avec Enoch : de dix ans son cadet, il était grand, splendide et si noir qu'il en luisait.

– Excellente idée, répondit Mattie. Nous serons au Pende Fine Arts en fin d'après-midi, si vous voulez nous rejoindre là-bas.

– Je ne pense pas qu'Enoch soit un fana de galeries de peinture, gloussa Stéphanie. Tu n'as pas peur que ça te fatigue trop?

– À quelle heure veux-tu qu'on se donne rendez-vous? continua Mattie, ignorant sa sollicitude.

– Sept heures, ça t'irait?

– C'est parfait. On se retrouve là-bas.

Elle aurait dû d'abord en parler à Jake, se dit-elle en raccrochant. Peut-être avait-il d'autres projets. Eh bien, tant pis! Elle se demanda brusquement à quoi Cherry pouvait ressembler. Une seconde plus tard, le téléphone à nouveau pressé contre son oreille, elle composa le numéro des renseignements. Un répondeur automatique l'accueillit sur le service.

– Quelle ville demandez-vous?

– Chicago, répondit Mattie en articulant clairement.

– Demandez-vous un numéro personnel? continua la voix mécanique.

– Oui, bafouilla-t-elle.

– À quel nom, s'il vous plaît?

– Novak, répondit-elle après s'être éclairci la voix. Cherry Novak. Je ne connais pas l'adresse.

Pourquoi avait-elle ajouté cela? L'enregistreur s'en fichait. Et pourquoi voulait-elle le numéro de Cherry? Était-elle folle? Avait-elle vraiment l'intention de l'appeler? Pourquoi? Que lui dirait-elle?

– Je ne vois aucune Cherry Novak, annonça soudain une voix humaine qui la fit sursauter.

Elle hocha la tête, soulagée. Quelqu'un veillait sur elle.

– Je vois trois C. Novak, continua la téléphoniste, et Mattie faillit en laisser tomber le combiné. Vous ne connaissez pas l'adresse?

– Non, pas du tout. Mais si vous voulez bien me donner les trois numéros...

– Vous serez facturée pour chacun d'eux, expliqua l'opératrice, pendant que Mattie prenait un stylo dans le tiroir de la table de nuit, cherchait vainement un bout de papier avant de finir par inscrire les trois numéros au creux de sa main gauche.

Sans se laisser le temps de réfléchir, elle composa le premier. On décrocha à la troisième sonnerie. Elle retint sa respiration. Que faisait-elle? Que cherchait-elle à prouver? aurait dit Jake.

– Allô.

C'était un homme. Mattie raccrocha précipitamment, la respiration haletante.

Aussitôt son téléphone sonna.

Elle regarda le récepteur ivoire avec appréhension et le porta précautionneusement à son oreille.

– Allô?

– Qui est à l'appareil? demanda une voix masculine.

– Qui êtes-vous?

– Chris Novak. Vous venez d'appeler chez moi.

L'identification d'appel! se souvint-elle avec horreur. Ou le rappel automatique. Ou l'une quelconque de ces monstruosités électroniques qui polluaient la vie moderne. Elle n'y avait pas pensé. Mais qu'allait-elle faire?

– Je me suis trompée de numéro. Je suis vraiment désolée de vous avoir dérangé.

L'inconnu mit fin à son embarras en raccrochant.

Ça m'apprendra, se dit-elle. Elle remarqua que sa main tremblait en reposant le combiné sur sa fourche. Elle décrocha à nouveau, composa le code qui empêcherait son numéro de s'afficher et appela le deuxième Novak. Cette fois, on lui répondit immédiatement, comme si la personne à l'autre bout du fil était assise près du téléphone à attendre qu'il sonne. Typique de la maîtresse d'un homme marié.

– Allô, dit une voix féminine, grave, un peu rauque.

Un joli timbre, pensa Mattie. Un soupçon impertinent. Était-ce elle ?

– Allô, répéta la voix. Allô-ô.

Non. Elle était trop enjouée, trop assurée. Ce n'était pas la voix d'une femme qui vivait seule, qui ignorait l'identité de la personne au bout du fil, pensa Mattie, sur le point de raccrocher pour passer au dernier numéro.

– Jason ? Jason, c'est toi ? demanda alors la voix tandis que Mattie sentait son souffle se figer dans ses poumons.

Elle lâcha le combiné au-dessus de sa fourche et le vit passer à côté et atterrir avec un bruit mat sur la moquette blanche. Elle le ramassa hâtivement, voulut le raccrocher correctement mais il tourna entre ses mains comme s'il était vivant et lui échappa à nouveau. Ce ne fut qu'au troisième essai qu'elle réussit à le reposer correctement.

– Oh, mon Dieu ! murmura-t-elle, le souffle court, presque douloureux. Oh, mon Dieu !

Elle resta sans bouger un long moment, poursuivie par l'écho du nom de son mari prononcé par cette femme. « Jason », répéta-t-elle à voix haute. N'avait-il pas toujours détesté son prénom ? Mattie renversa la tête en arrière, en essayant de reprendre le contrôle de sa respiration, et entrelaça ses mains tremblantes.

C'était stupide de ma part, se réprimanda-t-elle. Elle se leva du lit et sortit de la chambre. Il était temps de se reprendre. De se passer le visage à l'eau, de se maquiller un peu pour que Jake ait au moins une femme agréable à regarder et une raison de rester chez lui.

Quelques secondes plus tard, alors qu'elle se dévisageait dans la glace, Mattie se demanda à nouveau à quoi Cherry pouvait ressembler. Était-elle grande ou petite ? Blonde ou brune ? Un peu ronde ou squelettique ? Je l'imaginerais bien en Julia Roberts, se dit-elle en passant d'un geste expert du blush rose sur ses pommettes. Voilà qui était mieux. Elle avait vraiment besoin d'un peu de couleur. Ainsi que d'une bonne couche de mascara. Elle prit le long tube argenté, le porta à ses cils et se mit la brosse droit dans l'œil. « Bon sang ! » s'écria-t-elle en laissant échapper le tube dans le lavabo. Elle cligna des yeux et le mascara dessina sur ses joues fraîchement maquillées des petites striures noires qui ressemblaient à de minuscules égratignures.

– Oh, c'est une réussite ! Me voilà absolument irrésistible. L'anti-Cherry. – Elle refoula ses larmes, prit un mouchoir en papier et enleva les traces de mascara sur son visage. – On dirait que je me suis battue. Et que j'ai perdu. Tu as perdu, lança-t-elle à son reflet, avant de prendre un gant de toilette mouillé pour se laver la figure. Sornettes, tu ne fais que commencer à te battre, corrigea-t-elle, s'apprêtant à remettre du blush sur ses joues. Mais sa main refusa de saisir le pinceau. – Elle la laissa tomber sur le lavabo et regarda ses doigts qui tremblaient, secoués par un vent invisible. – Mon Dieu ! gémit-elle. Ce n'est rien. Tu es juste contrariée de t'être conduite aussi bêtement. C'est tout. Respire profondément. Encore. Reste calme. Tout va s'arranger. Il n'y a pas de quoi s'inquiéter. Tu prends tes médicaments. Tu ne mourras pas. Tu iras à Paris en avril. Avec ton mari. Tu ne mourras pas.

Mattie dut se servir de ses deux mains pour sortir le tube du lavabo puis elle se maquilla soigneusement en prenant tout son temps.

– Ça va mieux, se rassura-t-elle en sentant son tremblement disparaître peu à peu. Tu es juste fatiguée et contrariée. Et en manque, reconnut-elle en riant. Tu as toujours les mains qui tremblent quand tu es en manque.

Les choses allaient changer, décida-t-elle. Dès ce soir. À commencer par un peu de mascara, puis un peu de vin au dîner. Et peut-être, ensuite, une visite surprise à la chambre d'ami. Elle n'avait jamais eu de mal à séduire Jake Hart. Mais Jake n'était pas Jason. Elle ne connaissait pas ce Jason.

Elle entendit le bourdonnement de la porte du garage. Les voilà, annonça-t-elle à son image dans le miroir, satisfaite de paraître en forme. Elle tendit les mains devant elle. En très grande forme, même, décida-t-elle, constatant qu'elles ne tremblaient plus. Elle fit bouffer ses cheveux, rajusta les épaules de son pull rouge, prit une profonde inspiration et se dirigea vers l'escalier.

Elle arrivait en bas lorsque la porte d'entrée s'ouvrit brusquement sur son mari et leur fille en pleine dispute.

– Ça suffit, criait Kim. Je ne veux plus rien entendre.

– Je n'ai pas encore terminé avec toi, jeune fille, beugla Jake.

– Ah bon ? Eh bien, moi, si.

– Je ne pense pas.

– Que se passe-t-il? s'inquiéta Mattie en les dévisageant.
– Leurs yeux lançaient des éclairs, ils étaient rouges de colère. –
Qu'est-ce qui ne va pas?

– Papa est fou furieux! clama Kim en levant les bras au ciel,
et elle se dirigea la cuisine.

– Où vas-tu? demanda Jake.

– Prendre un verre d'eau, si tu permets, répondit Kim d'un
ton plus que méprisant qui ne put échapper à Mattie.

Que diable s'était-il passé? se demanda-t-elle, en suppliant
Jake du regard de lui donner une explication.

– Tu ne le croiras jamais! Elle a apporté de la marijuana au
tribunal! annonça Jake d'une voix aussi stupéfaite que scandalisée.

– Quoi? Ce n'est pas possible!

– C'était bien la dernière connerie que j'attendais d'elle!

– Tu l'as déjà dit cent fois dans la voiture, hurla Kim depuis la
cuisine.

– Je ne comprends pas, dit Mattie. Il doit y avoir une erreur.

– L'erreur c'était de traiter notre fille en personne responsable.

– Responsable? cria Kim au-dessus d'un bruit de robinet qui
coulait. Tu veux dire comme toi?

– Je t'en prie, Jake. Dis-moi ce qui s'est passé.

– Tu imagines ce qui serait arrivé si elle s'était fait prendre?

– Quelle honte! s'exclama Kim depuis le seuil de la porte en
levant son verre d'eau comme pour porter un toast.

– Tu aurais pu te faire arrêter. Et même condamner.

– Quelqu'un pourrait-il me dire ce qui s'est passé? insista
Mattie, au bord des larmes.

– Il n'y a rien eu, dit Kim. Papa fait un drame pour rien.

– Tu as fumé de la marijuana au tribunal? demanda Mattie
d'une voix incrédule.

– Jamais de la vie, répondit Kim en riant.

– Non, rectifia Jake qui se mit à faire les cent pas devant Mattie. Elle a réservé cet exploit pour le restaurant. Je l'ai emmenée
chez Fredo...

– Un boui-boui infâme, intervint Kim.

– Elle se conduit comme une gamine horriblement gâtée...

– Hé! j'ai rien demandé, pour commencer. C'est toi qui as eu
cette idée stupide de m'emmener.

– L'endroit est rempli de flics et d'avocats et elle descend
fumer de la drogue aux toilettes! Heureusement que c'est une de
mes amies qui l'a vue.

– Ouais. Quelle chance! Elle pouvait pas se mêler de ses oignons, celle-là!

– Elle est procureur adjointe, bon Dieu! Elle aurait pu te faire arrêter.

– Mais elle ne l'a pas fait. Alors, où est le problème? J'ai commis une erreur. Je me suis excusée. Je ne recommencerai pas. L'affaire est réglée. Tu as gagné. Une nouvelle victime mord la poussière.

– Kim, je ne comprends pas, dit Mattie en essayant d'assimiler ce qu'elle venait d'entendre.

– Qu'est-ce que tu ne comprends pas, mère? rétorqua Kim.

Le mot « mère » lui fit l'effet d'une gifle. Mattie sentit les larmes lui monter aux yeux.

– Surveille ta façon de parler à ta mère, protesta Jake.

– Ma mère est tout à fait capable de se défendre toute seule. Elle n'est pas encore morte!

– Oh, Seigneur! soupira Mattie, ses poumons brusquement vidés de leur air comme s'ils avaient été perforés par un pointeau.

– Comment peux-tu dire une chose aussi horrible? s'écria Jake, écarlate, sur le point d'exploser.

– Ce n'est pas ce que je voulais dire, protesta Kim. Maman, tu sais bien que ce n'était pas ce que je voulais dire.

– Tu me dégoûtes, lâcha Jake.

– Tu me dégoûtes aussi, lui fut-il aussitôt répondu.

– Ça suffit, tous les deux, intervint Mattie, des fourmillements inquiétants dans les deux pieds. Si nous allions nous asseoir au salon pour parler plus calmement.

– Je monte dans ma chambre, s'écria Kim en partant à grands pas vers l'escalier.

– Tu restes là! rétorqua Mattie en l'attrapant par le bras.

– Quoi? Tu prends sa défense?

– Tu ne me donnes pas le choix.

Kim se dégagea d'un geste si brutal que Mattie en perdit l'équilibre et s'écroula sur le sol, les mains tendues en avant, tentant vainement d'enrayer sa chute.

– Maman, pardon, gémit Kim en se précipitant pour l'aider à se relever. Je ne l'ai pas fait exprès. Tu sais que je ne l'ai pas fait exprès.

– Laisse-la tranquille, ordonna Jake en s'approchant pour prendre sa femme dans ses bras. Écarte-toi.

– Pardonne-moi, pardonne-moi, répéta Kim sans lâcher les bras de sa mère.

– Tu n'as pas fait assez de mal pour aujourd'hui? demanda Jake en la repoussant, si bien qu'elle perdit l'équilibre à son tour.

Elle écarta les bras instinctivement et le verre qu'elle tenait à la main s'envola dans un geyser, retomba violemment sur le sol et ricocha sur le tapis avant de s'écraser contre le mur.

– Regarde ce que tu fais, maintenant! hurla Jake.

– Quoi, qu'est-ce que j'ai fait? répondit Kim en criant plus fort que lui.

– Je vous en prie, arrêtez, supplia Mattie.

– Nettoie tes bêtises!

– C'est ta faute. Fais-le toi-même!

– Sale petite garce! s'écria-t-il en levant la main sur elle.

– Tu veux me frapper. Vas-y, papa. Frappe-moi. Allez, frappe-moi!

Mattie, le souffle coupé, vit le bras de Jake osciller au-dessus de la tête de leur fille pendant ce qui lui parut une éternité avant de retomber le long de son flanc. Elle entendit derrière elle Kim monter l'escalier en courant puis la porte de sa chambre claquer. Jake s'affala contre le mur et passa les mains sur ses yeux clos, le visage livide.

– Ça va? lui demanda-t-elle.

– J'ai failli la frapper.

– Mais tu ne l'as pas fait.

– J'en mourais d'envie. Il s'en est fallu de peu.

– Mais tu ne l'as pas fait, répéta Mattie.

Elle tendit la main vers lui et s'arrêta en voyant qu'elle tremblait. Elle savait combien il devait être déçu, combien il voulait que sa fille soit fière de lui. Moi, je suis fière de toi, aurait-elle voulu lui dire, mais elle resta muette, immobile, jusqu'à ce qu'elle ne sente plus la plante de ses pieds.

– Je crois que j'ai besoin de m'asseoir.

Jake s'essuya les yeux du revers de la main et la conduisit au salon où il l'installa sur le canapé beige sans dire un seul mot.

– Pourquoi ne t'assois-tu pas?

Il se balança d'un pied sur l'autre comme s'il pesait physiquement le pour et le contre.

– Écoute, ça ne t'ennuie pas si je sors un moment? J'ai vraiment besoin de prendre l'air.

Pourquoi ne veux-tu pas me laisser te consoler? demanda-t-elle silencieusement, ravalant sa déception.

– Ça ira, répondit-elle à voix haute.

– Je nettoierai tout à mon retour.

– Veux-tu que je t'accompagne?

Quelle question idiote! songea-t-elle en voyant Jake secouer la tête. Il n'en avait aucune envie, voyons. Avait-on jamais vu un homme rendre visite à sa petite amie en emmenant sa femme?

– Tu es sûre que tout ira bien?

– Ne t'inquiète pas.

– Je reviens vite.

– Sois prudent sur la route, ajouta Mattie en le regardant sortir de la pièce.

17.

– Jake? Jake, tu es prêt?

Mattie jeta un dernier regard à son reflet dans la glace de la salle de bains et nota avec satisfaction que tout semblait être à sa place. Pas de trace indésirable de mascara sous les yeux, aucun cheveu ne s'échappait de la barrette sur sa nuque. Je suis jolie en rose, se dit-elle en ajustant le col de son pull en cachemire avant de vérifier qu'elle avait bien fermé ses précieuses boucles d'oreilles anciennes. Seule note discordante : les trois numéros griffonnés sur sa paume gauche, souvenirs de sa folie de la veille, et dont elle n'avait pu se débarrasser malgré ses efforts énergiques. Avec un peu de chance, Jake ne remarquerait rien. Il n'y avait guère de risque qu'il s'approche suffisamment pour les voir. Un léger tremblement lui parcourut les doigts. Mattie plongea ses mains dans les poches de son pantalon gris et quitta la pièce.

– Jake? Tu es prêt?

Toujours pas de réponse.

– Jake?

Mattie descendit le couloir jusqu'à la chambre d'ami et glissa un œil par la porte.

– Jake?

La pièce était vide, la couette rayée jaune et blanc était jetée négligemment sur le lit, exactement comme la veille. N'aurait-il pas dormi dans son lit? se demanda Mattie en tournant les talons.

La porte close de Kim se dressait devant elle comme un reproche implacable et muet. Sa fille s'était barricadée la veille dans sa chambre et n'en avait pas bougé depuis. Elle avait refusé de dîner et n'avait fait aucune apparition ni au petit déjeuner ni au déjeuner. Elle devait mourir de faim. Elle était si orgueilleuse, si têtue. Exactement comme son père, pensa Mattie en frappant doucement à la porte. Pas de réponse. Elle l'ouvrit doucement.

La pièce était plongée dans l'obscurité, les volets fermés, la lumière éteinte. Mattie mit quelques minutes à s'accoutumer à l'obscurité et à distinguer le lit contre le mur du fond, la commode à côté, le bureau sur sa droite et le fauteuil. Des vêtements étaient abandonnés sur tous les meubles. Mattie s'avança, le bout de sa chaussure noire heurta une cassette qu'elle envoya voler dans la porte du placard. La forme dans le lit bougea, s'assit, repoussa les cheveux qui lui tombaient dans la figure et contempla Mattie sans rien dire.

– Ça va, Kim?

– Quelle heure est-il? demanda sa fille, d'une voix ensommeillée.

Mattie scruta la pendule dans la pénombre, une petite pastèque, au cadran rose vif encadré de vert foncé, avec les minutes représentées par des graines noires.

– Presque quatre heures. Tu as dormi toute la journée?

– Plus ou moins, répondit Kim en haussant les épaules. Quel temps fait-il?

– Soleil. Froid. C'est janvier. Comment te sens-tu?

– Très bien.

Kim repoussa les cheveux de son front, d'un geste hérité de son père qui indiquait que cette conversation avait assez duré. Elle se tourna vers la fenêtre.

– Tu sors?

– Nous allons voir une exposition de photos, et ensuite nous devons dîner avec Stéphanie Slopen et un de ses amis. Tu veux venir avec nous?

Mattie vit la grimace ironique de sa fille malgré l'obscurité.

– Tu oublies que je suis punie de sortie jusqu'à mes quarante ans!

– Ce que tu as fait était très mal, lui rappela Mattie.

– Tu es venue pour me dire ça?

– Non.

– Pourquoi alors?

– Je me fais du souci pour toi.

– Comme si tu n'en avais pas déjà assez sans moi!

Mattie commença mentalement à ranger la chambre, ramassant du regard les habits de sa fille, remettant chaque chose à sa place. Kim avait toujours été si soigneuse, si maniaque. Quand s'était-elle transformée en souillon ?

— Tu m'inquiètes. Je sais que ça ne doit pas être facile pour toi en ce moment.

— Je vais bien, maman.

— Peut-être devrais-tu trouver quelqu'un à qui parler...

— Qui ça ? Un psy ?

— Peut-être.

— Tu crois que je suis folle ?

— Non, bien sûr que non. Je pensais seulement que ça pourrait t'aider d'avoir quelqu'un à qui parler.

— Je t'ai. – Les grands yeux de Kim se plantèrent dans ceux de sa mère. – Non ?

— Bien sûr que oui. Mais c'est de moi que vient le problème, Kim.

— Ce n'est pas de toi. C'est de lui.

— Ton père t'aime beaucoup, tu sais.

— Ouais, bien sûr. Passe une bonne soirée.

Kim se laissa retomber sur son lit et se mit la tête sous les draps, signalant sans équivoque que l'entretien était terminé.

Mattie hésita quelques secondes avant de quitter la pièce et de refermer la porte derrière elle. Elle aurait eu encore beaucoup de choses à dire mais l'énergie lui manquait. Ou le temps, se dit-elle en regardant sa montre. Où était Jake ? C'était l'heure de partir.

— Jake ! appela-t-elle à nouveau en se dirigeant vers l'escalier.

Elle sut qu'il était au téléphone avant même de voir la porte de son bureau fermée, sut qu'il parlait à Cherry avant même de porter le combiné de la cuisine à son oreille et sut ce qu'il disait avant même de l'entendre.

— Je suis désolé, disait-il.

— Arrête de t'excuser, répondit Cherry de sa voix rauque maintenant familière.

— Elle a tout organisé sans m'en parler. Je ne peux pas me libérer.

— C'est moi qui devrais être désolée. Tu avais besoin de moi hier soir.

— Tu ne pouvais pas deviner.

— Je ne sais pas ce qui m'a pris d'aller si tôt à la gym...

— On se verra demain soir, la coupa-t-il. Demain soir, quoi qu'il arrive.

— Bonne idée. Où irons-nous ?

— J'aurais préféré ne pas bouger.

146

– C'est encore mieux. À sept heures ?
– Je meurs d'impatience de te retrouver, chuchota Jake.
– Je t'aime.
Mattie raccrocha avant d'entendre la réponse de son mari.

– À quoi tu penses ? demanda Mattie, la conversation qu'elle avait surprise résonnant encore à ses oreilles.

Elle se tenait à côté de Jake au centre de la petite galerie sur Erie Street, au coin de Michigan Avenue. Le sol était en lattes de bois blanchi, l'éclairage haut et indirect. Une grande baie vitrée occupait la moitié du mur du fond. Les autres murs étaient couverts d'un étonnant assortiment de photos en couleurs : une jeune Mexicaine en robe chamarrée, des fleurs dans les cheveux et un crucifix autour du cou, posait devant une toile de fond qui représentait la Vierge Marie flottant dans un ciel sans nuages, les fleurs peintes à ses pieds se mélangeaient à celles qui ourlaient le bas de la robe de la jeune fille ; un groupe d'anges peints à la main sur un mur lézardé turquoise surveillaient la petite photo d'un jeune homme en noir et blanc ; un gros téléviseur posé bizarrement sur une table, avec en toile de fond un paysage d'autrefois ; une grosse femme de type latin, à la mine revêche, vêtue d'une robe bleue pailletée d'or, qui regardait l'objectif d'un air accusateur, plus effrayante que la rangée de généraux en uniforme assis derrière elle.

– Ça me plaît bien, dit Jake.
(*Je t'aime*, chuchota Cherry.)
– Pourquoi ? demanda Mattie. (Pourquoi es-tu ici ?)
Jake rit d'un petit air gêné.

– Je suis avocat, Mattie. Qu'est-ce que j'y connais ? Et toi, ça te plaît ?

– Oui, j'aime bien.
(*Je t'aime*, chuchota Cherry.)
– Pourquoi ?
Pourquoi suis-je ici ? se demanda-t-elle en essayant de chasser l'autre conversation de son esprit.

– J'aime la façon dont sont utilisées la couleur et la composition, expliqua-t-elle, repoussant de sa voix les échos importuns. La façon dont le photographe combine la réalité et l'artificiel en se servant de l'un pour souligner l'autre, gommant à l'occasion les frontières qui les séparent. La façon dont il utilise des objets inanimés pour dénoncer la représentation qu'une culture donne d'elle-même. La façon dont ces images combinent le langage visuel avec la compréhension personnelle.

– Tu vois tout ça ?

Mattie sourit malgré elle.

– J'ai lu la brochure avant de venir.

Jake rit à nouveau. Mattie s'aperçut qu'elle aimait entendre son rire, et qu'elle l'avait bien peu entendu ces dernières années. Riait-il avec Cherry ? (*Je meurs d'impatience de te retrouver*, lui avait-il dit.) Elle concentra son attention sur la photo d'un jeune homme qui se tenait d'un air provocateur devant un mur couvert d'images représentant la guerre : des soldats, des chars, des fusils, des explosions. Le garçon tournait le dos à l'objectif, son tee-shirt rouge remonté révélait au-dessus de son jean délavé un large pansement qui lui barrait le dos telle une cicatrice.

– Quelle puissance ! De qui est-ce ?

– Rafael Goldchain. Né au Chili en 1956. Ses grands-parents juifs allemands ont émigré en Argentine dans les années 1930. Ses parents sont allés vivre au Chili, où Rafael est né, avant de s'installer à Mexico au début des années 1970. Rafael est parti vivre en Israël où il a étudié à l'université hébraïque de Jérusalem, puis, en 1976, il a émigré à Toronto, au Canada, où il vit depuis.

– Un type passablement déraciné.

Il n'est pas le seul, pensa Mattie en regardant la brochure qu'elle tenait.

– Il affirme que, lorsqu'il prend des photos en Amérique latine, il se sent engagé dans un processus élaboré de découverte de soi, lut-elle à haute voix. En cherchant son inspiration au sein de cette culture, il renforce son sentiment d'appartenance.

– Il se sert donc de sa profession à des fins personnelles.

Nous le faisons tous plus ou moins, pensa Mattie.

– Et quand tu as vu une exposition comme celle-ci, que fais-tu ensuite ? s'enquit Jake.

Il me demande ce que je fais depuis seize ans, s'étonna-t-elle, sans savoir si elle devait en être contente ou fâchée. Peut-être que si tu avais pris le temps de me connaître, ce temps que tu as perdu toutes ces années avec des femmes comme Cherry Novak, tu n'aurais pas besoin de me poser cette question.

(*On se verra demain soir*, l'entendit-elle promettre. *Demain soir, quoi qu'il arrive.*)

– Je cherche lesquels de mes clients pourraient être intéressés par ces images, répondit-elle en montrant une photographie sur le mur le plus éloigné. – Elle représentait un vieux juke-box posé dans le coin d'une pièce turquoise, noyé sous les posters de femmes à moitié nues, et l'attention était plus particulièrement attirée sur une affiche d'une femme en corset rose et en bas noirs, les doigts glissés dans son slip, prête à le baisser sur ses fesses rebondies. – Je pensais justement que celle-ci ferait très bien au-dessus du canapé, dans ton bureau.

Jake se mit à rire en se demandant visiblement si elle parlait sérieusement.

– Je ne suis pas sûr que mes associés apprécieraient. Ils ne se sont pas encore remis de la pomme de terre à l'eau.

Il faisait référence à la lithographie de Claes Oldenburg qu'elle l'avait convaincu d'accrocher à son cabinet.

– Je pensais à ton bureau chez nous.

Jake hocha la tête, pendant qu'une rougeur coupable lui montait au visage.

– Je suis désolé, Mattie, balbutia-t-il. Je voudrais vraiment passer plus de temps à la maison.

Mattie mit quelques secondes à suivre sa pensée.

– Jake, ce n'est pas ce que je voulais dire...

– C'est une telle pagaille...

– Je voulais juste dire...

– Avec ce procès en plus...

– Honnêtement, Jake, je ne voulais faire aucun sous-entendu...

– Dès que ce procès sera terminé...

– Arrête de t'excuser.

(*Arrête de t'excuser*, répéta Cherry en écho.)

Mattie plaqua sa main sur sa bouche pour ne pas crier. Son mari passait-il sa vie à s'excuser auprès des femmes ? Et à chercher l'absolution ?

– Qu'est-ce que c'est ? demanda Jake.

– Quoi ?

Mattie regarda un jeune couple qui gesticulait devant le cliché de la grosse femme en robe bleue pailletée d'or.

– Là, sur ta main.

Jake lui saisit le poignet et tourna la paume vers lui sans lui laisser le temps de réagir. Elle bredouilla qu'elle avait dû noter un numéro de téléphone alors qu'elle n'avait pas de papier. Pas tout à fait un mensonge. Et pas non plus la vérité. Jake parut s'en contenter. Pourquoi en serait-il autrement ? pensa-t-elle en enfonçant la main dans sa poche. Elle s'était bien satisfaite de ce genre de galimatias pendant des années.

– Tu crois vraiment que ça ferait bien au-dessus de mon canapé ? reprit-il en contemplant à nouveau la photo.

Ce fut à elle de se demander s'il parlait sérieusement.

– Qu'en penses-tu?

– Il serait parfait, avoua-t-il en riant.

– Vendu au monsieur qui rit fort, dit Mattie en pouffant à son tour.

– Merci de m'avoir traîné ici aujourd'hui, dit-il une fois qu'ils eurent conclu l'achat. Ça m'a beaucoup plu.

– Merci. Tu aurais sans doute préféré être ailleurs.

(*Elle a tout organisé sans que je sois au courant. Je ne peux pas me libérer.*)

– Non, pas du tout, protesta-t-il d'un ton qui semblait sincère. Il regarda sa montre. Hé! il se fait tard. Tu n'as pas faim?

Mattie hocha la tête et se laissa prendre par le bras.

– Je suis affamée.

Le restaurant était déjà plein à craquer lorsque Mattie et Jake poussèrent la porte vitrée peu après sept heures. Dans le vestibule, des clients serrés comme des sardines jouaient des coudes pour se rapprocher du maître d'hôtel qui dominait ce tumulte d'un air suffisant. Plusieurs parfums raffinés menaient un combat perdu d'avance contre d'autres senteurs moins délicates, dont celle émanant d'un cigare fumé par une jeune femme à queue-de-cheval, près du bar.

– La moitié de Chicago doit se trouver ici, dit Jake d'une voix forte pour se faire entendre au-dessus du brouhaha général.

– Voilà ce qui arrive quand on a une bonne critique dans les journaux, répondit Mattie.

Il lui fit signe qu'il ne pouvait pas l'entendre et se baissa vers elle pour qu'elle répète. Elle se pencha, son nez effleura son cou. Il sent si bon, pensa-t-elle. Au même moment, une femme en robe décolletée noire la bouscula et elle perdit l'équilibre. Jake la rattrapa de justesse.

– Ça va?

Mattie hocha la tête et regarda la grande salle bondée qui ne différait guère de celles des autres bons restaurants des environs : une pièce carrée avec trop de tables et trop de miroirs, une série de banquettes d'un côté, un bar croulant sous les bouteilles en face.

– Voilà Stéphanie! s'exclama Mattie en montrant la dernière banquette, où une femme blanche d'un certain âge et aux cheveux platine embrassait fougueusement un jeune Noir.

Mattie et Jake se frayèrent un chemin jusqu'à eux.

– Mattie?

Mattie sentit une main sur son bras.

Roy Crawford se leva d'un bond et se pencha pour l'embrasser sur la joue.

– Je vois que je ne suis pas le seul à relever les bonnes adresses dans le journal. Comment allez-vous? Vous avez une mine superbe.

– Merci. Vous aussi.

Oui, vraiment, songea-t-elle, en remarquant son regard pétillant de malice sous ses épais cheveux argentés.

– Permettez-moi de vous présenter Tracey, dit Roy.

– Avec un *e* et un *y*, précisa la jeune femme blonde assise à sa droite.

Mattie enregistra cette information inutile et présenta Roy à son mari.

– Ravi de vous rencontrer.

Les deux hommes se serrèrent la main.

– Roy est un de mes clients.

– Eh bien, répondit Jake, très à l'aise, comme si aucun soupçon ne pouvait effleurer son esprit, il faudra que Mattie vous parle de la merveilleuse exposition que nous venons de voir.

– Je l'espère bien, dit Roy Crawford avec un clin d'œil.

– Il a l'air charmant, murmura Jake alors qu'ils repartaient vers leur table. Sa fille est ravissante.

Mattie sourit, sans chercher à le détromper. Tracey avec un *e* et un *y*, se dit-elle, au moment où ils arrivaient à la banquette où Stéphanie et Enoch se regardaient dans le blanc des yeux comme s'ils étaient seuls au monde. Mattie s'éclaircit la voix :

– Excusez-moi. Je suis désolée de vous interrompre.

Ce qui était parfaitement vrai, d'ailleurs. Stéphanie se leva d'un bond.

– Vous voilà enfin! Je commençais à m'inquiéter.

– J'ai remarqué.

– Laissez-moi vous présenter mon *chéri*, s'écria Stéphanie d'une voix pleine d'enthousiasme, tandis que Mattie et Jake regardaient leurs pieds d'un air gêné.

On devrait tous avoir un chéri, pensa Mattie.

Enoch Porter se pencha et embrassa Mattie exactement au même endroit que Roy Crawford.

– As-tu jamais vu un être aussi exquis? murmura Stéphanie.

– Il a l'air charmant, acquiesça Mattie pendant qu'Enoch et Jake se serraient la main.

— Il a la peau douce comme le velours, chuchota Stéphanie.

— Il a l'air adorable.

— Tu n'y es pas du tout. Il a une langue infatigable, confia Stéphanie en se cachant derrière sa main.

Le sourire de Mattie se figea sur son visage. Côté information superflue, celle-ci valait le Tracey avec un *e* et un *y* !

— Si tu veux bien m'excuser, il faut que j'aille me laver les mains, déclara-t-elle, en se levant précipitamment.

— Tu te sens bien ? Tu viens à peine de t'asseoir.

— Je reviens tout de suite.

— Tu veux que je t'accompagne ?

Mattie repoussa l'offre de son amie d'un geste de la main. Mais Stéphanie avait déjà reporté toute son attention sur Enoch et passé un bras autour de son cou, en écrasant sa forte poitrine contre son flanc. Tout le monde a des relations sexuelles sauf moi, pensa Mattie, en repérant les toilettes au bout du bar bondé.

Qu'arrivait-il à Stéphanie ? Comment osait-elle afficher sa liaison avec tant d'indécence ? Elle avait deux petites filles, pour l'amour du ciel ! Comment réagiraient-elles si elles savaient que leur mère se donnait ainsi en spectacle, qu'elle se jetait à la tête d'un homme de dix ans son cadet, qu'elle se pendait à son cou en public et se laissait peloter devant tout le monde en clamant ses talents sexuels ? N'avait-elle aucune fierté ? Aucune dignité ? Aucune pudeur ? Ne savait-elle pas que leur couple mal assorti n'avait aucun avenir ?

Et alors ? Jake et elle étaient de la même génération, de la même couleur, du même milieu. Cela avait-il marché ? Tu es simplement jalouse, lança Mattie à son image dans le miroir qui baissa aussitôt la tête de honte. Que ne donnerait-elle pas pour pouvoir se pendre au cou d'un jeune amant, sentir sa peau douce comme le velours recouvrir la sienne comme une couverture, et se laisser peloter sans vergogne devant toutes ses amies mortes d'envie.

Tout le monde devrait avoir un chéri, pensa-t-elle à nouveau, en se remettant machinalement du rouge à lèvres. Mais le tube tourna entre ses doigts et dessina une balafre rouge sur sa joue.

— Oh, mon Dieu ! gémit-elle.

Elle fouilla fébrilement dans son sac à la recherche d'un mouchoir, mais il lui échappa et tomba à terre en laissant échapper tout son contenu sur le carrelage noir et blanc. Elle s'agenouilla péniblement et ramassa à tâtons quelques feutres, un paquet de Kleenex, ses lunettes de soleil, son portefeuille, son carnet de chèques, ses clés. Qu'avait-elle d'autre? Elle regarda autour d'elle et remarqua une paire de talons aiguilles dans l'un des box, prenant seulement conscience qu'elle n'était pas seule dans la pièce. Comment pouvait-on marcher avec des trucs pareils? se demanda-t-elle en se relevant, les jambes titubantes. « Seigneur! murmura-t-elle dans le col de son pull rose en s'accrochant au rebord du lavabo. Oh, Seigneur! »

Elle entendit une chasse couler et sourit à la jeune femme qui sortait du box, son chignon aussi haut que ses talons aiguilles qui, constata-t-elle, ne la gênaient absolument pas pour marcher. L'inconnue s'examina dans le miroir tout en se lavant les mains, apparemment satisfaite de ce qu'elle voyait. Elle avait raison, pensa Mattie en la regardant sortir. Elle était jeune, belle. Tout marchait bien. Et elle allait sans doute rejoindre un garçon qui l'adorait. À mon tour. Mattie prit une profonde inspiration, redressa les épaules et sortit des toilettes.

Roy Crawford se tenait derrière la porte.

– Vous avez été bien longue.

– J'ai fait tomber mon sac.

Quelle idiote de dire ça! L'avait-il attendue?

– Qu'est-ce que vous avez sur la figure? – Sans attendre sa réponse, il frotta doucement le coin de sa bouche. – On dirait du rouge à lèvres.

Il porta son index à sa bouche, en mouilla l'extrémité d'un air coquin, puis lui frotta à nouveau la joue, sans la quitter des yeux. Au contact froid de sa salive, Mattie sentit sa respiration s'arrêter.

– Voilà, c'est mieux.

– Merci, murmura-t-elle, le souffle coupé.

– C'était donc votre mari, continua-t-il comme si c'était la réflexion la plus naturelle à faire dans de telles circonstances.

Mattie hocha la tête.

– Je croyais que vous étiez séparés.

– Il est revenu.

Un large sourire s'épanouit lentement sur le visage de Roy Crawford.

– Appelez-moi, dit-il.

18.

Ils étaient couchés dans les nouveaux draps à carreaux roses et blancs qu'elle venait d'acheter.

– Spécialement pour l'occasion, avait-elle précisé pendant qu'ils s'arrachaient mutuellement leurs vêtements avant de se jeter sur le lit, quelques secondes à peine après l'arrivée de Jake.

Une demi-heure plus tard, ils étaient allongés nus l'un à côté de l'autre, transpirants et insatisfaits, à la fois perplexes et abattus, pendant que les chats jouaient avec leurs orteils qui dépassaient des couvertures.

– Je suis désolé, Cherry, dit Jake, en essayant de se débarrasser des chats. Je ne sais pas ce que j'ai.

– Ne t'inquiète pas, Jason. Ça arrive. Tu n'as pas à t'excuser.

– Dieu sait pourtant si j'en ai envie, soupira-t-il en passant sa main sur son front.

– Je le sais.

– J'y ai pensé toute la journée.

– C'est peut-être de là que vient le problème. Tu y as trop pensé.

Cherry s'assit, les draps retombèrent sur sa taille et découvrirent sa lourde poitrine pendant qu'elle chassait les chats. Le premier sauta sur le sol en miaulant de protestation. L'autre resta au bout du lit sans rien dire en fixant Jake d'un regard accusateur.

– C'est sans doute la fatigue.

– Ces dernières semaines ont été dures. – Cherry se laissa retomber sur l'oreiller et se nicha au creux du bras de Jake. Elle se mit à caresser doucement les poils de sa poitrine. – Comment se déroule le procès?

– Parfaitement. Nous avons de fortes chances d'obtenir l'acquittement.

Il éclata de rire. Il avait passé sa journée à attendre l'heure de la retrouver. Il n'avait pensé qu'à ça depuis qu'il s'était réveillé, déjà excité. Même pendant qu'il bavardait avec Mattie, au petit déjeuner, il n'avait cessé d'imaginer le corps de Cherry et ce qu'ils feraient ensemble. Jamais encore l'ardeur de leurs ébats ne leur avait laissé le temps de parler travail.

– En fait, s'entendit-il continuer, ce sont les propres témoins de l'accusation qui vont me faire gagner le procès.

– Comment ça?

Se faisait-il des idées ou Cherry semblait-elle aussi déconcertée que lui par sa soudaine loquacité?

– La victime et le policier qui a procédé à l'arrestation ont reconnu tous deux que ma cliente était un vrai zombie quand elle a tiré. Même le psychiatre nommé par la cour a été forcé d'admettre que ma cliente était dans un état second.

– Forcé par qui?

– Eh bien, par moi, je suppose, répondit Jake en riant.

– Tu as donc été bon, n'est-ce pas?

– Très bon, même.

Il sentit un frémissement au creux de ses reins.

– Je suis prête à parier que tu as été excellent, susurra-t-elle en glissant sa main entre ses jambes.

Elle prit son pénis et commença à le caresser doucement. Jake gémit, comme pour encourager son corps à réagir correctement.

– C'est bon.

Une petite incitation verbale ne pouvait faire de mal, se dit-il en jetant un regard à son membre qui s'obstinait à rester inerte. Qu'est-ce qui lui prenait, bon sang! Ça ne lui était jamais arrivé. Il regarda fixement son sexe comme s'il pouvait le forcer à réagir.

– Détends-toi, l'encouragea Cherry, en couvrant son torse de petits baisers. – Il sentit la chaleur de son haleine, la douceur de ses lèvres quand elles se posèrent sur les siennes, la tendre poussée de sa langue qui explorait sa bouche. – Voilà qui est mieux, approuva Cherry en continuant à le masser doucement.

Jake ferma les yeux et enfonça ses mains dans les épaisses boucles rousses pendant que la tête de Cherry disparaissait entre ses jambes.

Quelle merveilleuse amante, inventive, prête à tout pour lui faire plaisir! Elle était si patiente, si compréhensive en ce qui concernait Mattie. Combien de femmes auraient mis leur vie en veilleuse comme elle l'avait fait pour lui? Comme l'avait fait Mattie pendant seize ans, réalisa-t-il en frissonnant.

– Jason, que se passe-t-il?

– Quoi?

Son regard glissa des yeux perplexes de Cherry à son membre à nouveau flasque.

– J'ai cru que ça allait mieux, pourtant.

– Je suis désolé.

– À quoi penses-tu?

– À rien.

Il inspira profondément, expira, regarda le chat qui le fixait depuis le bout du lit. Mattie semblait si joyeuse aujourd'hui. Il l'avait entendue chanter avec la radio, une de ces stations qui ne diffusent que des vieux tubes, pendant qu'il travaillait dans son bureau. Et il revoyait son sourire à la Mona Lisa quand il avait dit qu'il devait sortir ce soir, qu'il ne rentrerait sans doute que très tard. Elle ne lui avait même pas demandé où il allait, alors qu'il tenait une explication toute prête. « Je sors, moi aussi », lui avait-elle déclaré tout simplement.

— Tu penses à Mattie, n'est-ce pas ?

— À Mattie ? Non.

Cela se voyait-il tellement ?

— Comment va-t-elle ? continua Cherry, apparemment pas convaincue.

— Toujours pareil.

— J'espère qu'elle voit combien tu es merveilleux.

Jake se força à sourire. Mattie savait exactement quel homme il était. Et c'était là toute la différence entre les deux : l'une le connaissait trop bien ; l'autre pas du tout. Était-ce la raison de sa présence ici ?

— Je t'aime, Jason Hart, chuchota Cherry en tendant son visage vers lui.

— Pardon ? Que dis-tu ?

— Je disais que je t'aimais.

— Pourquoi ? demanda-t-il, se surprenant lui-même. Pourquoi m'aimes-tu ?

Pourquoi cette question ? Il détestait quand les femmes la lui posaient, comme si les sentiments pouvaient s'expliquer. Et voilà qu'il s'y mettait à son tour. Pourquoi ? s'étonna-t-il, en se retenant de rire.

— Pourquoi suis-je amoureuse de toi ? répéta Cherry. Je ne sais pas. Qu'est-ce qui fait que l'on tombe amoureux ?

Cette réponse, qui était mot pour mot celle qu'il aurait donnée si les rôles avaient été inversés, lui parut, étrangement, aussi insatisfaisante qu'irritante. Il y avait des moments où la vérité s'imposait et d'autres où elle ne suffisait vraiment pas.

— Laisse-moi réfléchir, se reprit Cherry, comme si elle avait senti son agacement. Je t'aime parce que tu es intelligent, sensible, sexy...

— Pas ce soir, précisa-t-il.

— Ah, mais la nuit ne fait que commencer, protesta-t-elle en riant, mais son rire sonna creux, comme celui de Mattie quand elle était malheureuse.

Jake voulut chasser Mattie de son esprit. Je ne t'ai pas invitée à cette escapade. Rentre à la maison.

Sauf qu'elle n'était pas à la maison. Elle était sortie. Où donc ? Sans doute était-elle allée au cinéma avec Lisa, ou Stéphanie, ou une autre de ses amies. Mattie avait beaucoup d'amies, se dit-il en s'apercevant qu'en dehors des relations qu'il avait nouées à travers sa femme il n'avait aucun réel ami de son côté.

– Où en es-tu de ton livre ? demanda-t-il en embrassant le bout de son sein.

– Mon livre ? Tu veux qu'on parle de mon livre ?

Ce sujet lui semblait aussi bon qu'un autre. Du moins, tant qu'il n'aurait pas réussi à écarter Mattie de ses pensées. Elle se dressait entre son cerveau et son sexe. Il devait la déloger.

– Je voulais juste savoir s'il avançait comme tu voulais.

Cherry s'assit, croisa les jambes comme au yoga, et remonta pudiquement le drap rose et blanc sur elle. Elle semblait au bord des larmes, remarqua Jake malgré lui.

– Mon livre avance bien.

– C'est bien.

– J'ai terminé le chapitre III cet après-midi.

– C'est très bien.

– J'en suis très contente.

– Bien.

– Bien, répéta-t-elle.

– Génial.

– Génial.

Il y eut un long silence. Que lui arrivait-il ? Était-il vraiment en train de bavarder alors qu'il aurait pu faire l'amour ?

– De quoi parle-t-il ? s'entendit-il demander, alors qu'il savait pertinemment que Cherry refusait obstinément de divulguer le sujet de ses livres.

– D'une femme qui a une liaison avec un homme marié, répondit-elle d'une voix tremblante, avec un petit sourire gêné. Il paraît qu'il vaut mieux écrire sur des sujets qu'on connaît.

Et elle fondit en larmes.

– Cherry...

– Ça va. Je vais bien. Bon sang. Tout va bien. – Elle essuya ses larmes d'un geste rageur. – Je me suis pourtant promis de ne jamais pleurer. Je ne veux pas. Je ne veux pas, répéta-t-elle, comme pour se convaincre. Je déteste les idiotes qui pleurnichent.

– Tu n'as rien d'une idiote ni d'une pleurnicheuse, protesta Jake en la prenant dans ses bras et en l'embrassant sur le front. – Elle était perturbée. Presque autant que lui. – Tu as de bonnes raisons d'être triste.

– Je sais que tu n'es pas responsable de cette situation. Et je comprends, je t'assure. Nous étions d'accord tous les deux pour que tu retournes auprès de ta femme ; je ne veux pas t'ennuyer avec ça. Tu n'as vraiment pas besoin que je te fasse des scènes en ce moment. Mais ce n'est pas facile pour moi, Jason. Merde ! J'ai vraiment cru que ce soir n'arriverait jamais.

— Je t'en prie, Cherry, ne pleure pas.

— J'ai l'impression parfois que tu m'échappes.

— Mais non.

— Je ne veux pas te perdre.

— Tu n'as rien à craindre.

— Je ne sais pas me battre, Jason. C'est un de mes gros problèmes. Je ne me suis jamais impliquée à fond dans quoi que ce soit. C'était vrai pour mon mariage et c'est encore le cas pour mon prétendu roman. J'ai toujours l'impression de rester en retrait. Je ne prends pas de risques et j'abandonne trop facilement. Eh bien, c'est fini, annonça-t-elle en se redressant. Pour la première fois de ma vie, je suis décidée à m'accrocher. Je te préviens, Jason. J'ai bien l'intention de lutter. Je ferai tout pour te garder.

Jake embrassa les nouvelles larmes qui roulaient sur ses joues. C'était la première fois qu'il la voyait pleurer, se dit-il en sentant le goût du sel sur sa langue. Cherry gémit. Elle lui mit les bras autour du cou et passa ses jambes autour des siennes. Jake sentit un tressaillement bienvenu dans ses reins, la renversa aussitôt sur le lit et la pénétra. Cherry laissa échapper un cri et planta ses ongles dans ses épaules.

— Tout va s'arranger, chuchota-t-il. Tout va s'arranger.

Les mots continuèrent à résonner dans sa tête au rythme de ses coups de reins jusqu'à ce qu'il finisse lui-même par y croire.

— Du champagne ? demanda Roy Crawford.

— Pourquoi étais-je certaine que vous m'en proposeriez ? lui demanda en souriant Mattie, assise sur le bord de l'immense lit.

— Parce que je suis désespérément prévisible ?

Le sourire de Mattie s'élargit.

— Parce que vous êtes désespérément romantique.

— Pas vous ?

— Moi ? Non. J'ai l'esprit bien trop pratique.

Ce fut au tour de Roy Crawford de sourire.

— Peut-être pourrons-nous y remédier.

— C'est la raison de ma présence ici.

Ils s'étaient retrouvés, à la suggestion de Mattie, dans une magnifique chambre bleu et ivoire avec un lit immense au vingt-huitième étage du Ritz-Carlton. Et, depuis ce matin, Mattie n'avait cessé de penser à l'homme qui s'avançait vers elle, le regard pétillant, deux grandes coupes de dom-pérignon à la main.

Roy Crawford s'assit à côté d'elle sur le dessus-de-lit replié et ses genoux frôlèrent les siens lorsqu'il lui tendit le verre de champagne.

— À cette soirée, dit-il en faisant tinter sa coupe contre la sienne.

— À cette soirée, répondit Mattie. — Elle porta le champagne à ses lèvres et but lentement une gorgée, le nez picoté par les bulles. — C'est délicieux, ajouta-t-elle.

— Oui, vraiment, répondit-il alors qu'il n'avait pas encore bu.

Mattie sentit son pouls s'accélérer. Combien de temps s'était-il écoulé depuis qu'un homme l'avait regardée en affichant aussi ouvertement son désir?

— J'ai cru comprendre que vous n'aviez eu aucune difficulté à vous dégager ce soir, s'entendit-elle dire alors que son cœur battait la chamade.

— Non, aucune. Tracey sait que j'ai souvent des impondérables.

— Tracey avec un *e* et un *y*?

Roy sourit.

— Elle est très pointilleuse. — Il but une gorgée de champagne et hocha la tête d'un air appréciateur. — Et vous? reprit-il. Vous n'avez pas eu de problèmes?

— Mon mari a aussi ses impondérables, pouffa-t-elle.

Mais à la pensée de ce que Jake pouvait faire au même moment elle s'étrangla. Il lui fallut un moment avant de retrouver sa respiration.

— Ça va?

— Oui, hoqueta-t-elle, le souffle court.

— Regardez en l'air. Levez les mains.

— Comment? Pourquoi?

— Je ne sais pas, avoua-t-il avec un petit air piteux. Ma mère nous disait toujours de faire ça quand on avalait de travers.

— Je n'ai pas avalé de travers, se défendit-elle, ce qui ne l'empêcha pas de lever la tête et les bras.

— Ça va mieux?

Mattie hocha la tête, préférant ne pas parler.

— Alors, tout va bien entre vous et votre mari? demanda-t-il, ses yeux gris traversés d'une lueur d'inquiétude.

– Oui, parfaitement bien, le rassura Mattie, d'une voix enrouée très sexy.

– Et ce soir, alors, c'est une revanche ?

Mattie se leva et se dirigea vers la fenêtre, en buvant lentement son champagne.

– Non, je ne crois pas, répondit-elle avec honnêteté. Je ne le fais pas pour ça. Plus maintenant. – Elle marqua une pause, inspira profondément et sentit sa gorge s'éclaircir. – Je le fais pour moi.

Roy arriva aussitôt derrière elle et posa ses lèvres sur sa nuque.

– J'en suis flatté.

Mattie sentit les cheveux sur son cou se hérisser et onduler sous son souffle chaud.

– Je reprendrais bien du champagne, dit-elle.

Roy remplit immédiatement son verre et la regarda le vider d'une traite.

– Vous êtes vraiment décidée à le faire ?

– Tout à fait.

Mattie posa sa coupe sur la table, prit le visage de Roy entre ses mains et l'embrassa. Il avait des lèvres douces et pleines, plus épaisses que celles de Jake, constata-t-elle alors qu'il lui rendait son baiser avec savoir-faire, la bouche ouverte, avec juste la pointe de sa langue. Exactement comme il faut. En homme qui aimait embrasser et s'appliquait à en faire un art.

– Vous faites cela très bien, le complimenta-t-elle, les jambes flageolantes, alors qu'il la conduisait lentement vers le lit.

– J'ai quatre sœurs. Nous nous sommes beaucoup entraînés quand nous étions petits.

Ils s'arrêtèrent devant le lit et il l'embrassa à nouveau. D'une façon plus appuyée cette fois, bien que sa langue restât discrète. Oui, vraiment, il s'était parfaitement exercé. Pourtant Jake n'embrassait pas mal du tout, lui non plus. Mais il y avait bien longtemps qu'il ne l'avait pas étreinte de cette façon. L'avait-il jamais fait ? se demanda-t-elle en sentant le bois du lit derrière ses mollets. Elle rouvrit les yeux pour chasser Jake de ses pensées et vit dans un brouillard la grosse tête de Roy Crawford penchée sur elle.

Roy se recula légèrement, sans détacher ses lèvres des siennes. Ses mains glissèrent sur son chemisier en soie verte et ses doigts se mirent aussitôt à tracer de petits cercles autour de ses seins. Pour le moment tout allait bien, voulait-elle se rassurer alors

160

qu'il commençait à défaire ses petits boutons de perle. Elle sentit un picotement familier dans son pied droit. Rien d'inquiétant, pensa-t-elle. Tout son corps fourmillait. Il n'y avait pas de quoi s'angoisser.

— Comment vous sentez-vous ? chuchota-t-il.

— Merveilleusement bien.

— Merveilleux, répéta-t-il en faisant glisser son chemisier de ses épaules, et ses mains revinrent aussitôt sur le devant de son soutien-gorge noir en dentelle. Vous êtes si belle, murmura-t-il alors que ses mains descendaient vers ses hanches.

Il prenait son temps et enlevait un à un chacun de ses vêtements, en s'émerveillant de la douceur de sa peau, des courbes délicates de son corps, de son parfum, de la façon dont elle réagissait à chaque nouvelle caresse.

— Regardez-vous, dit-il en s'allongeant à côté d'elle sur les draps immaculés. Savez-vous que vous êtes incroyablement belle ?

— Redites-le-moi, soupira-t-elle, les yeux remplis de larmes.

Et il le répéta. Encore et encore. Ses mains parcouraient ses seins, ses cheveux, ses jambes, ses lèvres suivaient le chemin tracé par ses mains, sa langue celui tracé par ses lèvres. Mattie gardait les yeux fermés, ne les rouvrant que lorsque Jake venait rôder derrière ses paupières. Rentre à la maison, Jake. Ce lit n'est pas assez grand pour nous tous.

— Prête ? demanda Roy Crawford.

— Pas encore. — Mattie se redressa et le repoussa en riant. — À mon tour, dit-elle en étudiant son corps nu.

La dernière fois qu'elle avait trompé son mari, elle avait fermé les yeux et détourné la tête. Elle avait bien l'intention de ne pas recommencer. Pas cette fois-ci. Elle était décidée à savourer chaque seconde. Elle vivrait cette aventure les yeux grands ouverts.

Roy Crawford avait un corps magnifique pour un homme de son âge, reconnut-elle en caressant son torse. Mince, tonique, musclé. Il devait prendre grand soin de lui. Et faire plusieurs heures de musculation par semaine. Comme Jake. Dans une salle de gym, là où Jake avait rencontré Cherry, avec un *y*.

Elle sentit Roy Crawford tressaillir sous ses doigts.

— Désolée, je vous ai fait mal.

— Je préfère la douceur.

— Je dois manquer un peu de pratique.

— Non, vous êtes merveilleuse, protesta-t-il, alors que Mattie se couchait sur lui.

Elle poussa un cri quand il la pénétra. Bientôt, ils changèrent de position, il vint sur elle sans cesser de lui répéter qu'elle était belle. Elle se sentait à la fois étourdie et euphorique, son corps palpitait comme s'il allait exploser. C'est magique, se dit-elle, au moment où son corps succombait à l'extase. Combien cette magie lui avait manqué !

— Ça va ? demanda Roy.

— Très bien, soupira Mattie en souriant de gratitude. Et vous ?

Il se pencha vers elle et l'embrassa sur l'épaule.

— Moi aussi.

Silence. Le charme s'était dissipé. Et, comme tous les tours de magie, il s'était évanoui sans laisser de traces. L'enchantement avait été total, il méritait bien l'enthousiasme qu'il avait suscité, mais il avait disparu sans prévenir, sans livrer ses tours de main ni ses secrets. Et en fin de compte, il n'en restait rien.

Était-ce vraiment ce qu'elle cherchait ? Voulait-elle passer ainsi la dernière année de sa vie ?

Justement, ce qu'elle appréciait dans une œuvre d'art, n'étaient-ce pas sa permanence, sa précision, son respect des règles ? Même le griffonnage le plus monstrueux était souvent longuement mûri. La vie, en revanche, était éphémère, fuyante et brouillonne. Elle se moquait de sortir des rails. Bonté divine, elle se faisait même un plaisir de les passer au bulldozer.

Mattie regarda Roy, ce milliardaire parti de rien et perpétuel adolescent, étendu nu à côté d'elle, qui n'avait jamais cherché à passer pour ce qu'il n'était pas. À prendre tel qu'il était. La simplicité faite homme. Exactement comme dans la publicité. Elle ferma les yeux. S'il y avait autre chose à découvrir en lui, elle ne voulait pas le savoir.

Charme rompu. Point final.

Au bout de quelques minutes, Mattie jeta un œil vers le réveil sur la table de chevet. Il était déjà neuf heures douze.

— Je devrais peut-être songer à rentrer chez moi, dit-elle en pensant à la longue route en taxi qui l'attendait.

— Oui, moi aussi, il faut que je m'en aille, répondit Roy en passant la main dans ses épais cheveux gris.

Ils se retrouvaient comme deux étrangers qui se réveillent au matin dans le même lit, nus, en sueur, vaguement méfiants l'un de l'autre après une soirée bien arrosée, songea Mattie en le regardant se diriger vers la salle de bains.

Quelques secondes plus tard, elle entendit couler la douche. Elle attrapa ses vêtements et les enfila prestement. Elle aurait tout le temps de se doucher chez elle. Il y avait peu de chances que Jake rentre avant minuit. Elle se battait encore avec les boutons de son chemisier lorsque Roy sortit, un drap de bain roulé autour de la taille.

– Un problème ?

– Mes boutons font de la résistance, avoua Mattie en cachant ses doigts tremblants derrière son dos.

– Laissez-moi faire. – Les mains de Roy Crawford revinrent sur le devant de son chemisier. Il hésita, les doigts au-dessus de ses seins. – Il vaut mieux pas, soupira-t-il en se décidant à la reboutonner.

– Merci, lui dit sincèrement Mattie.

– Quand vous voulez.

Il l'embrassa doucement au coin des lèvres.

– Merci, répéta-t-elle.

– Pourquoi ? demanda-t-il, étonné.

– Pour m'avoir fait me sentir désirable.

Ils se mirent à rire.

– Tout le plaisir fut pour moi, dit-il en ramassant ses chaussettes. Vous savez, j'aimerais vraiment aller voir cette exposition dont votre mari a parlé l'autre soir.

Il mit son pantalon et enfila son pull bleu.

– Oui, acquiesça Mattie, en se recoiffant dans le miroir en face du lit. Il y a en effet plusieurs photographies qui devraient vous plaire.

– Je vous appellerai. On mettra ça au point.

– C'est parfait.

– Parfait, répéta-t-il en écho.

– Parfait.

19.

– Vite. Dépêche-toi, dit Kim en faisant hâtivement entrer Teddy Cranston.

Elle jeta un regard furtif dans la rue calme et sombre, en songeant qu'on pouvait les voir des maisons voisines. Pourtant elle ne faisait rien de répréhensible. Tout au moins dans le principe.

Elle était privée de sortie. Mais personne ne lui avait interdit d'inviter quelqu'un si elle le voulait. En plus, ses parents passaient la soirée dehors. Alors quelle importance ? Pas vu pas pris. Son père ou sa mère pouvaient appeler pour vérifier qu'elle était bien là, elle était prête. Tout comme elle était prête pour Teddy. C'est le grand soir, lui avait-elle annoncé au téléphone. Amène tes fesses avant une demi-heure, sinon ce sera trop tard. Vingt-neuf minutes plus tard, il sonnait à sa porte.

— Ma chambre est en haut, dit Kim, montrant le chemin.

Pourquoi perdre du temps en préliminaires ? Ils y avaient déjà passé plusieurs mois. Ils n'avaient que deux heures pour finir le travail.

— Jolie maison, remarqua Teddy en enlevant son gros blouson en cuir marron qu'il jeta sur la rambarde de l'escalier avant de suivre Kim à l'étage.

— Ouais, ça va.

Ils ne dirent plus un mot jusqu'à sa chambre. Kim vérifia d'un coup d'œil que la pièce était présentable. Après avoir appelé Teddy, elle avait précipitamment poussé tout ce qui traînait dans le placard. Elle avait même fait son lit. Sa mère n'arrêtait pas de dire qu'on dormait mal dans un lit défait. Non qu'elle eût l'intention de dormir, gloussa-t-elle silencieusement avant de chasser sa mère de ses pensées en secouant ses cheveux blonds.

— Trop cool ! dit Teddy en regardant autour de lui. J'adore ton dessus-de-lit en patchwork, ajouta-t-il en avisant le grand lit.

Kim hocha la tête. En fait, la couette était un imprimé de petits carrés rayés rouge et blanc, bleu vif et blanc qui contrastaient avec des carrés à fleurs jaunes ou à pois verts. C'était sa mère qui l'avait choisie, comme tout ce qui se trouvait dans la pièce, en laissant croire à Kim que c'était elle qui prenait les décisions.

— Tu feras ce que tu veux, lui avait-elle promis quand ils avaient emménagé. Tu es une grande fille maintenant. Nous décorerons ta chambre exactement comme tu le voudras.

Mais comment Kim aurait-elle pu savoir ce qu'elle voulait ? Elle n'avait que onze ans. Elle n'avait pas encore de goût ni de style affirmés. Elle avait donc suivi les suggestions de sa mère dont la personnalité se retrouvait jusque sur les murs. Alors que la plupart des filles de son âge tapissaient leurs chambres de posters d'acteurs, de mannequins ou de chanteurs, la sienne était agrémentée de lithographies numérotées et signées de l'Art Institute, d'artistes comme Joan Miró et Jim Dine, ainsi que d'une merveilleuse photo en noir et blanc de la célèbre photographe Annie Leibovitz.

Que ferait-elle quand sa mère ne serait plus là, se demanda-t-elle avec angoisse, quand elle n'aurait plus personne à qui confier ce qu'elle aimait et ce qu'elle détestait, ni personne avec qui elle pourrait être elle-même?

— Cool, dit Teddy en s'approchant d'un tableau qui représentait un énorme 4 jaune laqué qui flottait sur un fond noir et rouge. C'est toi qui l'as fait?

Kim dévisagea le garçon, espérant qu'il plaisantait.

— Pas vraiment. C'est de Robert Indiana.

Elle se mordit aussitôt la lèvre. Avait-elle bien fait de le corriger? L'avait-elle embarrassé? Allait-il marmonner Dieu sait quelle excuse pour s'esquiver et la laisser avec son encombrante virginité intacte?

— Oh, c'est cool! dit-il en haussant les épaules.

— C'est une affiche.

Comment avait-il pu prendre cela pour une peinture? Comment pouvait-elle se livrer à un être incapable de voir la différence?

— Cool! répéta-t-il en se laissant tomber au milieu du lit.

Ne savait-il rien dire d'autre? se demanda-t-elle, plantée au milieu de la chambre. Bon, d'accord, ce n'était pas le mec le plus brillant du lycée, mais il y avait pire. Regarde les choses du bon côté. Ne t'attarde pas sur le négatif. Pense à tout ce qui te plaît en lui. Ses yeux marron, ses fossettes quand il sourit, son corps mince, ses longs doigts fuselés, sa façon de t'embrasser, de caresser tes seins. Laisse à d'autres le soin de l'aimer pour son esprit. C'était déjà bien qu'il soit plus vieux, plus expérimenté et qu'il l'ait choisie entre toutes les autres, non? Toutes ses amies rêvaient d'être à sa place.

Sauf que ce n'étaient pas vraiment des amies. Caroline Smith, Annie Turofsky, Jodi Bates ne l'appréciaient que parce qu'elle plaisait à Teddy. Elles la laisseraient tomber comme une vieille chaussette dès qu'il se désintéresserait d'elle. En fait, elle n'avait aucune véritable amie. Sauf sa mère. Toi et moi contre le monde entier, lui chantait-elle quand elle était petite. Que deviendrait-elle quand sa mère la quitterait? Vers qui pourrait-elle se tourner? Son père?

— Quel beau mec! s'était pâmée Jodi un jour où il les avait ramenées du lycée.

— Je me laisserais bien tenter, avait ajouté Caroline avec un rire vulgaire.

Vas-y, ne te gêne pas, avait-elle failli lui répondre. Mais elle s'était retenue. Caroline avait le don d'obtenir tout ce qu'elle voulait et il ne lui manquerait plus que cette garce comme belle-mère. Kim laissa échapper un grognement. Où allait-elle chercher des pensées pareilles? Sa mère n'était pas encore morte qu'elle songeait déjà à celle qui la remplacerait.

– Tu ne veux pas venir près de moi? demanda Teddy en lui jetant un regard brûlant.

Chassant brutalement sa mère de ses pensées, Kim s'approcha du lit et retira son pull blanc par-dessus sa tête avant de le laisser tomber par terre.

– Waou! s'exclama Teddy en la voyant dégrafer son soutien-gorge blanc.

Kim se sentit rougir de honte des pieds à la racine des cheveux. Que faisait-elle? Allait-elle vraiment se mettre nue devant lui?

– Attends-moi.

Il se leva d'un bond et enleva sa chemise, son jean, ses chaussures et ses chaussettes d'un seul geste comme s'ils ne formaient qu'un seul vêtement attaché uniquement par du Velcro. Et, sans la moindre gêne, il se redressa nu devant elle, son pénis en érection se balançant devant lui.

– Oh! laissa-t-elle échapper.

– Tu n'enlèves pas le reste? demanda-t-il en montrant le jean de Kim et ses grosses bottes noires.

Elle s'assit sur le bord du lit sans oser le regarder.

– Tu as apporté un préservatif?

– Il est dans ma poche, répondit-il, avec un geste vague vers le sol.

– Tu ne crois pas que tu devrais le mettre?

Teddy se pencha vers son jean avec des gestes d'automate, trouva rapidement le petit sachet et l'ouvrit. Kim souleva la couette, se glissa dessous et la remonta jusqu'à son menton pendant que Teddy mettait son préservatif.

– Paré au combat! annonça-t-il avec un sourire triomphal.

– Tu es sûr qu'il est bien mis?

– Compte sur moi, la rassura-t-il en se glissant près d'elle.

– Et si jamais il se déchire?

– Ça risque pas. Ces machins sont hyperrésistants.

Il posa une main sur son sein. Kim la repoussa.

– Tu peux éteindre?

Sans dire un mot, il se leva, éteignit la lumière près du lit et revint contre elle sans lui laisser le temps d'enregistrer sa brève absence.

– Peut-être qu'on devrait pas le faire, bredouilla Kim, qui refusait de lâcher les draps.

– Quoi? Allez, Kim. Ça fait des mois que tu m'excites.

– Pas du tout.

– Tu me rends fou, tu le sais bien, susurra-t-il en lui léchant l'oreille.

Tu ne penses donc qu'à ça? aurait-elle voulu lui demander, mais elle connaissait déjà la réponse. C'était évident. Tous les garçons ne pensaient qu'au sexe, pas juste à l'occasion, comme les filles, mais tout le temps. Pratiquement à chaque minute de la journée. Pas étonnant qu'il leur fût impossible d'aligner deux phrases cohérentes. Ou de faire la différence entre une affiche et une peinture.

En revanche, c'était elle qui avait eu l'idée pour ce soir. C'était elle qui l'avait appelé chez lui et pratiquement sommé de venir. Elle qui l'avait conduit à l'étage jusqu'à sa chambre. Et elle qui avait ouvert les festivités en enlevant son pull. Elle était couchée nue contre un homme nu, nom d'un chien! Comment tout arrêter maintenant?

– Tu feras attention?

– Tout se passera bien. Je te le promets.

Et, sans prévenir, voilà qu'il tentait brutalement de la pénétrer.

– Il faut que tu te détendes, murmura-t-il entre deux grognements. Relaxe-toi et laisse-moi faire.

– Tu n'es pas au bon endroit, protesta-t-elle d'un ton impatient.

– Comment ça, je ne suis pas au bon endroit?

– Je ne crois pas.

Elle essaya de changer de position, ce qui ne fit qu'exciter davantage Teddy. Il finit par trouver son chemin et Kim se raidit en sentant une douleur aiguë lui déchirer le corps. Le partage de la mer Rouge, se dit-elle en sentant un liquide poisseux couler entre ses cuisses. Elle se demanda brusquement s'il y aurait du sang sur les draps et comment elle l'expliquerait à sa mère. Je lui dirai simplement que j'ai eu mes règles, décréta-t-elle en appuyant sur les fesses de Teddy pour tenter de le ralentir. Mais soit il se méprit sur ses intentions, soit il décida de les ignorer. En tout cas, il fit exactement le contraire et accéléra son rythme déjà frénétique jusqu'au moment où il poussa un cri, presque une plainte, comme s'il avait mal, et s'immobilisa, tremblant de tout son corps. Quelques secondes plus tard, il se laissa glisser sur le côté et s'allongea sur le dos, sa main gauche tendue derrière sa tête dans une posture qui pouvait traduire soit le triomphe, soit l'épuisement total. C'est tout? pensa Kim. C'était de ça que l'on faisait tout un plat? Elle remonta la couette sous son menton.

– Ça va? s'enquit Teddy comme s'il se rappelait brusquement sa présence.

– Bien. Et toi?

– Super. Tu as été géniale. – Il se tourna vers elle et embrassa sa joue humide. – Tu pleures?

– Non, répondit-elle d'une voix indignée en s'essuyant la joue.

C'était vraiment tout?

– Ça sera mieux la prochaine fois.

– C'était déjà génial aujourd'hui, mentit-elle en regardant son torse nu, et ses yeux furent alors attirés par son membre maintenant tout flasque et vulnérable. Où est le préservatif? demanda-t-elle brusquement.

Il était encore en elle, évidemment, comprit-elle au même moment, l'estomac retourné.

– Oh, mon Dieu! qu'allons-nous faire? gémit-elle.

– Enlève-le.

– Comment ça?

– Avec tes doigts.

– Je peux pas!

– Pourquoi?

– Parce que. – Mais qu'est-ce qu'il avait fichu? – Tu m'avais promis de faire attention! Tu m'avais promis que tout se passerait bien!

– J'ai fait attention.

– Alors qu'est-ce que cette saleté fait dans moi?

– Ça a dû glisser quand je me suis retiré.

– Oh, punaise, punaise!

– Tu n'as qu'à...

– Non, je ferai rien! C'est à toi de le faire. Oh, punaise! répéta-t-elle en se cachant le visage pendant que Teddy disparaissait sous les couvertures.

– Je l'ai, annonça-t-il triomphalement quelques secondes plus tard en brandissant l'objet. Et regarde, tu vois, tout va bien. Il ne s'est pas déchiré. Tout est dedans.

– Oh, quelle horreur! gémit Kim, le cœur au bord des lèvres en voyant Teddy laisser tomber le préservatif dans la corbeille à papier. Tu es sûr que rien n'a coulé?

– Sûr et certain, affirma-t-il d'un ton catégorique, comme si sa parole pouvait suffire à enrayer la panique de Kim.

– Qu'en sais-tu ?

– Je le sais.

– Oh, punaise, punaise !

– Tout ira bien.

– Punaise !

– Tu ne voudrais pas arrêter de dire ça ? Tu vas finir par me rendre nerveux.

– Et si je suis enceinte ?

– Oh, mon Dieu ! s'exclama-t-il aussitôt.

Pas de panique, se dit Kim. La situation n'a rien d'alarmant. Il a mis un préservatif et celui-ci ne s'est pas déchiré. Les affreux petits spermatozoïdes n'ont pas eu le temps de s'échapper. Et en plus, tes règles se sont terminées il y a deux jours à peine. C'est impossible que tu sois enceinte. Impossible. Impossible. Impossible.

Oh, punaise, punaise, punaise !

Sa mère avait-elle ressenti la même chose seize ans auparavant ? Était-ce pour mieux la comprendre qu'elle avait pris ce risque stupide ?

– Kim ? Ça va ? Tu ne dis plus rien.

– Ça va, répondit-elle, soudain bizarrement calme.

– Kim ?

– Oui ?

– Tu veux qu'on recommence ?

Mattie, assise à l'arrière du taxi, essayait d'oublier le picotement insistant entre ses cuisses. Elle sentait encore en elle l'écho lointain des assauts de Roy Crawford, comme après une amputation quand la sensibilité persiste alors que le membre a disparu. La sensation de l'absence. Bien préférable à l'absence de sensation.

– Tournez dans cette rue. C'est la cinquième maison.

Le chauffeur s'arrêta devant chez elle. Mattie nota la lumière dans l'entrée alors que le reste était plongé dans l'obscurité. Elle regarda sa montre. Presque dix heures. Kim s'était peut-être déjà endormie. Elle ne l'avait pas appelée. Si Jake voulait tenir sa fille à l'œil, libre à lui. Mattie, quant à elle, avait décidé de lui faire confiance.

– Merci, dit-elle au taxi en lui tendant le prix de la course assorti d'un joli pourboire.

Elle ouvrit la porte et descendit de voiture. Mais son pied se déroba et elle s'étala de tout son long dans la neige peu épaisse au bord de son allée.

Le chauffeur se précipita pour l'aider à se relever.

– Ça va, m'dame? Qu'est-ce qui s'est passé?

– Je suis désolée, s'excusa Mattie, incapable de tenir debout toute seule.

Mon Dieu, que lui arrivait-il? J'ai dû trop boire. Oui, ce devait être ça. Trop de champagne. Le champagne et l'amour : un mélange fatal. Surtout quand on n'a pas l'habitude.

– Heureusement que vous n'avez pas été malade dans la voiture, soupira le brave homme en l'aidant à monter l'escalier.

Il attendit patiemment qu'elle trouve ses clés dans son sac.

– S'il vous plaît, dit-elle en lui tendant son trousseau.

Il ouvrit la porte et le lui rendit.

– Ça va, m'dame? Vous pourrez vous débrouiller toute seule?

– Oui, ça ira. Merci beaucoup.

Mattie s'accrocha à la poignée de la porte et le regarda descendre les marches, regagner son taxi et démarrer sans jeter un regard en arrière.

Je vais bien, répéta-t-elle intérieurement. Non, ça ne va pas du tout, corrigea-t-elle aussitôt en s'effondrant.

– Jake! appela-t-elle.

Pas de réponse. Elle se faisait des illusions! Son mari n'était pas à la maison.

– Kim!

Toujours pas de réponse.

Kim avait dû se coucher de bonne heure. Il ne lui restait plus qu'à se traîner jusqu'à la cuisine. « Bon sang », gémit-elle en arrivant au pied de la table. Elle retira son manteau, l'abandonna en tas sur le carrelage, se servit du dossier d'une chaise pour se relever, et s'y laissa tomber, épuisée.

– Bon sang! Mais qu'est-ce qui m'arrive?

Tu le sais très bien, lui répondit son image éplorée dans la porte coulissante en verre.

Non, protesta Mattie. Pas maintenant. Pas déjà.

Tu es atteinte d'une sclérose latérale amyotrophique, entendit-elle Lisa déclarer, alors que le visage de son amie apparaissait dans la glace à côté du sien.

– Ça paraît grave.

– *Ça l'est.*

– Combien de temps me reste-t-il?

– *Un an. Peut-être deux, ou même trois.*

Mattie ferma les yeux pour chasser l'image de Lisa de son esprit. Mais les voix continuaient comme un téléviseur dont le tube cathodique tombe en panne, avec son écran aveugle alors que le son reste clair et net.

— Et que va-t-il m'arriver pendant tout ce temps ? s'entendit-elle demander bien qu'elle se bouchât les oreilles avec les mains.

D'abord tu ne pourras plus marcher. Tu seras dans un fauteuil roulant. Tu ne pourras plus te servir de tes mains. Tu commenceras à te recroqueviller sur toi-même.

— Je serai prisonnière de mon propre corps, conclut Mattie.

Elle baissa les mains et rouvrit les yeux, le regard tourné vers le jardin plongé dans le noir, le cœur cognant dans sa poitrine comme s'il voulait s'échapper pendant qu'il était encore temps.

— Je meurs.

Elle se força à se lever, alla ouvrir la porte vitrée et sortit prudemment sur la terrasse. L'air frais de la nuit s'enroula autour de ses épaules comme un vieux châle pendant qu'elle regardait fixement la piscine cachée sous sa couverture. Pourrait-elle encore nager ? C'était peu probable.

— Je meurs, répéta-t-elle, ce qui ne rendait pas les mots plus faciles à assimiler ou à digérer pour autant. Mais pas tout de suite. Pas avant d'avoir vu Paris.

Elle se mit à rire et s'avança jusqu'à la rambarde. Son séjour à Paris était prévu dans trois mois. Elle devrait encore être suffisamment en forme à cette époque. Elle avait déjà eu ce genre de crise. Mais elles duraient de plus en plus longtemps et l'affaiblissaient beaucoup. Et ensuite, après Paris ? Six mois se seraient déjà écoulés depuis l'annonce du terrible diagnostic. Alors qu'il lui restait si peu de temps. Que seraient les six mois suivants ? Serait-elle condamnée à assister, impuissante, à la destruction progressive de ses cellules nerveuses, jusqu'à ce qu'elle ne puisse plus parler ni manger ni même respirer ? Pourrait-elle le faire ?

Avait-elle le choix ?

Nous avons toujours le choix, protesta-t-elle. Rien ne la forçait à attendre d'être emportée par les ravages de la maladie. Elle pourrait prendre la situation en main pendant que les siennes fonctionnaient encore. Elle n'avait aucune arme, donc il n'était pas question qu'elle se tire une balle dans la tête et elle ne pensait pas avoir, même maintenant, la force ni l'adresse de se servir d'un couteau. La pendaison était trop compliquée et se jeter du haut d'un escalier ne lui semblait pas la façon la plus sûre d'en finir.

Je pourrais me noyer, se dit-elle, alors que son imagination l'entraînait déjà sous l'affreuse couverture verte. Il suffirait d'enlever la bâche de la piscine un peu plus tôt. D'attendre qu'il n'y ait personne à la maison, de prendre un petit bain et de se laisser disparaître sous la surface, tranquillement, sans faire de bruit.

Sauf que ce serait certainement Kim qui la découvrirait, réalisa-t-elle avec horreur. Pas question de prendre un tel risque. Elle devait absolument la protéger.

Il lui fallait trouver autre chose.

Mattie s'écarta de la rambarde sur ses jambes encore titubantes. Elle rentra dans la cuisine et traversa la pièce à pas lents. Je vais mourir, se répétait-elle sans y croire, en se dirigeant vers l'escalier. Il me reste un an. Peut-être plus.

Elle posa la main sur la balustrade et tomba sur une veste en cuir qu'elle ne connaissait pas. C'était un blouson d'homme mais pas du tout le genre de vêtement que portait Jake. Était-ce à Kim ? L'avait-elle emprunté à l'un de ses camarades de classe ? La veste, trop lourde, lui glissa des doigts.

– Peut-être moins d'un an, chuchota-t-elle les larmes aux yeux en s'engageant dans l'escalier.

Moins d'un an.

Mattie s'arrêta pour reprendre son souffle sur le palier. La porte de la chambre de Jake était ouverte ainsi que celle de Kim. Bizarre ! Sa fille aimait dormir la porte fermée. Leur aurait-elle désobéi ? Serait-elle sortie malgré leur interdiction ?

– Kim ? appela-t-elle en s'approchant doucement.

La pièce était sombre mais Mattie put néanmoins constater que sa fille avait fait un sérieux rangement. La pauvre. Elle devait être épuisée. Voilà pourquoi elle s'était couchée si tôt. Pourquoi elle ne l'avait pas entendue. Et pourquoi elle avait oublié de fermer sa porte.

Mattie s'avança sur la pointe des pieds. Elle avait envie de l'embrasser comme lorsqu'elle était petite. Son joli bébé, pensa-t-elle en s'approchant de la masse enfouie sous la couette qu'elle souleva délicatement pour embrasser sa fille sur le front. Au même moment, une autre forme se mit à bouger près de Kim.

Et l'enfer se déchaîna.

Mattie hurla. Kim hurla. Un garçon affolé détala à travers la pièce en ramassant ses vêtements et disparut dans l'escalier en criant des excuses.

– Comment as-tu osé faire ça ? cria Mattie alors que la porte d'entrée claquait.

– Tu crois qu'on a fait exprès de s'endormir ? Comment as-tu pu me faire une honte pareille ?

Mattie dévisageait sa fille qui n'aurait seize ans que dans un mois. Mon bébé, se dit-elle en secouant la tête, incrédule. Elle aurait voulu la secouer, mais pouvait-elle hurler contre sa fille d'avoir fait la même chose qu'elle? Le fait que Kim n'eût que quinze ans semblait bien innocent au regard de sa propre infidélité conjugale.

— Nous réglerons cette histoire plus tard, proclama-t-elle avant de se replier vers la sécurité de sa chambre tandis que Kim claquait la porte derrière elle.

Mattie s'assit au bord de son lit, le regard perdu dans le vide. Quelle nuit! se dit-elle en s'adossant aux oreillers. Et elle n'est pas encore terminée. Elle se pencha vers le téléphone, composa un numéro qu'elle connaissait par cœur et écouta la sonnerie retentir, une, deux, trois fois.

— Oui. Qui est à l'appareil?

— Mattie Hart, répondit-elle calmement en essayant d'imaginer la tête de la jeune femme qui retenait son souffle à l'autre bout du fil. Je voudrais parler à mon mari.

20.

Moins d'une heure plus tard, Mattie entendit la porte du garage s'ouvrir et se refermer dans un grondement. Elle sortit doucement de son fauteuil et posa les pieds par terre avec précaution. Son cœur cognait si fort qu'elle avait peur qu'il ne finît par jaillir de sa poitrine. Comme cette créature dans *Alien*. Somme toute, la comparaison n'était pas mauvaise. Son corps était envahi par une puissance mystérieuse qu'elle ne pouvait ni contrôler ni comprendre. Et qui lui imposait des comportements étrangers à sa personnalité. Garde ton calme, se dit-elle en avançant à petits pas. Elle passa une main tremblante dans ses cheveux qu'elle venait de laver. Ce n'était pas le moment de dramatiser.

Ah bon? demanda une petite voix. *Tu trompes ton mari et ton mari te trompe. Tu viens de découvrir ta fille de quinze ans au lit avec un inconnu. Sans parler du fait que tu vas mourir. Et tu trouves que ce n'est pas le moment de dramatiser?*

Mattie arriva dans le hall au moment où la clé de Jake tournait dans la serrure. Elle le regarda s'engouffrer à l'intérieur dans une bourrasque de neige, le vent hurlant dans son dos. Quelle entrée fracassante! se dit-elle.

Il ne la vit pas tout de suite. Il garda la tête baissée, comme s'il bravait encore les éléments, et commença par secouer la neige de ses bottes. Ce n'est qu'après s'être déchaussé et avoir enlevé son manteau qu'il s'aperçut de sa présence.

– Sacrée tempête! – Il pendit son manteau dans le placard et secoua la neige de ses cheveux. – Heureusement que j'avais des bottes dans la voiture.

Il s'arrêta et la regarda dans les yeux pour la première fois depuis qu'il avait franchi la porte.

Trêve de politesses! lut-elle dans son regard.

– Tu vas bien? Il est arrivé quelque chose?

– Je vais bien.

Jake fronça les sourcils, perplexe.

– Je ne comprends pas. Tu m'as dit de rentrer tout de suite. J'ai cru que c'était urgent. Que se passe-t-il?

– Tu veux dire en dehors du fait que je suis mourante et que tu couches avec une autre?

Il y eut un silence.

Elle était allée trop loin, pensa-t-elle en retenant son souffle.

– Oui, en dehors de ça.

Et, soudain, ils furent pris de petits gloussements nerveux, dus autant à la surprise qu'à leur exaspération réciproque qui dégénérèrent en un fou rire incontrôlable, dissipant d'un coup toutes leurs dissensions. Ils en oublièrent qu'elle était mourante et qu'il couchait avec une autre.

– Désolée, s'excusa Mattie, quand ils eurent retrouvé leur sérieux.

– Mais de quoi donc?

– De t'avoir appelé chez ta petite amie. Et d'avoir gâché ta soirée.

Jake eut la bonne grâce de paraître embarrassé. Il se dandina d'un pied sur l'autre et regarda d'un air gêné autour de lui.

– Comment m'as-tu retrouvé?

– Ce n'était pas l'énigme du siècle. – Elle sourit. Les hommes étaient-ils vraiment aussi naïfs que Roy Crawford le prétendait? – Tu pensais vraiment que j'ignorais où tu allais?

– J'ai sans doute préféré ne pas y penser, finit-il par admettre. Je crois que c'est moi qui devrais m'excuser.

– À quoi bon si tu ne le penses pas?

Jake hocha la tête, le regard soudain durci comme s'il venait de s'apercevoir qu'il avait été sommé de rentrer chez lui sous une tempête de neige sans la moindre raison.

– Que se passe-t-il, Mattie ?

– Peut-être devrions-nous commencer par nous asseoir.

Mattie se dirigea vers le salon.

– Arrête de tourner autour du pot. Je suis fatigué. S'il n'y a pas d'urgence...

– Kim couche avec un garçon, laissa-t-elle échapper.

Était-ce vraiment de cela dont elle voulait parler ?

– Quoi ! s'écria-t-il en levant la tête vers l'étage.

– Pas en ce moment même, précisa Mattie, craignant soudain de le voir se précipiter dans la chambre de sa fille bille en tête. Tout à l'heure.

– Quand, alors ?

– Je les ai vus quand je suis rentrée à la maison.

Pourquoi aborder ce sujet maintenant ? Ce n'était pas pour parler de Kim qu'elle l'avait fait revenir à la maison.

– Tu les as vus coucher ensemble ?

Il était trop tard pour reculer maintenant.

– Non, Dieu merci. Ils dormaient.

Elle le regarda digérer cette information.

– Et lui, qui est-ce ?

Mattie revit le grand garçon tout nu qui avait enfilé son jean en sautillant d'un pied sur l'autre.

– Je ne sais pas. Nous n'avons pas été officiellement présentés.

Jake se mit à arpenter l'entrée, fou de rage.

– Je ne comprends pas. Mais qu'est-ce qui lui prend ? Elle fume de la drogue devant tout le monde. Elle couche avec un garçon presque sous notre nez. Mais à quoi pense-t-elle, bonté divine ?

– Je ne suis pas certaine qu'elle y ait vraiment réfléchi.

– Elle veut attraper le sida ou quoi ? Ou se retrouver enceinte ? Ou veut-elle...

Il s'arrêta brusquement.

– Finir comme nous ? termina-t-elle à sa place.

– Ce n'était pas ce que je voulais dire.

– Pourquoi pas ? C'est la vérité.

– Elle est si jeune. Elle a toute la vie devant elle.

– Ce qui n'est pas le cas de tout le monde, lui rappela doucement Mattie.

Jake blêmit.

– Oh, mon Dieu! Mattie! je suis désolé! Bon sang, que je suis maladroit. – Il se massa le front en fermant les yeux. – Ce n'est pas ce que je voulais dire.

– Je sais. Ce n'est pas grave.

– Mais si, c'est grave.

– Non, Jake. Tu as raison. Elle est jeune, elle a tout le temps.

– Qu'est-ce que tu lui as dit?

– Que voulais-tu que je dise? Que ses parents pouvaient avoir des aventures mais pas elle?

Mattie retint son souffle. Seigneur, que lui arrivait-il? Elle n'avait aucune intention de raconter à Jake ses infidélités. Au fait, en était-elle certaine? Pour quelle raison l'avait-elle sommé de rentrer?

– Ce n'est pas du tout pareil.

Mattie relâcha doucement l'air qu'elle retenait dans ses poumons.

– Non, sans doute.

Il y eut un silence. Mattie regarda l'étonnement, l'hésitation et l'incrédulité se peindre dans les yeux de Jake.

– Comment ça, ses parents peuvent avoir des aventures? répéta-t-il comme s'il enregistrait seulement ses paroles. Que veux-tu dire?

– Jake, je...

– Tu as une liaison?

C'était trop tard pour nier. D'ailleurs, quel intérêt?

– Eh bien, il ne s'agit pas réellement d'une liaison.

– C'est pour ça que tu es sortie ce soir? Tu étais avec un homme?

– Ça t'ennuie?

– Je ne sais pas.

Il était hébété comme s'il avait reçu un coup de marteau sur la tête et qu'il allait s'évanouir.

– Tu crois être le seul à avoir droit à une vie sexuelle?

– Bien sûr que non.

– Et tu n'as aucune raison d'en être contrarié.

– Je crois que je suis surtout surpris.

– Et pourquoi? Ça t'étonne que je puisse plaire à un homme?

– Ce n'est pas ce que je voulais dire.

– Comme ta fille l'a formulé avec tant de tact l'autre jour, je ne suis pas encore morte!

Jake recula comme si elle l'avait poussé.

– Mattie, calme-toi. Laisse-moi une minute que je retrouve mes esprits. Je viens juste de découvrir que ma femme et ma fille ont une liaison.

– Nous en avons tous, le coupa Mattie, toujours hérissée.

– Nous en avons tous, répéta-t-il d'un air abattu. Je crois qu'on ferait bien de s'asseoir, tu sais, finalement.

Mattie se dirigea vers le salon et se laissa tomber sur le canapé, accablée de fatigue. Pourquoi avait-elle parlé de son aventure à Jake ? Cela lui avait-il vraiment échappé dans le feu de la conversation ? Ou y avait-elle été poussée par d'obscures raisons ? Avait-elle délibérément voulu le choquer ? Le blesser ? Et dans ce cas, pourquoi sa réaction l'avait-elle tant irritée ? Qu'espérait-elle ? Pourquoi lui avait-elle demandé de rentrer ? Que voulait-elle lui dire ?

Mattie regarda Jake se caler dans le fauteuil rayé rose et or face à elle et étendre ses jambes devant lui.

– Je le connais ? demanda-t-il, en la dévisageant avec curiosité.

– Quoi ? Oh, non ! répondit-elle en le revoyant serrer la main de Roy Crawford. Pas du tout.

– Comment l'as-tu rencontré ?

– Est-ce important ?

Jake jeta un regard désemparé autour de lui.

– Tu l'aimes ?

Mattie faillit éclater de rire.

– Non.

Il y eut un long silence pendant qu'elle essayait de remettre de l'ordre dans ses pensées. L'intérieur de sa tête était un tel fouillis de phrases déconnectées qu'il lui aurait fallu une machette pour s'y frayer un chemin. Pourquoi l'avait-elle fait revenir de chez Cherry ? Que voulait-elle lui dire ?

– Pourquoi es-tu revenu, Jake ? finit-elle par lui demander.

– Tu m'as appelé. Tu m'as dit qu'il fallait que je rentre le plus vite possible.

– Je ne parle pas de ce soir.

Il ferma les yeux.

– Je ne suis pas sûr de comprendre.

– Tu es parti. Tu as commencé une nouvelle vie. Et puis Lisa nous a appelés à son cabinet pour nous annoncer que j'étais... mourante, conclut-elle en se forçant à prononcer ce mot. Je suis mourante, répéta-t-elle, attendant toujours que ce mot prenne un sens.

Jake rouvrit les yeux et attendit qu'elle continue.

– J'ai du mal à le dire. Et j'ai encore plus de mal à le croire. Je n'arrête pas de me répéter que c'est impossible. Comment puis-je mourir alors que je n'ai que trente-six ans? Je parais très en forme. Je me sens très en forme. Ce n'est pas parce qu'il m'arrive de tomber et que j'ai les mains qui tremblent tout le temps...

– Elles tremblent tout le temps? – Jake se redressa dans son fauteuil. – Tu en as parlé à Lisa?

– Je t'en parle à toi.

– Mais peut-être y a-t-il un médicament contre ça?

– Ça ne me gêne pas trop, Jake. En outre, le problème n'est pas là.

– Le problème, c'est que tu as des difficultés...

– Le problème, c'est que je meurs, répéta-t-elle une fois de plus, sans rendre ces mots plus faciles à comprendre pour autant. Et je ne peux plus le nier, malgré tous mes efforts. Mon corps refuse de coopérer. Chaque jour, je sens une différence subtile à mon réveil. J'ai beau me dire que je me fais des idées, je sais que c'est faux. J'ai toujours manqué d'imagination. – Elle voulut rire, mais les larmes lui montèrent aux yeux. – Je ne peux plus continuer à faire comme si tout allait s'arranger. C'est trop dur. Je n'en ai plus la force.

– Personne ne te demande de jouer la comédie.

– Tu me le demandes chaque fois que tu sors de cette maison, protesta-t-elle, l'esprit subitement clair. Chaque fois que tu m'appelles pour me prévenir que tu dînes avec un client, ou que tu prétends avoir du travail au bureau le samedi après-midi. Bon sang, tu l'as encore fait ce soir! Je ne peux plus le supporter, Jake. C'est pour ça que je t'ai appelé chez Cherry. C'est pour ça que je t'ai prié de rentrer.

Jake ne dit rien pendant plusieurs secondes.

– Que veux-tu que je fasse? Je ne sais pas ce que tu attends de moi.

– Pourquoi es-tu revenu, Jake? Qu'imaginais-tu? Quel était ton but?

Une phrase d'avocat, se dit-elle. Une phrase de Jake.

– J'ai pensé que ma place était ici, expliqua-t-il une fois de plus. Pour toi et pour Kim. Nous en avons parlé. Tu étais d'accord.

– J'ai changé d'avis.

– Quoi?

– Ça ne me suffit pas. Il me faut plus. – Elle pensa à Roy Crawford et sentit ses doigts sur ses seins, entre ses jambes. – Et je ne parle pas seulement de sexe. – Elle repoussa les mains de Roy. – Il me faut plus, répéta-t-elle.

Jake ouvrit la bouche et la referma, incapable de parler. Il secoua la tête et regarda désespérément ses genoux.

– As-tu vu la mine de Stéphanie hier soir ?

– Que vient-elle faire ici ?

– Elle était radieuse, continua Mattie, ignorant sa question. Je n'ai pas arrêté de la regarder en pensant que j'aimerais être à sa place. S'il vous plaît, mon Dieu, donnez-moi encore une chance d'éprouver cela. Tu vois où je veux en venir ?

– Je ne suis pas sûr.

Mattie rejeta ses épaules en arrière et s'avança au bord du canapé.

– Je vais essayer d'être plus claire. Le médecin t'annonce qu'il te reste un an à vivre. Comment passeras-tu cette dernière année ?

– Mattie, il n'y a aucun rapport.

– Si, au contraire. Répondez à la question, maître. Une année. Comment la passez-vous ?

– Je ne sais pas.

– La passeriez-vous avec une femme que vous n'aimez pas ?

– Ce n'est pas si simple que ça.

– Au contraire, c'est très simple. Tu m'as épousée parce que j'étais enceinte, parce que tu es un homme honnête, et que tu as voulu faire ton devoir, et voilà pourquoi tu es revenu quand nous avons appris que j'allais mourir. Et c'est bien, c'est admirable et j'apprécie ce geste, vraiment. Mais ça suffit. Tu es libéré pour bonne conduite. Tu n'as plus rien à faire ici.

– Il faudra bien quelqu'un pour s'occuper de toi, Mattie.

– Je n'ai pas besoin de baby-sitter. J'ai besoin de quelqu'un qui m'aime. Et surtout pas de quelqu'un qui en aime une autre.

– Que veux-tu que je fasse ? Dis-le-moi et je le ferai.

– Je veux que tu comprennes exactement pourquoi tu es revenu. Est-ce pour ton bien ou pour le mien ? Parce que si c'est pour toi, pour être fier de toi, ça ne m'intéresse pas. Je ne te laisserai pas jouer les preux chevaliers à mes dépens. C'est moi qui n'ai plus beaucoup de temps à vivre et je ne veux pas le passer avec quelqu'un qui me rend malheureuse.

– Mon Dieu, Mattie, mais c'est tout le contraire de ce que je veux.

– Je me fous de ce que tu veux. Moi, ce que je veux, c'est ta passion. Ta fidélité. Ton amour. Si je ne peux pas les avoir, si tu ne peux même pas faire semblant de m'aimer pendant un an ou deux, bref, le temps qui me restera, je ne veux plus te voir ici.

Ils se turent, le regard fixé droit devant eux, elle sur les fenêtres derrière la tête de Jake, lui sur la lithographie de Rothenberg au-dessus de l'épaule droite de Mattie. Quelle ironie! Elle ne pouvait plus jouer la comédie et voilà qu'elle demandait à son mari de le faire un an, ou deux, ou trois, ou cinq. Était-ce beaucoup demander? Était-ce si difficile de l'aimer?

Son père ne s'en était pas senti la force. Il s'était éclipsé de sa vie sans jeter un regard en arrière. Des années plus tard, elle avait retrouvé sa trace dans une communauté d'artistes à Santa Fe et l'avait appelé afin de savoir pourquoi il n'avait jamais essayé de la joindre. Et il n'avait rien trouvé de mieux que de bredouiller lamentablement que c'était mieux ainsi, qu'il ne fallait pas réveiller l'eau qui dort, une expression que sa mère aurait sûrement appréciée si elle avait pu se confier à elle. Mais sa mère l'avait, elle aussi, abandonnée depuis longtemps, au moins sur le plan affectif. Et Jake ne l'avait épousée que parce qu'elle était enceinte. Non, on ne se bousculait pas pour l'aimer.

Que ferait-elle si Jake se levait maintenant de sa chaise et partait? Elle appellerait Lisa afin de voir si elle pouvait lui emprunter son mari? Ou Stéphanie? Pour savoir si Enoch n'avait pas un copain? Ou Roy Crawford? Imagine un peu comment il réagirait devant un truc aussi compliqué qu'un fauteuil roulant, se dit-elle, mais elle était trop fatiguée pour en rire. Trop effrayée.

Elle se retrouverait bientôt en fauteuil roulant. Que ferait-elle alors? Les aides à domicile étaient hors de prix. Elle ne pourrait pas s'en offrir éternellement. Où irait-elle ensuite? Dans une clinique? Un hôpital? Un endroit où l'on pourrait l'abandonner et l'oublier? Personne ne souhaitait demeurer près d'une femme dont chaque souffle lui rappelait sa propre mortalité. Jake, lui, avait au moins le mérite de vouloir rester à ses côtés. Pourquoi se soucier de ses motifs? Pour qui se prenait-elle d'oser se montrer si exigeante, si insensée?

– Pourras-tu faire semblant de m'aimer, Jake? demanda-t-elle d'une petite voix bizarrement têtue. En seras-tu capable?

Jake la dévisagea pendant ce qui lui sembla une éternité, son visage normalement expressif totalement indéchiffrable. Il se leva lentement, traversa la pièce, s'arrêta devant elle et lui tendit la main.

– Allons nous coucher.

Ils ne firent pas l'amour.

Ils avaient eu leur dose de sexe pour la soirée, décidèrent-ils d'un commun accord.

Mattie laissa tomber sa robe d'intérieur par terre et se glissa dans le lit pendant que Jake se dirigeait vers la fenêtre.

– Laisse-la fermée. Il fait tellement froid dehors.

Il marqua un temps d'hésitation en se balançant d'un pied sur l'autre, comme pris de vertige.

– Ça t'ennuie?

Il secoua la tête. Puis il s'écarta de la fenêtre avec effort et retira prestement son caleçon avant de se glisser dans le lit à côté d'elle. Mattie sentit le matelas s'enfoncer sous ce poids inhabituel. Elle le regarda et le vit, la tête raide sur l'oreiller, les yeux grands ouverts, le regard perdu sur le plafond.

Il se demande ce qu'il fait ici, se dit-elle. Il cherche à comprendre comment il a pu se remettre dans ce pétrin, alors qu'il s'en croyait bel et bien sorti. Cela t'aiderait-il de savoir que je ne le comprends pas mieux que toi? Elle se sentait lasse, très lasse. Peux-tu vraiment faire semblant de m'aimer, Jake? Y arriveras-tu?

Comme s'il lisait dans ses pensées, Jake se tourna vers elle et l'embrassa doucement sur les lèvres.

– Retourne-toi, lui dit-il tendrement. Viens dans mes bras.

Au début, Mattie crut que les bruits faisaient partie de son rêve. Elle était poursuivie dans les rues d'Evanston par un jeune Noir qui tirait une longue langue de serpent. Elle courait à toutes jambes pour lui échapper, le souffle de plus en plus court. Non! protestait-elle à travers ses lèvres immobiles. Non!

Elle se retrouvait soudain au milieu d'un attroupement et s'apercevait qu'elle était nue. Le Noir qui la poursuivait était aussi nu qu'elle, ses longues jambes musclées gagnaient du terrain et il tendait les bras vers elle. Il la frappa si fort dans le dos qu'elle en eut le souffle coupé. Elle trébucha et tomba.

– Attention au gaz! criait un badaud. Attention au gaz!

– Non, cria un autre spectateur en la tapant sur le bras. Non!

Mattie entendit alors Jake gémir à côté d'elle et se força à ouvrir les yeux. Il lui fallut une minute pour comprendre ce qui se passait. Jake se trouvait dans son lit, et son cauchemar s'était mêlé au sien.

– Pas le gaz, pas le gaz, non! répétait-il, paniqué, en s'agitant de plus en plus, si bien qu'elle dut se reculer précipitamment pour échapper à ses coups. Non, pas le gaz! Ne fais pas ça! Non!

– Jake, lui dit-elle en le secouant doucement par l'épaule. – Il était couvert de sueur froide. – Jake, réveille-toi. Tout va bien.

Il ouvrit les yeux et la regarda sans la reconnaître.

– Tu as fait un cauchemar. – Il regarda autour de lui et revint lentement à la réalité. Il paraît content d'être ici, songea-t-elle en lui souriant dans la pénombre. – Tu voulais empêcher quelqu'un d'ouvrir le gaz. Tu te souviens ?

– C'était ma mère, dit-il simplement, en s'asseyant dans le lit et en repoussant les cheveux qui lui tombaient sur le front.

– Ta mère ?

Il se tourna vers la fenêtre. Mattie s'attendit à ce qu'il élude sa question en lui disant de se rendormir, que ce n'était rien.

– Quand j'étais petit et que ma mère buvait, elle menaçait d'ouvrir le gaz pour nous faire mourir dans notre sommeil.

– Mon Dieu !

– Ça remonte loin, j'aurais dû m'en remettre depuis le temps. – Il voulut rire mais le son s'étrangla dans sa gorge. – Je suis confus de t'avoir réveillée.

Mattie lui passa la main sur le front pour essuyer sa sueur. Elle le connaissait si mal, il lui avait caché tant de secrets.

– Est-ce la raison...

Elle s'arrêta. Tout s'éclaircissait brusquement. Elle s'écarta doucement de lui, descendit du lit et se dirigea vers la fenêtre. D'un seul geste, elle écarta les lourds rideaux ivoire et ouvrit le battant. La fraîcheur de la nuit envahit la pièce. Mattie revint se glisser contre son mari.

– Retourne-toi, lui dit-elle. Viens dans mes bras.

21.

– Alors comment avez-vous trouvé l'article du *Chicago* ?

Jake jeta un regard furtif au magazine posé sur son bureau, avant de le ramener sur la ravissante journaliste de *Now* assise en face de lui. Elle s'appelait Alana Isbister. (« Wasbister[1] », avait-elle plaisanté en se présentant. « Je suis divorcée. ») Elle n'avait pas froid aux yeux, se dit-il, en lui faisant signe de s'asseoir dans l'un des fauteuils devant son bureau. Un an auparavant, il lui aurait retourné une allusion tout aussi spirituelle et suggestive. Et il y avait encore six mois, au plus fort de sa liaison avec

---

1. Jeu de mots : *Is* : est ; *was* : était. *(N.d.T.)*

Cherry, il aurait été tenté de lui répondre sur le même ton. Mais aujourd'hui il n'avait plus l'énergie, la force, ni même le désir d'aller au-delà de cette interview. Il se contenta donc de répondre à sa question.

– J'ai trouvé l'article très flatteur.

– Mais leur photo ne vous avantage pas, ajouta-t-elle avec une petite moue provocatrice.

Jake poussa le magazine hors de son champ de vision. Il n'avait jamais aimé les photos qu'on faisait de lui. Elles étaient tellement fausses. Elles l'écœuraient. Comme celle-ci qui le montrait sur son trente et un, en costume de flanelle grise, chaque cheveu en place jusqu'à la mèche qui lui balayait artistiquement le front, affichant un sourire engageant qui exprimait à la fois confiance et modestie, le bleu de ses yeux relevé par le bleu de sa cravate. « Jake Hart, le grand défenseur », proclamait la manchette. « Le grand imposteur » aurait été plus près de la vérité !

– Votre rédacteur en chef m'a dit que vous vouliez faire un article d'un autre genre, la pressa Jake en regardant à la dérobée la pendule numérique qui trônait sur son grand bureau de chêne.

Déjà deux heures et quart. Il devait prendre Kim au lycée dans moins d'une heure et la conduire chez sa thérapeute. Ensuite, aller chercher Mattie à la maison, rentrer avec Kim après sa séance, puis ils iraient tous ensemble chez sa belle-mère. Jake appréhendait cette visite presque autant que Mattie. Ce serait une épreuve pour elle et à chaque nouvelle contrariété son état empirait. Elle aurait besoin de lui plus que jamais et il aurait apprécié un moment de tranquillité afin de se préparer à cet après-midi difficile. Il avait autre chose à faire que de perdre un temps précieux avec une journaliste d'un stupide magazine d'avant-garde, même si le journal était très en vogue et la fille très jolie.

Jake avait accepté ce rendez-vous préliminaire uniquement parce que les hautes instances de la firme, celles-là mêmes qui envisageaient de le prendre comme associé, souhaitaient fortement qu'il continue à collaborer avec la presse. Ce genre de publicité était inestimable, lui avait-on dit. Peu importe ce qu'ils racontent à votre sujet du moment qu'ils écrivent correctement le nom du cabinet.

– Nous pensons que nos lecteurs aimeraient vous connaître de façon plus personnelle, répondit Alana Isbister, en rejetant ses longs cheveux bruns derrière son oreille, tout en papillotant de ses yeux lourdement maquillés. On a écrit tant de choses sur

Jake Hart, l'avocat (au fait, toutes mes félicitations pour l'affaire Butler), mais rien n'a été écrit sur Jake Hart, l'homme.

– Madame Isbister.

– Wasbister.

Elle tendit son annulaire nu en riant.

– Wasbister.

– Pourquoi ne pas m'appeler tout simplement Alana?

Il hocha la tête. Ce genre de flirt lui avait-il toujours paru aussi épuisant? Peut-être avait-il besoin d'une bonne nuit de sommeil. Depuis six semaines qu'il avait regagné le lit conjugal, il avait rarement dormi d'une seule traite. Mattie n'arrêtait pas de bouger et de tousser. Il lui arrivait même de se lever brusquement, la respiration coupée, ou de tomber en allant à la salle de bains. Il la prenait alors dans ses bras en l'assurant qu'il était déjà réveillé. Ils parlaient quelques minutes pour se détendre. Au début, il avait eu du mal à jouer les maris attentifs, à faire croire qu'il s'intéressait à elle et qu'il ne lui en voulait pas de l'empêcher de dormir. Mais très vite, il en était venu à lui raconter sa journée, à lui confier qu'il supportait de plus en plus mal les intrigues de bureau, la régalant à l'occasion du récit d'anciens succès remportés devant les tribunaux. Parfois, c'étaient ses propres soucis professionnels qui l'empêchaient de dormir et il en arrivait à souhaiter qu'elle se réveille pour en parler. Parfois, quand ni l'un ni l'autre ne pouvait se rendormir, ils finissaient par faire l'amour. Après, il songeait à l'autre homme qu'elle avait connu, en se demandant si elle y pensait, si elle aurait préféré être avec lui si la situation avait été différente. Était-ce le genre d'informations personnelles que recherchait *Now*?

– Je n'ai rien de passionnant en dehors du tribunal. Ce sont les affaires que je traite qui sont intéressantes, pas moi.

– Permettez-moi d'en douter, répondit Alana Isbister en regardant autour d'elle d'un regard sceptique. Un homme qui accroche la peinture d'une pomme de terre à l'eau sur son mur mérite qu'on s'y attarde.

– C'est ma femme qui a choisi toutes les œuvres qui sont dans mon bureau, dit-il avec une fierté qui le surprit.

– Vous êtes marié depuis longtemps?

– Seize ans.

Tu m'as épousée parce que j'étais enceinte, résonna la petite voix de Mattie dans sa tête. *Tu as fait ton temps. Tu es libéré pour bonne conduite. Tu n'as plus rien à faire ici.*

– Incroyable! s'exclama la journaliste en tripotant le petit enregistreur posé sur ses genoux. Vous permettez que j'enregistre?

Jake haussa les épaules en tapotant le téléphone gris posé devant lui. Il avait promis d'appeler Cherry avant trois heures.

Je n'ai pas besoin de baby-sitter, continua la voix de Mattie. *J'ai besoin de quelqu'un qui m'aime. Et surtout pas de quelqu'un qui en aime une autre.*

Il savait que Cherry faisait de son mieux pour accepter sa décision de ne plus la voir pendant deux mois, mais cette séparation forcée lui était pénible. Tout comme à lui, lui avait-il assuré. En revanche, ses affreux chats ne lui manquaient pas le moins du monde.

Pourras-tu le faire, Jake? avait demandé Mattie d'une petite voix têtue. *Pourras-tu faire semblant de m'aimer?*

Il ne lui avait pas répondu. Chassant ses doutes et ses craintes, il l'avait raccompagnée jusqu'à leur chambre, préférant laisser l'instinct prendre le pas sur la raison.

– Pardonnez-moi. Que disiez-vous? demanda-t-il en regardant Alana Isbister croiser et décroiser ses longues jambes fuselées sous sa minijupe noire.

– Je vous demandais s'il y avait d'autres perles rares dans votre famille.

Il mit quelques instants à comprendre sa question.

– Mon frère aîné est mort, répondit-il sèchement.

Qu'est-ce que sa famille venait faire dans cette histoire? Cette question était encore plus indiscrète que celle qu'elle avait posée sur son mariage. Si c'était ainsi qu'elle espérait le connaître plus personnellement, il refusait de se prêter à ce petit jeu.

– Et ça fait vingt ans que je n'ai pas revu mon dernier frère.

– Mais c'est passionnant! – Elle se pencha vers lui, ce qui révéla un décolleté vertigineux. – Dites-m'en plus.

– Il n'y a rien à ajouter. – Jake faisait un terrible effort pour cacher la gêne qui le gagnait. Tant qu'ils écrivent correctement le nom du cabinet, se rappela-t-il. – Mon frère aîné est mort dans un accident de bateau à dix-huit ans. Et j'ai perdu tout contact avec mon dernier frère quand j'ai quitté la maison.

– Quel âge aviez-vous?

– Dix-sept ans.

– Comme c'est intéressant!

– Pas vraiment.

Jake se leva et s'approcha des étagères derrière son bureau comme s'il cherchait quelque chose.

– Où êtes-vous allé quand vous êtes parti de chez vous?

– J'ai loué un studio en sous-sol sur Carpenter Street. Une petite chambre horrible que j'ai pourtant adorée.

– Et de quoi viviez-vous?

– J'avais trois emplois, répondit-il, en prenant un livre sur le droit pénal. Je livrais des journaux le matin, je travaillais dans un entrepôt après les cours et je faisais de la télévente le week-end.

– Et vos parents? Que pensaient-ils de tout cela?

– Allez leur demander, rétorqua Jake, qui fit le tour de son bureau, irrité par le col de sa chemise qui lui coinçait la pomme d'Adam, menaçant de l'étrangler. Madame Isbister...

– Alana.

– Madame Isbister, répéta-t-il en toussant dans sa main. Je ne pense pas que cette interview soit nécessaire.

Il fit un geste vague vers la porte. La journaliste se leva aussitôt et, tout en essayant de tenir son magnétophone d'une main, entreprit de redescendre sa minijupe sur ses longues jambes.

– Je ne comprends pas. Ai-je dit quoi que ce soit d'offensant?

– Vous n'y êtes pour rien. C'est ma faute. Je n'aime pas parler de ma vie privée.

– Jake...

– Monsieur Hart, la corrigea-t-il en regardant ses yeux verts cligner de stupéfaction. Je suis vraiment désolé.

Il se dirigea vers la porte, l'ouvrit et attendit.

– Vous me jetez dehors?

– Je suis sûr qu'il y a beaucoup d'autres avocats dans ce cabinet que vous trouverez tout aussi fascinants.

Il attendit qu'Alana Isbister remette son magnétophone dans son sac noir et qu'elle récupère son grand manteau en tweed. Elle s'arrêta devant lui.

– Réfléchissez et rappelez-moi, dit-elle en lui tendant sa carte.

Jake la prit. Et, dès que la journaliste eut disparu de sa vue, il la jeta dans la poubelle de sa secrétaire.

– Cette interview était presque aussi courte que sa jupe, remarqua cette dernière, avec un regard espiègle.

– Plus de journalistes, plus d'interviews, dit-il sèchement en regagnant son bureau.

Il allait refermer la porte derrière lui lorsqu'il entendit la voix bien reconnaissable d'Owen Harris, un des associés de la firme.

– Jake. Content de te voir. Difficile de te joindre ces derniers temps. Faut que j' te parle une minute. J' te présente Thomas MacLean et son fils Eddy.

Owen Harris était un homme compact en tout point. Petit, impeccable dans ses costumes sur mesure bleu marine et sobre dans sa diction : il n'utilisait que le strict minimum de mots, escamotait les voyelles, sautait les verbes et affichait un mépris égal envers les conjonctions. Ce qui ne l'empêchait pas de se faire parfaitement comprendre.

« Difficile de te joindre ces derniers temps. » Difficile aussi d'ignorer le lourd sous-entendu de cet enquiquineur. Jake s'absentait-il tant que ça ?

Il serra la main des deux MacLean en remarquant que le père était de loin le plus beau des deux et le fils le plus grand. Il fit entrer les trois hommes dans son bureau et les conduisit vers le canapé vert et bleu au fond de la petite pièce. Seul Eddy MacLean s'assit, en croisant négligemment les jambes, la tête renversée contre le dossier du canapé, comme si tout cela le barbait royalement.

— Joli tableau, dit le père, qui resta debout même après que Jake eut rapproché un des fauteuils de son bureau.

— Jake est le franc-tireur de notre firme, expliqua Owen Harris d'un ton qui révélait autant d'estime que de mépris.

— Toutes les firmes devraient en avoir un.

Jake se força à sourire en se demandant ce qu'ils penseraient de la photographie de Rafael Goldchain qui était maintenant accrochée au-dessus de son bureau, chez lui. Il jeta un regard furtif à sa montre. Pourvu que ça ne dure pas trop longtemps. À ce régime, il n'aurait jamais le temps d'appeler Cherry.

— Tu connais la chaîne de magasins de discount de M. MacLean, commença Owen Harris.

— J'y fais toutes mes courses. Quel est le problème ?

— J' laisse Tom te mettre au courant, dit Owen Harris en se dirigeant vers la porte. Pas besoin de moi.

Et il referma la porte derrière lui.

Une fois de plus, Jake jeta un œil à sa montre.

— On vous retient, peut-être ? laissa tomber Tom MacLean.

Rien ne lui échappe, se dit Jake, décidé à se montrer plus prudent.

— J'ai tout mon temps. Que puis-je faire pour vous ?

MacLean senior tourna les yeux vers son fils, l'image même de la désinvolture.

— Tiens-toi droit, pour l'amour du ciel ! grommela-t-il. – Le jeune homme obéit immédiatement sans se départir de son air las. – Il semblerait que mon fils ait été impliqué dans un incident tout à fait regrettable la nuit dernière.

– Quel genre d'incident ?

– Avec une jeune femme.

– C'est une salope. Tout le monde le sait, ricana Eddy MacLean en levant les yeux au ciel, avant de passer une main dans ses cheveux longs.

– Quel genre d'incident ? répéta Jake.

– C'était une soirée entre amis. Les parents étaient en voyage. Mon fils a fait la connaissance de cette fille.

– Et si vous laissiez votre fils me raconter ce qui s'est passé, le coupa Jake.

Thomas MacLean rejeta en arrière ses larges épaules, se gratta l'aile du nez et s'assit sur la chaise droite que Jake avait approchée, en indiquant d'un geste de la main qu'il laissait la parole à son fils.

– Elle m'a mis le grappin dessus. J'aurais jamais touché un boudin pareil si elle m'avait pas sauté dessus.

– Vous l'avez donc touchée, demanda Jake qui connaissait déjà la suite de l'histoire.

– Pas comme elle le prétend. Je n'ai rien fait sans son consentement.

– Et que lui avez-vous fait exactement ?

– Devinez.

– Ils ont couché ensemble, intervint MacLean père.

– Quel âge avez-vous, Eddy ?

– Dix-neuf ans.

– Et la fille ?

– Quinze ans.

– Il n'a su son âge qu'après, précisa Thomas MacLean. Apparemment, la fille faisait beaucoup plus que son âge.

– Cette fille a-t-elle un nom ? demanda Jake en essayant de ne pas imaginer sa fille nue dans un lit avec Eddy MacLean.

– Sarah quelque chose.

– Sarah quelque chose, répéta Jake, pris d'une envie subite de l'étrangler.

Était-ce ainsi que l'amant de sa fille parlait d'elle ? Kim quelque chose ?

– Un affreux boudin. On l'aurait jamais touchée si elle avait pas commencé.

– On ?

– Apparemment il y avait deux autres garçons dans l'histoire, précisa Thomas MacLean.

Jake s'approcha de son bureau et s'y appuya. Le fait d'avoir surpris Kim avec ce garçon leur avait au moins fourni un prétexte pour la forcer à voir un psy. Elle avait tant de problèmes à affronter. Il fallait qu'elle en parle à quelqu'un.

– Si nous commencions par le commencement.

– Apparemment..., attaqua MacLean père.

– Je préférerais que ce soit Eddy qui me raconte, si vous permettez, le coupa à nouveau Jake.

Thomas MacLean hocha la tête. Eddy MacLean s'éclaircit la gorge. Jake attendit, soudain conscient du tic-tac de la petite pendule sur son bureau derrière lui.

– Nous sommes donc arrivés à cette soirée...

– Qui vous accompagnait?

– Mike Hansen et Neil Pitcher.

– Et que s'est-il passé?

– Rien. C'était mortel. Une poignée de gamines qui se trémoussaient sur la musique des Spice Girls. On a décidé de s'en aller. C'est à ce moment-là que ce boudin est venu nous dire de rester, que la soirée ne faisait que commencer.

– Cette fille, c'était Sarah?

– Ouais. Elle a dit qu'elle m'avait déjà vu et qu'elle me trouvait vraiment craquant. Vous voyez, ce genre de connerie. Qu'est-ce que vous auriez pensé à ma place?

– Qu'avez-vous *pensé*?

– Ce que n'importe quel type aurait pensé. Que je lui plaisais.

– Et que s'est-il passé?

– J'ai dit qu'on resterait si elle faisait ce qu'il fallait pour. Bien sûr, qu'elle a répondu. Nous sommes montés dans une chambre.

– Et alors?

Il sourit.

– On a fait l'amour.

– Et vos amis, Neil et Mike, où étaient-ils pendant ce temps-là?

– D'abord, derrière la porte. Vous voyez... ils montaient la garde.

– Pourquoi?

– Pour qu'on soit pas dérangés.

Jake se frotta le front, essayant vainement de repousser la migraine qui le gagnait.

– Vous dites donc qu'ils sont d'abord restés derrière la porte. Et ensuite? Je suppose qu'il se sont lassés d'attendre et qu'ils sont entrés.

– Ils voulaient s'amuser aussi.

– S'amuser avec cette fille de quinze ans.

– Attendez une minute, intervint MacLean père.

– Je croyais qu'elle était plus vieille, répéta son fils.

– Et qu'en a-t-elle pensé quand les autres sont arrivés ? continua Jake en essayant de ne pas laisser percer son mépris, et en repoussant l'image de sa fille.

– Elle n'a pas protesté.

– Elle n'a pas dit non, ni demandé d'arrêter ?

– Merde, elle disait tellement de trucs. On n'a pas fait attention.

– Alors elle a peut-être dit non.

– Merde, ça lui plaisait. Maintenant elle crie au viol parce qu'elle a appris qui était mon vieux et qu'elle veut le faire casquer.

– Elle prétend que vous l'avez violée ?

– Ça vous surprend ? ricana le garçon d'un air dégoûté.

– J'ai un ami au bureau du procureur, expliqua Thomas MacLean. Il m'a appelé pour me prévenir que la fille et sa famille étaient au commissariat et qu'un mandat d'arrêt allait être émis contre mon fils. Nous sommes venus aussitôt ici.

Jake contourna son bureau, s'assit et regarda ouvertement la pendule. Deux heures quarante-huit.

– Quoi d'autre ?

– Comment ça, quoi d'autre ? s'indigna Thomas MacLean.

– Il sait ce que je veux dire, répondit Jake en pointant le menton vers Eddy MacLean.

Il y avait toujours autre chose, il le savait.

– Elle prétend qu'elle était vierge.

– Et vous le contestez ?

– Merde, c'est difficile à dire. Quoi, on peut se tromper de côté et il arrive que ça saigne.

Jake mit une bonne minute à comprendre le sens de sa phrase.

– Voulez-vous dire que vous l'avez sodomisée ?

– Pas moi. C'est pas mon truc. Mais Neil, il adore faire ça par-derrière.

– Est-ce que ça entre en ligne de compte ? demanda Thomas MacLean avec la logique acerbe des gens suffisamment riches et puissants pour toujours arriver à leurs fins. Si la fille était consentante, qu'importe ce qu'elle a subi ?

– Je n'aime pas les surprises, répondit calmement Jake. Si je dois représenter votre fils, ce que j'ai cru comprendre à votre présence ici, je dois tout savoir.

– Bien sûr, approuva Thomas MacLean. Alors que devons-nous faire maintenant ?

190

– Je vous conseillerais d'emmener votre fils au commissariat pour qu'il se livre à la police. Je vais appeler un de mes confrères et lui demander de vous accompagner...

– Comment ça, un de vos confrères? Et vous?

– J'ai bien peur d'avoir un engagement...

– Annulez-le.

– Impossible, répondit Jake d'une voix ferme en enfonçant le bouton de l'Interphone. Natasha, trouvez-moi Ronald Becker et dites-lui de venir immédiatement à mon bureau. Merci. – Il retira son doigt du bouton sans laisser à sa secrétaire le temps de répondre. – Ronald Becker est un jeune avocat très compétent et il s'agit d'une procédure tout à fait simple.

– Owen Harris m'avait assuré que vous vous occuperiez entièrement de cette affaire.

– Je m'en occupe.

– Personnellement.

Personnellement, répéta mentalement Jake. Encore ce mot!

Pouvait-il réellement se permettre de passer un gros client à un confrère, même si la procédure était courante? Et tout ça pour conduire sa fille chez son psy? Et sa femme chez sa mère?

On frappa à la porte et Ronald Becker, un homme jeune aux cheveux poivre et sel, avec un petit ventre qui tirait sur les boutons de sa veste rayée marron, entra dans la pièce en dodelinant de la tête. On dirait un pigeon, se dit Jake en procédant aux présentations d'usage.

– Il faudrait conduire ces messieurs au commissariat de police. Eddy se livrera mais il ne fera aucune déposition. Vous l'accompagnerez au tribunal, où il plaidera non coupable quelles que soient les charges contre lui, et vous déposerez la caution qui vous sera demandée.

Il se tourna vers le père et le fils qui s'étaient levés tous les deux et le regardaient bouche bée.

– Me Becker répondra à toutes vos questions éventuelles sur le chemin du commissariat. Faites-moi confiance. Cette affaire n'a rien de compliqué. Vous serez rentrés chez vous pour le dîner. Entre-temps, je demanderai à ma secrétaire de vous réserver un rendez-vous pour le début de la semaine prochaine.

– La semaine prochaine?

– Laissez-moi réfléchir à votre affaire pendant le week-end et décider de la meilleure façon de procéder. Maintenant, il faut vraiment que j'y aille, ajouta-t-il, un pied dans le couloir. Me Becker s'occupe de vous.

Ce fut seulement dans l'ascenseur qu'il réalisa toute la portée de ce qu'il venait de faire. Il éclata de rire. Quand l'ascenseur arriva au rez-de-chaussée, il riait encore.

22.

— Alors, comment ça s'est passé avec Rosemary? s'inquiéta Mattie en se retournant sur son siège pour dévisager sa fille d'un regard anxieux.

Kim haussa les épaules et écrasa son nez contre la vitre glacée où son haleine chaude forma un halo de buée. Elle y dessina du bout du doigt une femme aux cheveux frisés.

— Bien, répondit-elle en effaçant la silhouette du revers de son manteau.

— Elle m'a paru très sympathique.

— Oui.

Kim ferma les yeux et ne les rouvrit que lorsqu'elle entendit sa mère se retourner. Elle s'adossa contre la banquette en cuir et regarda par la fenêtre les sempiternelles congères. L'hiver ne finirait-il donc jamais? On était début mars et il y avait encore trente centimètres de neige dans les rues. Évidemment, plus les jours passaient, moins il leur restait de temps. Pour sa mère en tout cas. Kim se pencha et avança la main vers son épaule. Mais ses parents parlaient entre eux d'un air de conspirateurs et elle s'empressa de retirer la main.

— Oui, ma chérie? demanda Mattie, comme si elle avait des yeux dans le dos. Tu voulais me dire quelque chose?

Kim répondit par un grognement. Une voiture de sport rouge les dépassa. Son père avait réussi à convaincre le garagiste de reprendre la Corvette que sa mère avait achetée quand elle avait appris sa maladie. Quoi d'étonnant? songea-t-elle en comptant distraitement les voitures rouges sur la route, comme lorsqu'elle était petite. Si son père pouvait convaincre des gens apparemment sensés de relâcher des meurtriers, quoi de plus facile pour lui que de persuader les vendeurs de voitures de reprendre leurs Corvette rouges? N'était-il pas Jake Hart, le grand défenseur que le dernier numéro de *Chicago* encensait, canonisait, même? Il pouvait convaincre n'importe qui de n'importe quoi.

— On t'a parlé de l'article sur ton père au lycée? continua Mattie comme si elle lisait dans les pensées de sa fille.

192

– Non, mentit-elle, alors que plusieurs de ses professeurs avaient fait des remarques à ce sujet.

– Et toi, qu'en penses-tu, Kimmy? s'enquit son père.

– Je l'ai pas lu.

En fait, elle l'avait tellement lu et relu qu'elle le connaissait par cœur.

– Je l'ai trouvé très flatteur, commenta Mattie, et Kim entendit son père rire. Qu'y a-t-il de drôle?

– J'ai dit exactement la même chose cet après-midi, expliqua-t-il.

Kim se tortilla sur son siège. Ils semblaient si bien s'entendre. Bon sang, ils ne se disputaient plus! Il n'y avait plus jamais de hurlements. Ils ne haussaient même pas le ton. Depuis que son père avait regagné le lit de sa mère, ils étaient devenus un couple parfait. Elle se réveillait parfois au milieu de la nuit à l'affût du son réconfortant des querelles d'autrefois. Mais les seuls chuchotements qu'elle surprenait étaient suivis de gloussements étouffés. Et un jour, alors qu'elle s'était approchée à pas de loup de la porte de leur chambre pour s'assurer que tout allait bien, elle avait vu, sous les couvertures, son père s'allonger sur sa mère et avait compris avec horreur qu'ils faisaient l'amour.

Telle était l'ambiance chez les Hart désormais : ses parents étaient toujours d'accord sur tout, riaient d'un rien, et se concertaient dès qu'ils devaient résoudre une difficulté. Comme leur insistance pour qu'elle aille voir un psy quand ils l'avaient surprise avec Teddy. Elle étouffa un grognement. Non pas que faire l'amour soit synonyme de maladie mentale, s'étaient-ils empressés de préciser. C'était de son âge. Mais cela ajouté à son comportement de ces derniers temps, à leur séparation puis à leurs retrouvailles, sans parler de la maladie de sa mère, ça faisait beaucoup. Elle avait besoin de se confier à quelqu'un qui pourrait l'aider en cette période difficile.

Mais qu'y avait-il à dire? s'était demandé Kim, qui avait gardé un silence buté pendant presque toute sa première séance chez la psy. Teddy ne l'avait même pas appelée depuis qu'il s'était enfui précipitamment de sa chambre. Il l'évitait depuis. Et, bien entendu, toute l'école connaissait l'histoire du préservatif et savait qu'elle avait hurlé à Teddy d'aller le chercher lui-même et que sa mère les avait trouvés endormis. Déflorée et abandonnée, se dit-elle en laissant échapper un petit gloussement. Quelle première expérience inoubliable!

– Comment t'es-tu sentie en voyant ta mère? avait demandé Rosemary Colicos dès leur première séance.

– Gênée, répondit-elle à contrecœur. Et furieuse.

– Pas soulagée?

Quelle question stupide! avait-elle pensé sur le coup. Pourquoi se serait-elle sentie soulagée d'être surprise au lit avec Teddy Cranston? Et pourtant, au fil des séances, cela ne lui semblait plus si bête que ça.

Et il en était ainsi de la plupart des questions que lui posait Rosemary.

– Qu'est-ce qui t'a poussée à avoir des rapports sexuels avec Teddy sous le toit de tes parents? En veux-tu à ta mère d'être malade? Que perdrais-tu si tu pardonnais à ton père?

– L'envie. Bien sûr que non. Rien, avait-elle successivement répondu.

Mais, au cours des six dernières semaines, Rosemary l'avait adroitement forcée à reconsidérer ses réponses. Peut-être qu'elle avait été soulagée de se faire surprendre. Peut-être était-ce exactement ce qu'elle cherchait en invitant Teddy chez elle. Et si elle n'en voulait pas à sa mère, alors pourquoi prenait-elle si mal tout ce que celle-ci disait ou faisait? Quant à ce qu'elle perdrait en pardonnant à son père, eh bien, elle pouvait le résumer en un mot : le pouvoir.

– Comment se fait-il qu'on aille voir grand-mère Viv? demanda-t-elle d'un ton plein de défi. Je croyais que vous n'aimiez pas aller chez elle.

– Ça fait si longtemps, reconnut Mattie.

– Et pourquoi ce changement? Y a une raison particulière?

Kim vit les épaules de sa mère se raidir et son père plisser les yeux dans le rétroviseur. Ils allaient mettre sa grand-mère au courant de la maladie de Mattie, comprit-elle brusquement. Lui annoncer qu'elle était condamnée.

– J'ai mal au cœur, s'écria-t-elle. Arrête-toi. J'ai envie de vomir.

Son père se gara immédiatement sur le bord du trottoir. Kim sauta de la voiture et se plia de douleur, secouée par une série de spasmes. Sa mère s'accroupit à côté d'elle et passa un bras protecteur autour de ses épaules.

– Respire profondément, ma chérie, lui dit-elle en lui caressant les cheveux. Respire bien.

Sa mère aurait-elle cette même sensation d'étouffer? se demanda Kim, à moitié suffoquée. Était-ce cela qu'on ressentait quand on mourait asphyxié?

Ce n'était pas la première fois que cela lui arrivait. Elle avait eu les mêmes nausées l'autre jour à la cafétéria, avec la même horrible sensation d'étouffer, l'air qui se figeait littéralement dans sa bouche comme si un énorme morceau de glace lui obstruait la gorge. Elle avait cru mourir. Elle avait hérité de la maladie de sa mère.

La sclérose latérale amyotrophique.

C'était de l'angoisse toute bête.

Enfin, c'est ce qu'avait dit Rosemary Colicos.

— Ce qui n'empêche pas ces crises d'être impressionnantes et pénibles. Mais elles ne sont pas mortelles, avait précisé la psy.

— Et pourquoi ai-je des fourmillements dans le pied ? lui avait-elle demandé à la séance d'aujourd'hui.

— Tu devrais peut-être changer de chaussures de temps en temps. Si tu restes assise toute la journée dans ces grosses bottes, ne t'étonne pas d'avoir les pieds qui s'engourdissent. Tu ne vas pas mourir, Kim. Tu es en bonne santé.

Vraiment ? Alors que faisait-elle pliée en deux sur le bord d'un trottoir verglacé en plein Chicago, par un après-midi venteux de mars ?

Au bout d'un temps qui lui parut interminable, les haut-le-cœur finirent par s'arrêter et Kim sentit ses poumons se gonfler d'air. Elle essuya ses yeux pleins de larmes, se laissa aller contre l'épaule de sa mère et le soleil froid lui sembla bizarrement chaud sur sa joue.

Alors l'ombre de son père les enveloppa, leur cachant le soleil.

— Ça va mieux ?

Kim hocha la tête, se redressa lentement et se tourna pour aider sa mère. Mais Jake la relevait déjà, une main sous son coude, l'autre autour de sa taille, Mattie appuyée de tout son poids contre lui. Elle n'avait pas besoin de Kim.

— Tu te sens mieux, ma chérie ? s'inquiéta-t-elle alors qu'ils remontaient en voiture.

— Oui. J'ai mangé trop vite à midi et je digère mal mon ham-burger.

— Je croyais que tu ne mangeais pas de viande rouge, lança son père.

Plus personne ne dit un mot jusqu'à l'arrêt de la voiture devant la maison de sa grand-mère.

— Allez. Choisis-en un, disait sa mère en tournant autour de la portée de chiots qui se montaient les uns sur les autres dans le car-ton, au milieu de la cuisine.

Mattie souriait aux anges, les larmes aux yeux, comme lorsque l'on sait que l'on fait vraiment plaisir à quelqu'un. Son père aussi avait le même sourire stupide. Et Kim sentait qu'elle devait être tout aussi ridicule. Sa grand-mère, qui souriait discrètement près de la vieille cuisinière, avec sa meute dans les jambes, était la seule à ressembler encore à un être humain et non à un extra-terrestre abruti.

– C'est une plaisanterie ? demanda Kim d'une voix prudente, sans oser s'approcher du carton.

– Lequel veux-tu ? répondit sa mère.

– Je n'arrive pas à y croire. Vous voulez bien que j'aie un chien ?

– Joyeux anniversaire, Kimmy, dit son père.

– Joyeux anniversaire, enchaîna sa mère.

– Mais ce n'est que dans une semaine, protesta Kim en s'éloignant de la boîte.

Pourquoi le célébraient-ils en avance ? Sa mère avait-elle de nouveaux problèmes ?

– Tout va bien, Kim, la rassura sa mère, comme si elle lisait au plus profond de ses pensées. Nous voulions juste te faire une surprise. Nous aurions pu attendre la semaine prochaine mais nous craignions...

– Je ne sais pas lequel choisir, s'écria Kim en se laissant tomber devant la boîte sans laisser sa mère terminer sa phrase. – Elle souleva les petites boules blanches les unes après les autres. – Ils sont tellement mignons. Je n'ai jamais rien vu d'aussi craquant.

Elle en prit un à bout de bras et regarda ses petites pattes gigoter entre ses doigts. Il avait des yeux en boutons de bottine d'un joli marron. Comme ceux de Teddy, se dit-elle. Elle le remit dans la boîte et en prit un qui avait encore les yeux à moitié fermés.

– De quelle race sont-ils ? demanda Mattie en évitant de croiser le regard de sa mère.

– Pantoufle et balai-brosse, annonça grand-mère Viv en se redressant fièrement. Moitié caniche, moitié pékinois. Plus intelligents que les deux races réunies.

– Je veux celui-là, déclara Kim en couvrant un des chiots de baisers.

Il leva sa tête minuscule et lui donna un coup de langue.

– Ne le laisse pas te lécher la bouche, la mit en garde sa mère.

Kim laissa la petite bête continuer à la débarbouiller.

– Kim..., dit son père.

– Pour l'amour du ciel, arrêtez, tous les deux, s'interposa grand-mère Viv. Leur langue est plus propre que la nôtre. Comment vas-tu l'appeler, Kimmy ?

– Je ne sais pas. Qu'est-ce qui est bien comme nom ?

Les yeux de Kim allaient de sa grand-mère à son père et à sa mère, sans oser s'arrêter sur aucun d'eux. On lui permettait enfin d'avoir un chien. Mais pourquoi? Sa mère les avait toujours détestés. Elle était même allée jusqu'à prétendre qu'elle y était allergique le jour où Kim avait rapporté de la fourrière un chien abandonné. Il avait fallu qu'elle le donne à sa grand-mère. Elle était allée le voir toutes les semaines mais ce n'était pas comme d'en avoir un chez soi, qui vous suivait partout et qui se couchait à vos pieds sur le lit. Pourquoi ce soudain changement? Pourquoi maintenant, alors que ce n'était pas le moment pour sa mère d'avoir un jeune chiot tout fou dans les jambes?

C'était officiel, comprit-elle brutalement, le souffle coupé. Sa mère allait mourir.

— Comment dois-je l'appeler, maman? demanda-t-elle malgré l'étau qui lui serrait la gorge.

— C'est ton chien. À toi de choisir.

— C'est une grave décision.

— Oui, acquiesça sa mère.

— Que dirais-tu de George?

— George? s'étonnèrent Mattie et Jake à l'unisson.

— J'adore, s'écria grand-mère Viv. Ça lui va comme un gant.

— George et Martha, dit Kim en souriant à sa mère. Ça va bien ensemble.

— Je n'ai jamais compris pourquoi ta mère détestait son prénom, marmonna grand-mère Viv. Je l'ai toujours trouvé si joli. Tu n'imagines pas Martha Stewart se faisant appeler Mattie, n'est-ce pas? Qui veut du thé? demanda-t-elle sans reprendre son souffle.

— Excellente idée, dit Jake.

— Avec plaisir, approuva Mattie.

Kim regarda Mattie observer sa mère du coin de l'œil. Elle essaya de voir sa grand-mère telle que sa mère la voyait. Elles ne se ressemblaient pas beaucoup. Sa grand-mère était plus petite et plus trapue, avec des cheveux bruns grisonnants courts et frisés. Elle avait des traits plus épais que sa fille, le nez plus large et plus plat, la mâchoire plus carrée, et les yeux verts. Mattie prétendait être le portrait de son père, mais aucune photo ne permettait de vérifier. Contrairement à sa mère, sa grand-mère ne se maquillait jamais, et des rougeurs lui marquaient les joues dès qu'elle était contrariée ou courroucée, un désagrément dont le teint parfait de sa fille n'avait jamais souffert. Pourtant Kim retrouvait sa grand-mère dans la démarche droite et assurée de Mattie, dans leur port de tête, leur façon de parler avec les mains dès que leurs émotions dépassaient les mots.

– Que s'est-il passé entre grand-mère Viv et toi? avait-elle souvent demandé à sa mère.

– Rien.

– Alors pourquoi ne vas-tu jamais la voir? Pourquoi ne vient-elle jamais dîner à la maison?

– C'est une longue histoire, Kim. Ce n'est pas facile de te répondre. Si tu interrogeais plutôt ta grand-mère?

– Je l'ai fait.

– Et alors?

– Elle m'a dit de te le demander.

Sa mère avait un drôle de regard, se dit-elle en la dévisageant. Comme si elle s'était trompée de maison et ne savait pas comment repartir poliment, ce qui devait être exactement ce qu'elle ressentait. Depuis combien de temps n'était-elle pas venue chez sa mère? Quel âge avait-elle quand elle avait quitté cette maison? Elle n'était probablement pas beaucoup plus vieille que son père quand il était parti de chez lui. Quelle étrange coïncidence! se dit-elle en embrassant la tête de son petit chien. Ses parents avaient plus de points communs qu'elle ne croyait.

– As-tu vu l'article sur Jake dans le *Chicago*? demanda Mattie à sa mère, cherchant visiblement à relancer la conversation.

– Non. – Grand-mère Viv se dirigea vers l'évier et remplit la bouilloire d'eau. – Tu l'as apporté?

– Il se trouve que j'en ai un sur moi, répondit Mattie en prenant son sac sur la table de la cuisine.

– Dis-moi que je rêve, s'exclama Jake.

Voilà qu'il rougissait maintenant. Kim leva les yeux au ciel.

– Pas du tout, pouffa Mattie en brandissant le magazine.

Mais, au moment où elle s'apprêtait à le tendre à sa mère, il lui échappa des mains et s'écrasa au milieu des chiens qui coururent se réfugier derrière les jambes de leur maîtresse en poussant des jappements affolés.

– Eh bien, tu n'es pas obligée de me le jeter à la figure! lança sèchement grand-mère Viv. Ce n'est rien, mes bébés, ajouta-t-elle à l'intention des chiens qui revenaient lentement.

Kim vit alors que sa mère avait le visage livide et les yeux écarquillés d'horreur.

– Je suis vraiment désolée. Je ne sais pas ce qui m'est arrivé.

– Ça va? s'inquiéta Jake.

– Bien sûr que ça va, rétorqua grand-mère Viv en ramassant le journal. Elle a toujours été maladroite. Voilà une belle photo de vous, Jake. En couverture, en plus.

– L'article est très flatteur, déclara Kim en voyant que sa mère retrouvait des couleurs.

Elle avait repris volontairement les mots de sa mère, termes que son père disait avoir lui-même employés. C'est de famille, songea-t-elle en respirant profondément pour lutter contre la nausée.

– Ça va, ma chérie ? s'inquiéta sa mère.

Rien ne lui échappe, pensa Kim en regardant sa grand-mère poser la bouilloire sur le feu puis sortir un gâteau d'anniversaire d'une boîte sur le comptoir.

– Qu'est-ce qui vous prend ? Vous n'arrêtez pas de vous demander si ça va, remarqua-t-elle en posant le gâteau au milieu de la table de la cuisine. Pourtant personne ne s'est encore inquiété de ma santé.

– Ça ne va pas, grand-mère Viv ?

– Je vais très bien, ma chérie. Merci de t'en soucier. Alors, qui veut une rose en sucre ?

– Moi, répondirent Kim et sa mère d'une même voix.

Ils s'assirent autour de la table en Formica, le chiot assoupi sur les genoux de Kim, pendant que sa grand-mère prenait sur les siens un petit terrier tout excité pour tenter de le calmer.

– Tu ne pourrais pas tenir le chien à l'écart du gâteau ? demanda Mattie d'un ton sec.

– Il ne va pas le toucher. – Des petites rougeurs apparurent comme par enchantement sur ses joues pendant qu'elle reposait le chien par terre et se relevait d'un bond. – J'ai oublié les bougies. Je sais que j'en ai par ici, dit-elle en fourrageant bruyamment dans les tiroirs de la cuisine.

– Ça ne fait rien, grand-mère Viv. Je n'en ai pas besoin.

– Qu'est-ce que tu racontes ? Bien sûr qu'il en faut. A-t-on jamais vu un gâteau d'anniversaire sans bougies ?

– Kimmy, repose ton chien par terre, ordonna Jake.

– George restera sur mes genoux. Et ne m'appelle pas Kimmy.

– Je les ai retrouvées, s'écria triomphalement sa grand-mère en revenant vers la table avec les bougies qu'elle piqua sur le gâteau en quatre petites rangées bien nettes. Seize bougies, dit-elle en souriant à son unique petite-fille. Plus une pour te porter bonheur.

Et elle planta la dix-septième au milieu d'une rose.

23.

– Je pourrais te parler une minute, maman ?

– Bien sûr, Martha.

Mattie prit une profonde inspiration, expira lentement et se força à sourire. Sa mère attendait qu'elle parle, assise sur sa chaise devant la table de la cuisine, deux chiots sur ses genoux, cinq autres à ses pieds. Jake, qui lisait à côté d'elle le *Chicago Sun Times*, jeta une œillade complice à Mattie. Kim, assise par terre en tailleur à côté du carton, berçait George dans ses bras comme un nouveau-né. Le seul petit-fils qu'il me sera donné de voir, ironisa Mattie en se dirigeant vers la salle de séjour.

– Tu veux bien qu'on aille à côté ?

Sa mère lui jeta un regard interrogatif, posa les chiots par terre et se leva.

– Tu veux que je vienne ? proposa Jake, comme il le lui avait déjà proposé plusieurs fois.

La dernière chose que vit Mattie en quittant la cuisine fut le regard de Kim qui la suivait. Fais attention, lut-elle dans ses yeux. Mattie hocha la tête sans rien dire, sans bien savoir à qui cet avertissement s'adressait.

La salle de séjour n'avait pas beaucoup changé : des murs vert pâle et une moquette assortie, quelques meubles sans goût plus utilitaires que décoratifs, de mauvaises reproductions d'Audubon aux murs. Mattie sélectionna un endroit relativement propre au milieu du canapé vert menthe, près de la fenêtre, en faisant mine de ne pas voir la couche de poils qui recouvrait le velours. Elle s'assit les mains serrées sur ses genoux, les jambes croisées aux chevilles, le dos raide, en essayant d'entrer le moins possible en contact avec les coussins.

– J'ai passé l'aspirateur juste après ton appel, fit remarquer sa mère d'un ton de reproche.

Elle se laissa tomber dans le fauteuil à côté de Mattie, la tête penchée de côté comme ses chiens, et attendit qu'elle prenne la parole.

– Oui, c'est tout propre, acquiesça Mattie, pendant qu'un petit chien marron avec des oreilles énormes sautait sur le canapé à côté d'elle.

De quelle race pouvait-il être ? se demanda-t-elle en le reposant par terre avant de le repousser avec la pointe de sa chaussure.

Depuis toujours, elle devait se battre contre les chiens dans l'affection de sa mère. Ils avaient gagné.

– Viens ici, Bouboule, dit la vieille dame en prenant l'animal sur ses genoux. Martha n'aime pas les chiens.

Elle lui embrassa le dessus de la tête et nettoya d'un geste expert les mucosités qui lui salissaient l'œil. Aussitôt d'autres chiens se précipitèrent vers elle et se couchèrent à ses pieds en jetant à sa fille un regard de reproche.

– Non, ce n'est pas vrai. – Mattie s'arrêta, elle n'avait pas à se justifier devant cette meute. – La question n'est pas là. L'important, aujourd'hui, c'est que Kim soit heureuse. Et elle est ravie d'avoir George. Je t'en suis très reconnaissante.

Sa mère rougit et se remua sur son siège en haussant les épaules.

– C'est Daisy que tu devrais remercier d'avoir eu ses petits au moment de l'anniversaire de ta fille.

– Je lui enverrai un mot. – Mattie regretta aussitôt son ironie. À quoi bon ? Surtout maintenant. Avec sa mère qui prenait tout au premier degré. – Tu sais à qui donner les autres ? s'empressa-t-elle d'enchaîner, en repensant à la surprise de sa mère lorsqu'elle l'avait appelée quelques semaines plus tôt pour lui demander si elle avait des chiots à donner.

– Pas encore. Je voulais que Kim choisisse la première. Mais ça ne m'a jamais posé de problème. Je vais peut-être même en garder un ou deux.

– Aucune loi ne limite le nombre de chiens qu'on peut avoir ?

– Tu m'as fait venir ici pour parler de ça ? demanda sa mère, sans chercher à cacher son irritation.

Elle attendit à nouveau, la tête penchée sur le côté.

– Non, bien sûr que non. – Mattie s'arrêta, incapable de continuer. Comment annoncer à sa mère que l'on va mourir ? Même si cette mère s'est à peine souciée de votre existence. – J'ai quelque chose à te dire.

– Eh bien, vas-y. Accouche. Ce n'est pas ton genre de jouer les timides.

Qu'en sais-tu ? faillit-elle la rabrouer.

– Tu te souviens de cet acteur qui jouait dans un de ces feuilletons que tu aimais bien. Dans *Haines et Passions*, je crois...

– Je n'ai jamais regardé ce feuilleton. Seulement *Hôpital central* et *Des jours et des vies*. Et aussi *Les Feux de l'amour* de temps en temps, mais ils m'énervent à faire traîner leurs histoires en longueur.

– Il y avait un acteur dans une de ces séries qui est mort il y a quelque temps de sclérose latérale amyotrophique. La maladie de Lou Gehrig.

Sa mère n'eut aucune réaction. Mattie, exaspérée, se demanda si elle voyait où elle voulait en venir.

– Ah, oui, je me souviens. Roger Zaslow, non, Michael Zaslow, je crois qu'il s'appelait. Et tu avais raison, il jouait dans *Haines et Passions*. Et...

– Maman...

– ... j'ai lu un article sur lui dans *People*. Ils l'ont viré. En disant qu'ils ne pouvaient pas garder un acteur incapable de dire ses répliques, ou un truc du genre. Il leur en a beaucoup voulu. Je le comprends. Quelle horrible maladie! marmonna-t-elle en mordillant sa lèvre inférieure, refusant toujours de se rendre à l'évidence, de demander pourquoi elles parlaient de ça.

– Je suis malade, maman, lâcha Mattie, renonçant à attendre la question qui ne viendrait pas.

Sa mère se raidit sur son siège et son regard se voila comme chaque fois qu'elle affrontait une nouvelle désagréable. Mattie venait à peine de commencer qu'elle la sentait déjà se dérober. Elle se pencha en avant et la força à soutenir son regard.

– Tu te souviens de mon séjour à l'hôpital après mon accident?

Sa mère hocha la tête imperceptiblement.

– Eh bien, les médecins ont découvert que j'avais la même maladie que cet acteur.

Sa mère laissa échapper un petit cri mais son visage resta impassible.

– Il paraît qu'on est sur le point de découvrir un traitement et, avec un peu de chance... – Mattie s'arrêta, s'éclaircit la gorge. – En fait, il me reste deux ans peut-être. Et entre nous, continua-t-elle dans un murmure, je ne pense pas aller aussi loin. Je découvre de nouveaux symptômes chaque jour.

– Je ne comprends pas, protesta sa mère en tournant les yeux vers la fenêtre, pendant que de ses longs doigts elle caressait le chien. Tu as l'air en pleine forme.

– Pour le moment, mon corps fonctionne encore à peu près normalement, mais ça ne va pas durer. Je suis de plus en plus maladroite comme tout à l'heure quand j'ai fait tomber le magazine. Bientôt je ne pourrai plus marcher, ni rien faire avec mes mains. Ni parler. Tu connais la suite. – Mattie scruta le visage de sa mère mais son expression n'avait pour ainsi dire pas changé depuis qu'elle s'était assise. – Ça va?

— Bien sûr que non, répondit celle-ci d'une voix sourde. Ma fille m'annonce qu'elle va mourir. Comment veux-tu que j'aille bien ?

— Ce n'est pas ce que je voulais...

— Je me suis doutée de quelque chose quand tu as brusquement décidé de laisser ta fille avoir un chien. Et ça faisait des années que vous n'étiez pas venus me voir. Je m'attendais à ce que tu m'annonces que vous partiez vivre à New York ou en Californie, maintenant que Jake est devenu une célébrité, ou qu'il te quittait pour une autre femme. La routine, tu vois. Le quotidien. Mais pas ça. Vraiment pas.

— Maman, regarde-moi.

— C'est jamais ce qu'on attend. Les gens vous disent qu'ils ont quelque chose à vous confier, vous essayez d'imaginer ce qu'ils vont vous dire et ils vous sortent le truc auquel vous pensez le moins. C'est toujours comme ça, tu as remarqué ?

— Maman, j'ai besoin que tu me regardes.

— C'est injuste de me faire ça.

— Il n'est pas question de toi, maman, dit doucement Mattie en la prenant par le menton pour la forcer à la regarder. – Le chien sur ses genoux grogna sourdement. – Écoute-moi. Pour une fois dans ma vie, j'ai besoin de toute ton attention. Tu veux bien ?

Sans un mot, sa mère reposa le chien par terre.

— Pour le moment, je n'en suis qu'au premier stade de la maladie. Je l'assume très bien. Je peux encore travailler et faire tout ce que je faisais auparavant. J'ai arrêté de conduire, bien sûr, mais je continue à me déplacer en taxi et Jake m'accompagne faire les courses. Kim m'aide du mieux qu'elle peut...

— Elle est au courant ?

Mattie hocha la tête.

— C'est très dur pour elle. Elle joue les courageuses mais je sais qu'elle souffre terriblement.

— Alors vous avez décidé de lui offrir un chien.

— Nous avons pensé que ça l'aiderait, que ça lui changerait les idées.

— C'est une gentille fille.

— Je sais.

Mattie refoula ses larmes. Il fallait qu'elle tienne jusqu'au bout.

— Que veux-tu que je fasse ? Je serais ravie de la prendre quelques semaines chez moi. Kim m'a dit que vous deviez aller à Paris en avril. Je pourrais la garder à ce moment-là.

Une fois de plus, sa mère se concentrait sur un détail pour ne pas voir l'étendue du problème. Un détail insignifiant qu'elle grossirait jusqu'à ce qu'il cache tout le reste.

– Nous verrons ça plus tard. C'est moi qui ai besoin de toi maintenant, pas Kim.

– Je ne sais pas. – Une fois de plus, elle tourna les yeux vers la fenêtre. – Veux-tu que je fasse tes courses ?

Mattie secoua la tête. Comment pouvait-elle lui faire comprendre ce qu'elle attendait d'elle ? Un chien noir sauta sur le canapé et se coucha contre elle en lui coulant un regard méfiant sous ses paupières lourdes.

– Quand j'avais cinq ans, nous avions une chienne qui s'appelait Queenie. Tu t'en souviens ?

– Bien sûr que je m'en souviens. Tu la portais tout le temps la tête en bas et elle ne se plaignait jamais. Elle te laissait tout faire.

– Un jour, elle est tombée malade, tu as dit qu'il fallait l'endormir et je t'ai suppliée en pleurant de ne pas le faire.

– C'est de l'histoire ancienne, Martha. Ne me dis pas que tu m'en veux encore, après toutes ces années. Elle était très malade. Elle souffrait.

– Et elle te suppliait du regard de mettre fin à ses souffrances, répétais-tu. Ses yeux te disaient que ce serait cruel de la laisser en vie.

– Je me demande si Kim s'en sort avec George, éluda sa mère.

– Écoute-moi, maman. Un jour viendra où je te regarderai avec ces yeux-là.

– Nous devrions rejoindre les autres. Ce n'est pas...

– Je ne pourrai plus bouger, insista Mattie. Mes jambes, mes mains seront paralysées. Je serai incapable de mettre fin à mes souffrances. Je ne pourrai plus rien faire. Je n'aurai plus la situation en main. – Mattie faillit sourire devant cette expression. – Et la maladie finira par atteindre les muscles de ma poitrine, ma respiration deviendra de plus en plus difficile.

– Je ne veux pas en entendre plus.

– Il le faut. Je t'en prie, maman. Lisa m'a prescrit de la morphine pour le jour où ça arrivera.

– De la morphine !

Sa mère prononça ce mot d'une voix chevrotante.

– Elle permet de réduire l'angoisse que l'on éprouve quand on respire mal. Elle agit sur le système respiratoire et le ralentit. Lisa dit que ce médicament soulage merveilleusement l'anxiété et calme le patient. Mais un jour viendra où la morphine sera sur la table de nuit et je ne pourrai plus l'attraper. Je serai incapable d'estimer la dose nécessaire pour mettre fin à mes souffrances. Je ne pourrai rien faire. Tu me comprends, maman ? Tu comprends ce que je te dis ?

– Je ne veux plus parler de ça.

– Vingt comprimés, maman. C'est tout. Tu les écrases dans un peu d'eau et tu me les fais avaler. Je m'endors tout doucement et un quart d'heure après je suis dans le coma. Et je ne me réveille plus. Quelques heures plus tard, c'est fini, je suis partie. Facilement. Sans douleur. Mes souffrances sont terminées.

– Ne compte pas sur moi pour le faire.

– À qui d'autre puis-je le demander ?

– À Lisa. À Jake.

– Je ne peux pas demander à Jake d'enfreindre la loi. La loi c'est sa vie. Et je ne peux pas demander à Lisa de mettre sa carrière en péril.

– En revanche, moi, ça ne te gêne pas.

– Ce n'est pas facile pour moi, maman. Quand t'ai-je demandé quelque chose pour la dernière fois ?

– Je sais que tu trouves que j'ai été une mauvaise mère. Tu crois...

– Ça n'a plus d'importance maintenant. Maman, je t'en prie, tu es la seule à pouvoir le faire. J'y réfléchis depuis des semaines. Et si je t'en parle maintenant, c'est parce que je n'en serai plus capable plus tard. Je pourrai seulement te regarder avec « ces yeux-là ».

– Ce n'est pas juste. Non, vraiment pas juste.

– Tu as raison. Ce n'est vraiment pas juste, acquiesça Mattie, les mains toujours crispées sur les accoudoirs du fauteuil de sa mère, lui coupant toute retraite. Hélas ! c'est comme ça. Alors je veux que tu me promettes de le faire, maman. Tu sauras quand il sera temps que je m'en aille. Tu sauras quand il sera cruel de me laisser vivre, et tu m'aideras, maman.

– Je ne peux pas.

– S'il te plaît, insista Mattie, d'une voix plus forte. Si tu m'as jamais aimée, promets-moi de m'aider.

Elle ne la quittait pas des yeux, refusant de la laisser tourner la tête, esquiver son regard, se dérober à cet engagement qu'elle lui imposait. Autour d'elles, les chiens haletaient à l'unisson, comme si eux aussi attendaient sa décision.

– Je ne sais pas si je pourrai.

– Il le faudra.

Les épaules de sa mère s'affaissèrent, ses yeux tombèrent sur son giron en une acceptation muette.

– Promets-le-moi, insista Mattie. Il faut que tu me le promettes.

– Je te le promets, dit sa mère en baissant lentement la tête.

– Et tu ne diras rien à Jake. Tu ne diras rien...

– Que se passe-t-il? demanda Kim depuis le seuil de la pièce.

Mattie pivota précipitamment et faillit tomber du canapé. Elle se rattrapa d'une main et se leva en tremblant.

– Ça fait longtemps que tu es là?

– Je t'ai entendue crier après grand-mère Viv.

– Je ne criais pas.

– J'ai cru.

Kim avança d'un pas dans la pièce, le chiot profondément endormi dans ses bras.

– Tu sais comme ta mère s'emballe parfois, intervint grand-mère Viv.

– Et qu'est-ce qui l'emballait tellement?

– Ton petit chien, bien sûr, répondit Mattie en s'approchant de Kim. Je peux le prendre?

– Fais bien attention, dit Kim, son regard allant de sa mère à sa grand-mère pendant qu'elle posait le chiot dans les mains tremblantes de Mattie.

Il était si doux, si chaud, s'étonna Mattie en le mettant contre sa joue, se frottant doucement contre lui, sans pouvoir cacher le tremblement de ses mains.

– Tu ne vas pas le faire tomber? s'inquiéta Kim.

– Il vaut peut-être mieux que tu le reprennes, dit Mattie en le remettant dans les bras de sa fille. – Elle remarqua les rougeurs sur les joues pâles de sa mère. – Il doit être l'heure de rentrer, ajouta-t-elle.

– Je ne rentre pas, annonça Kim.

– Quoi?

– Qui ne rentre pas? s'inquiéta Jake en pénétrant dans la pièce, son regard interrogateur allant de Mattie à sa mère.

Mattie le rassura d'un hochement de tête en essayant de sourire.

– Je vais rester ici ce soir, annonça Kim. Je ne veux pas laisser George. Ça ne te dérange pas, grand-mère?

– Si tes parents sont d'accord, répondit celle-ci d'une voix qui parut étrangement monocorde à Mattie.

– Bien sûr, acquiesça Mattie, soudain pleine d'admiration pour sa fille. Tu es très gentille, lui dit-elle quelques minutes plus tard en l'embrassant pour lui dire au revoir.

Elle savait qu'elle avait décidé de rester autant pour sa grand-mère que pour le chiot.

– Une vraie petite fille modèle, dit Kim en simulant une révérence.

– Attention à l'escalier, les avertit grand-mère Viv alors que Jake prenait Mattie par le coude pour la conduire à la voiture. Il est encore verglacé par endroits.

– Je te téléphonerai, maman, dit Mattie.

Sa mère hocha la tête, entourée de ses chiens qui aboyaient, et ferma la porte.

– Alors, comment ça s'est passé?

– Ç'a été plus dur que je ne le croyais, répondit Mattie.

– C'est ta mère, Mattie. Elle t'aime.

Mattie posa sa main sur celle de Jake, sachant combien c'était difficile pour lui de dire ça. Les mères n'aimaient pas toujours leurs enfants, ils le savaient tous les deux.

– Oui, à sa façon, approuva Mattie.

Elle se renfonça dans le siège de la voiture et ferma les yeux pendant que Jake reculait dans Hudson Avenue. Elle revit l'expression impénétrable de sa mère quand elle lui avait appris sa maladie. Pourrait-elle compter sur elle le moment venu? Était-ce bien raisonnable d'espérer qu'elle l'aiderait dans la mort alors qu'elle n'avait pas su le faire dans la vie? Avait-elle bien fait de le lui demander? Mattie secoua la tête, décidée à ne pas se laisser tourmenter par ce qui échappait à son contrôle.

– Que dirais-tu d'aller au cinéma? proposa Jake.

– Je suis un peu fatiguée. Ça ne t'ennuie pas de rentrer directement à la maison?

– Bien sûr. Comme tu veux.

Mattie sourit, les yeux toujours clos. « Comme tu veux. » Combien de fois l'avait-elle entendu dire cela au cours des six dernières semaines? Il faisait de tels efforts. Il rentrait à la maison tous les soirs pour le dîner, travaillait chez lui le plus souvent possible, lui faisait les courses le week-end, regardait la télévision au lit avec elle, lui laissait même la télécommande. Il se précipitait à ses côtés dès qu'il avait un moment de libre. Et, dès qu'il était près d'elle, il lui prenait la main, ou se collait contre sa cuisse. Quand ils faisaient l'amour, ce qui leur arrivait plusieurs fois par semaine, c'était mieux que jamais. S'imaginait-il avec Cherry lorsqu'il lui caressait la nuque ? Étaient-ce les seins de Cherry qu'il embrassait, les cuisses de Cherry qu'il écartait quand il la prenait ? Mattie s'empressa de chasser cette idée importune. Apparemment, Jake ne voyait plus du tout Cherry. Ses journées étaient trop courtes. Il avait tant à faire. Mais quand on veut on peut, n'est-ce pas ce que dit le dicton ?

Quand on veut on peut, répéta intérieurement Mattie, en se demandant pourquoi les gens aimaient tant les clichés. Ils avaient quelque chose de terriblement rassurant. Leur prévisibilité, leur familiarité, leur permanence. Plus sa santé s'amenuisait, plus elle appréciait leurs vérités faciles et leurs généralisations à l'emporte-pièce : c'est l'amour qui mène le monde ; l'amour finit toujours par triompher ; l'amour est toujours meilleur la seconde fois.

Sauf qu'il n'y avait jamais eu de première fois.

– Et si on passait au supermarché acheter des steaks ? proposa Jake. C'était ma spécialité, souviens-toi.

– Excellente idée, répondit Mattie, en s'émerveillant de l'enthousiasme de son mari.

Il aurait été un grand acteur. Mais finalement, faire impression sur un tribunal ou un public, ça ne devait pas être très différent. Comme au lit.

La voiture s'arrêta brusquement. Mattie ouvrit les yeux et vit qu'ils s'étaient arrêtés devant un petit supermarché de Borth Avenue.

– J'en ai pour une minute, annonça Jake en sortant déjà de la voiture.

– Je t'accompagne.

Il se précipita aussitôt pour ouvrir sa portière, l'aider à descendre et l'escorter dans le magasin brillamment éclairé.

– Par ici, dit-il en l'entraînant vers le rayon des produits frais, derrière les conserves, les céréales, les jus de fruits et les serviettes en papier, tout au fond du magasin.

Son aisance trahissait sa connaissance des lieux. Était-il déjà venu ici avec Cherry ? se demanda-t-elle en essayant de cacher d'un sourire sa tristesse soudaine.

– Tu sembles ici comme chez toi, ne put-elle s'empêcher de remarquer.

– Tous les supermarchés sont sur le même modèle, non ? répondit-il sans réfléchir, en examinant les steaks sous leur emballage plastique les uns après les autres.

– Que penses-tu de ceux-là ? Ils m'ont l'air parfaits.

Au moment où elle les lui tendait, une secousse soudaine agita son bras qui se détendit d'un coup. Les steaks lui échappèrent et traversèrent l'allée, manquant de peu une autre acheteuse, avant d'aller percuter un étalage de fromages dans un présentoir voisin.

– Mais que..., s'exclama la cliente en la fusillant du regard.

– Oh, mon Dieu! s'écria Mattie en enfonçant ses mains sous ses aisselles, prise de panique.

Ça recommençait. Comme dans la cuisine de sa mère. Sauf que là c'était en public. Comment pouvait-elle faire une chose pareille à Jake? Elle n'osait croiser ses yeux. Elle ne supporterait pas son regard de dégoût et d'horreur.

Un autre steak traversa l'allée. Et un autre encore! Elle vit alors son mari qui empoignait les paquets de steaks à pleines mains avec un sourire complice.

– Mon Dieu, mais qu'est-ce que tu fais? demanda-t-elle, sans savoir si elle devait rire ou pleurer alors qu'il lançait deux autres steaks à travers le magasin.

– C'est trop drôle, dit-il. À ton tour.

La cliente courut se mettre à l'abri en voyant Jake tendre un paquet à Mattie.

Sans réfléchir, Mattie balança la viande par-dessus son épaule et l'entendit atterrir avec un bruit mat derrière elle. Jake s'attaquait aux côtelettes d'agneau. Le temps que le directeur arrive avec un garde, toute la viande était éparpillée dans les rayons et Mattie et Jake riaient tellement qu'il leur fut impossible de présenter la moindre excuse ni la moindre explication.

24.

– Je prendrais bien un autre verre, dit Jake en regardant autour de lui à la recherche d'un serveur.

Ils se trouvaient au Great Impasta, célèbre restaurant italien situé sur East Chestnut Street, juste au nord de la Water Tower Place, à quelques pâtés de maisons à peine de son cabinet, et très apprécié par certains de ses confrères. Justement, il remarqua deux d'entre eux qui dînaient chacun avec son épouse dans un coin de la salle discrètement tamisée. Ils ne l'avaient pas encore aperçu, et Jake en était ravi. Il n'aimait pas ces deux hommes et les avait baptisés Dupont et Dupond. En outre, il estimait avoir eu suffisamment d'émotions pour la journée.

Il se demanda encore quelle étrange folie s'était emparée de lui au supermarché, et décida finalement que ce n'était, somme toute, qu'une réaction spontanée. Sauf qu'il n'était pas quelqu'un de spontané. Cherry prétendait même que ses improvisations étaient soigneusement préparées et répétées. Cherry. Il ferma les yeux de consternation. Il ne l'avait pas appelée de la journée, alors qu'il savait combien elle devait être peinée et déçue de son attitude. (Ça ne prend qu'une minute pour téléphoner, l'entendit-il dire. Vraiment, Jason, je ne pense pas te demander beaucoup.)

Vilain Jason, vilain Jason, vilain Jason.

Vilainjason, vilainjason, vilainjason.

– Ça ne va pas ? demanda Mattie.

Jake ouvrit les yeux et regarda, au-dessus de la nappe à carreaux rouges et blancs, celle qui était sa femme depuis seize ans. Elle ne paraissait pas beaucoup plus vieille que le jour où il l'avait épousée, se dit-il en contemplant son teint pâle éclairé par la chaude lumière de la bougie. Elle avait les cheveux plus longs que lorsqu'il l'avait connue, et elle avait maigri ces derniers mois, ce qui accentuait l'ovale de son visage, mais elle était toujours ravissante. Peut-être même était-elle une des plus belles femmes qu'il ait jamais vues.

– Je viens juste de m'apercevoir que j'ai oublié notre anniversaire de mariage, dit-il en réalisant que c'était vrai. C'était le 12 janvier, non ?

– À peu de chose près, lui sourit-elle.

– Je suis désolé.

– Ce n'est pas grave. Tu t'es largement fait pardonner tout à l'heure. Je ne m'étais encore jamais fait virer d'un supermarché.

– J'avoue m'être bien amusé.

Ils éclatèrent de rire, complices.

– J'aime beaucoup cette salle avec ses grappes de raisin et ses vieilles bouteilles de vin, remarqua Mattie. Ça change de la décoration high-tech qu'on voit partout.

– Ce restaurant a toujours existé. La cuisine y est délicieuse.

– Eh bien, je suis impatiente d'y goûter. Je meurs de faim brusquement.

Jake regarda sa montre. Le service était vraiment lent ce soir. Il y avait trois quarts d'heure qu'ils avaient passé leur commande. Il avait déjà bu deux verres de vin. Il aurait dû commander une bouteille, même si cela faisait beaucoup pour un seul buveur. Mattie s'en tenait à son eau minérale, ce en quoi elle n'avait peut-être pas tort. La journée avait été dure pour elle. Il se pencha pour lui prendre la main et sentit le tremblement familier.

– Je vais bien, le rassura-t-elle.

Il sourit. N'était-ce pas lui qui était censé la réconforter ?

– Tu ne m'as jamais parlé de ton interview pour *Now*, continua-t-elle.

– Oh, quelle horreur ! Un vrai désastre.

– Un désastre ? Comment ça ?

Jake agita ses mains devant son visage comme pour chasser de mauvais souvenirs.

– Cette Mme Isbister...

– Qui donc ?

– Wasbister.

– Qui ça ?

Ils éclatèrent brusquement de rire, mais l'expression de Mattie montrait qu'elle ne savait pas vraiment pourquoi.

– La journaliste, précisa-t-il en revoyant la jeune femme scandalisée qui se débattait avec son magnétophone alors qu'il la fichait dehors. Elle s'était mis en tête de dresser un portrait plus personnel de moi.

– Comment ça ?

– Elle m'a interrogé sur mes parents, mes frères, répondit-il alors que l'image d'Alana Isbister était remplacée par les visages tristes de Luke et Nicholas. Il cligna des yeux pour les chasser, en vain.

Le serveur lui apporta un nouveau verre de vin.

– Celui-ci est offert par la maison, avec toutes nos excuses pour cette attente. Nous avons eu des difficultés en cuisine mais tout est arrangé et vos plats arrivent d'une minute à l'autre.

– Ce n'est pas grave, répondit Jake en levant son verre. Merci.

– Pas de problème, dit doucement Mattie en français. Merci.

– Mais tu triches ! Tu travailles ton français.

– Dès que j'ai une minute. Je n'arrive toujours pas à croire à ce voyage.

– Mais si, jeune dame. Tout a été confirmé et payé. Dans cinq semaines, nous serons en France.

– Tu as l'air ravi.

– Mais je le suis, s'écria Jake, surpris de s'apercevoir que c'était vrai. – À force de faire semblant de se réjouir, il s'était pris au jeu. – Mon frère Luke rêvait d'aller en Europe, s'entendit-il dire.

Pourquoi parlait-il de ça ?

– Dans un pays en particulier ?

– Je ne m'en souviens pas. Il rêvait de traverser tout le continent en stop.

Que lui arrivait-il ? N'avait-il pas réussi à éluder son passé jusqu'à présent ? Pourquoi cette volte-face ? Les événements de l'après-midi l'avaient secoué. Et l'incident du supermarché, suivi de quelques verres d'un vin rouge capiteux, avait fini de le déstabiliser tout en lui déliant la langue. Jake porta son verre à ses lèvres et but une longue gorgée. Déliée pour déliée, autant en profiter, pensa-t-il, tandis que Luke lui faisait un clin d'œil dans le fond du verre.

– Continue, Jake. Parle-moi de lui, l'encouragea doucement Mattie.

Jake ressentit alors une douleur au cœur comme s'il avait été ferré par un hameçon. Il regarda le coin où les Dupont et Dupond plaisantaient joyeusement avec leurs femmes. L'une d'elles surprit son regard et donna un coup de coude à son mari qui se retourna, reconnut Jake, et fit signe à son tour à l'autre avocat. Instantanément, les quatre Dupont-Dupond lui sourirent en agitant les bras. Jake leur retourna consciencieusement leurs saluts avec autant d'entrain.

– Aussi loin que remontent mes souvenirs, j'ai toujours vu Luke pleurer, dit-il, les dents serrées, revenant à Mattie.

Bon sang, c'était lui qui s'était engagé sur cette voie. Il ne lui restait plus qu'à la suivre jusqu'au bout.

– Pourquoi ?

– Ma mère le battait.

Le regard de Mattie s'assombrit de chagrin.

– Quel âge avait-il ?

– Quatre... cinq... six... sept... dix-sept ans, récita Jake. Elle l'a battu chaque jour de sa vie.

– C'est horrible, s'écria Mattie, les yeux remplis de larmes. Et il ne s'est jamais retourné contre elle ?

– Jamais. Pas même quand il est devenu plus fort qu'elle et qu'il aurait pu, d'un simple revers, expédier cette sorcière dans l'autre monde.

– Et votre père ?

Jake revit son père assis dans son fauteuil marron devant la cheminée, le visage éternellement caché par son journal, le fin papier le protégeant aussi sûrement que le plus épais des boucliers.

– Il la laissait faire. Il n'était bon qu'à lire son foutu journal. Et quand ça se gâtait, il s'en allait.

212

– Il n'a jamais tenté de s'interposer?

– Il avait mieux à faire que de jouer les pères de famille. – Jake s'arrêta et regarda Mattie droit dans les yeux. – Comme moi.

– Ne dis pas de bêtises, Jake.

– Non? Et où étais-je pendant que Kim grandissait?

– Tu étais là.

– Je partais le matin avant son réveil et à mon retour, le soir, elle dormait déjà! Quand me suis-je vraiment occupé d'elle?

– Tu es là maintenant.

– C'est trop tard.

– Non.

– Elle me déteste.

– Elle t'aime.

Mattie se pencha et lui prit la main.

– Ne l'abandonne pas, Jake. Elle va avoir vraiment besoin de toi. Une fille a toujours besoin de son père, murmura-t-elle en pensant au jour où elle avait appelé Santa Fe pour annoncer à son père qu'elle avait une petite fille et qu'on lui avait répondu que Richard Gill était mort d'une attaque trois mois auparavant. Tu es un bon père, Jake. Je t'ai vu faire avec elle. Tu es un père merveilleux.

Jake voulut sourire mais ses yeux se remplirent de larmes. Il sentit un tremblement dans son bras, sans savoir s'il venait de Mattie ou de lui.

– Je suis un imposteur, Mattie. J'ai été un imposteur toute ma vie. Ma mère le savait. Elle l'a senti dès le jour de ma naissance. Si elle était là, je suis sûr qu'elle t'en raconterait de belles.

– Pourquoi croirais-je cette horrible femme? Pourquoi la crois-tu?

– Tu ne connais pas toute l'histoire.

– Je sais que tu aimais ton frère de tout ton cœur.

Jake finit son verre. Il se sentait planer. Il s'imagina son frère flottant à côté de lui, ce grand enfant efflanqué qui ne s'était jamais bien senti dans sa peau. Toujours trop calme. Trop sensible.

– Par bien des côtés, on aurait cru que c'était moi l'aîné. J'étais le meneur, l'organisateur, le débrouillard, celui qui s'occupait de tout. Lui, c'était un rêveur, celui qui parlait de traverser l'Europe en auto-stop, de jouer dans un groupe de rock...

« Quand j'avais l'âge de Kim, mes parents ont loué un chalet sur le lac Michigan pour une quinzaine de jours. C'était un endroit assez isolé, avec juste quelques maisons alentour. Luke venait d'avoir dix-huit ans, Nicholas en avait quatorze. Nick était un solitaire, déjà à cette époque. Il disparaissait au petit matin et on ne le revoyait pas avant la tombée de la nuit. Donc nous nous retrouvions souvent seuls tous les deux, Luke et moi.

« Tout s'est bien passé tant qu'il a fait beau, nous pouvions nous baigner, faire des balades en canoë et jouer au base-ball. Mon père s'asseyait sur la jetée pour lire son journal pendant que ma mère se faisait bronzer au soleil. Mais quand il s'est mis à pleuvoir trois jours d'affilée, ma mère est devenue folle. Je l'entends encore hurler : « On n'a pas dépensé tant d'argent pour rester enfermés toute la journée dans cet horrible chalet ! » Et elle se défoulait sur le premier venu. Luke en général. « Laisse tomber ce foutu bouquin », le harcelait-elle. « T'es pédé, ou quoi ? »

« Toujours est-il qu'un jour, alors que nous jouions au Monopoly tous les deux dans la cuisine, elle s'est mise à se moquer de lui parce qu'il se faisait battre par moi, son frère cadet. Luke ne répondait pas, attendant simplement que l'orage passe. Habituellement, elle finissait par se lasser, mais ce jour-là elle était furieuse parce que mon père était parti en ville et qu'elle avait bu. Voyant que Luke ne réagissait pas, elle a attrapé les petits paquets de billets qu'il avait soigneusement entassés devant lui et les a jetés en l'air. Il n'a pas bronché. Il m'a juste lancé un de ces regards que nous échangions quand ça allait très mal, comme pour nous dire que nous contrôlions la situation. Ce qui, évidemment, n'était pas le cas.

– Et alors ?

– Elle a commencé à le traiter de sale pédé, de taré, bref, de tous les noms qui lui passaient par la tête. Je lui ai dit de la fermer, ce qui d'habitude détournait sa colère sur moi, au moins quelques minutes, mais là, elle m'a ignoré. Elle a envoyé balader les cartes, les dés et les faux billets puis elle a frappé Luke sur la tête avec le carton.

« Il n'a pas bronché. Il n'a même pas levé la main pour se protéger des coups. Il m'a juste lancé un regard de connivence. Ma mère l'a vu et, bien sûr, ça l'a rendue folle furieuse. Alors elle a pris la bouteille de ketchup qui était sur la table et elle la lui a jetée à la figure.

– Mon Dieu !

Jake voyait la scène se dérouler devant lui comme s'il regardait un film à la télévision qu'il commentait au fil des images.

– La bouteille a rebondi et s'est écrasée sur le sol. Il y avait du ketchup partout. Ma mère a hurlé à Luke de nettoyer. Il s'est levé

214

très lentement, et je me suis dit : ça y est, il va la tuer. Il va la tuer. Mais il a pris des serviettes en papier sur le buffet et a commencé à essuyer les dégâts. Et il ne s'est arrêté que lorsqu'il n'est plus resté le moindre morceau de verre ni la moindre particule de ketchup sur le sol, la table et même les murs. Ma mère n'arrêtait pas de rire en le traitant de tapette et de minable. Et il me lançait des regards désespérés, attendant que je le défende, mais j'en étais incapable. Il me dégoûtait tellement, je lui en voulais tant de ne pas l'avoir tuée que je me sentais près d'exploser. Tu sais ce que j'ai fait ?

Mattie le regardait sans rien dire, avec ces merveilleux yeux bleus qui lui disaient de ne pas s'inquiéter, qu'elle comprenait. Même si lui ne comprenait pas.

— Je l'ai traité de sale pédé et je suis parti en courant.

Le regard de Mattie ne vacilla pas, même quand les larmes commencèrent à rouler sur ses joues.

— Et ma mère s'est mise à rire à gorge déployée, continua Jake, entendant encore l'écho de son horrible trahison dans le ricanement victorieux de sa mère. Je suis sorti sous la pluie battante et j'ai couru droit devant moi jusqu'à ce que je m'effondre de fatigue.

« Quand je suis rentré au chalet, tout le monde dormait. Je suis allé dans la chambre de Luke. Je voulais m'excuser et lui dire que le plus écœurant des deux c'était moi. Que j'avais honte de ne pas l'avoir tuée moi-même. Mais il n'était pas là.

« Je me suis assis pour l'attendre. Hélas ! il n'est pas revenu. Nous avons appris le lendemain matin qu'il était allé en ville en stop, qu'il s'était saoulé, qu'il avait volé un bateau et qu'il s'était écrasé contre une jetée. Il est mort sur le coup. Nous n'avons jamais su si c'était un accident ou non.

— Mon Dieu, Jake, quelle horreur !

— C'est un type bien que tu as épousé, hein ?

— Tu avais seize ans, Jake.

— J'étais assez grand pour savoir ce que je faisais.

— Tu ne pouvais pas deviner.

— Il est mort. C'est tout...

— Et Nicholas ? demanda Mattie en s'essuyant les yeux.

Jake se représenta l'adolescent maigre et négligé qu'il n'avait pas revu depuis quinze ans.

— Seuls l'alcool et la drogue lui rendaient la vie supportable. Il a commencé par sécher les cours puis il a eu des petits problèmes avec la police et il a passé un peu de temps en prison. Ensuite il a quitté la ville sans laisser d'adresse, il y a une dizaine d'années. Je n'ai aucune idée de l'endroit où il peut se trouver maintenant.

— Tu l'as cherché?

— Quel intérêt? demanda Jake en secouant la tête.

— Ta tranquillité d'esprit.

— Tu crois que je la mérite?

— Oui, sincèrement.

Jake sentit de nouvelles larmes lui monter aux yeux. Mattie avait-elle toujours été aussi compréhensive? se demanda-t-il en cherchant le serveur du regard. Ne leur avait-il pas dit que ce serait bientôt prêt? Que diable se passait-il? Était-ce si compliqué de préparer deux plats de pâtes?

— Mon père est allé vivre chez sa dernière maîtresse peu après la mort de Luke, continua Jake. Il est mort d'un cancer quelques années après. Ma mère prétendait qu'elle lui avait jeté un sort, et je veux bien le croire. Il avait dû en faire autant car elle est morte du même cancer alors que j'étais en première année de droit. Voilà, tu connais toute l'histoire, conclut-il, de son meilleur ton d'avocat.

— Et tu portes cette culpabilité depuis toutes ces années.

— Je l'ai bien mérité, non?

— Non, je pense que c'est une terrible perte de temps.

Jake se cabra, sans savoir pourquoi.

— Et que ferais-tu à ma place?

— Je laisserais tomber.

— Comme ça?

— À moins que tu n'aimes te torturer.

Jake sentit la colère monter en lui et dissiper l'agréable engourdissement de l'alcool.

— Tu crois que ça me plaît de me sentir coupable?

Mattie baissa les yeux.

— Ta culpabilité ne serait-elle pas une façon de te raccrocher à Luke? demanda-t-elle doucement.

— Quelles foutaises! riposta-t-il, choquant non seulement Mattie mais lui-même par la violence inattendue de sa réaction. Elle racontait n'importe quoi! C'était quoi ce délire? Mourante ou pas, rien ne lui donnait le droit de lui balancer pareilles sornettes! Elle jouait les psys ou quoi? Mais pour qui se prenait-elle, nom de Dieu?

— Je suis navrée, s'empressa-t-elle de s'excuser. Je ne voulais pas te blesser. Je voulais juste te... te...

Jake vit la bouche de Mattie se tordre. Aussitôt sa colère s'envola.

– Mattie, qu'est-ce qu'il t'arrive ? Ça ne va pas ?

Elle lui jeta un regard affolé. Il n'aurait jamais dû la rabrouer. Bon sang. C'était sa faute !

– Tu veux de l'eau ?

Mattie hocha la tête, prit le verre qu'il lui tendait mais elle tremblait si fort qu'il n'osa pas le lâcher. Elle but tout doucement.

– Ça va mieux, dit-elle au bout d'un temps interminable.

Jake lui trouvait une mine affreuse, le visage creusé et fiévreux, le regard aux abois.

– Tu veux qu'on rentre ?

Elle hocha la tête.

Le serveur arriva au même moment avec leur commande.

– Veuillez nous excuser, nous devons partir, annonça Jake en jetant un billet de cent dollars au milieu de l'assiette de raviolis fumants.

Il aida Mattie à se lever et à mettre son manteau devant le garçon médusé.

– Jake... Jake !

Jake reconnut les voix de ses confrères qui l'appelaient à l'unisson, et les entendit approcher tandis qu'il tendait son ticket de vestiaire au maître d'hôtel.

– Tu n'allais tout de même pas partir sans nous saluer !

Jake se retourna vers Dupont et Dupond qui répondaient aux noms de Dave Corber et Alan Peters.

– Désolé. Ma femme ne se sent pas bien.

Les deux hommes dévisagèrent Mattie d'un regard soupçonneux. Ils avaient dû entendre parler de l'esclandre qu'elle avait fait au tribunal et se demandaient sans doute si les rumeurs qui couraient sur leur mariage étaient fondées.

– Je ne crois pas avoir le plaisir de vous connaître.

– Ma... Ma... Mor..., bégaya Mattie en ébauchant un faible sourire.

– Pardon ? Que dites-vous ?

– Il faut vraiment qu'on y aille, insista Jake en passant un bras autour de Mattie, qu'il sentit trembler à travers son épais manteau, et il l'entraîna vers la porte.

– La petite dame ne tient pas bien l'alcool, murmura Alan Peters, d'une voix suffisamment haute pour que Jake l'entende.

Ce fut plus fort que lui : Jake pivota sur lui-même, attrapa son confrère par le cou, le décolla du sol et le regarda agiter ses petites jambes courtes, ses yeux pâles révulsés de terreur, le visage au bord de l'apoplexie.

– Qu'est-ce que t'as dit ? demanda-t-il alors que les clients des tables voisines s'écartaient, terrorisés. T'es vraiment le roi des cons ! Je vais te tuer, sale fils de pute !

– Au secours ! Au secours ! cria Alan Peters d'une voix étranglée.

– Jake, qu'est-ce que tu fais ? Pour l'amour du ciel, lâche-le, beugla Dave Corber.

– Appelez la police !

Jake sentit qu'on le saisissait par les épaules, la taille et les bras pour lui faire lâcher le cou trapu d'Alan Peters.

– Jake, tu l'étrangles ! Lâche-le ! le supplia Dave Corber, le visage presque aussi rouge que celui d'Alan Peters.

Jake entendit alors la voix douce de Mattie, d'abord hésitante puis plus claire, flotter au-dessus du chaos.

– Jake, pose-le par terre. Je t'en prie, repose-le.

Il le lâcha aussitôt et le regarda s'effondrer à ses pieds. Ignorant les cris des épouses des Dupont-Dupond et les clameurs des autres convives, il se retourna, prit Mattie par la taille et l'entraîna vers la sortie du restaurant.

25.

– Jake, vous auriez une minute ?

C'était un ordre, pas une requête, et Jake le savait.

– Certainement.

– Je vous attends dans mon bureau.

Frank Richardson raccrocha sans lui laisser le temps de demander la raison de ce rendez-vous. Il s'en doutait. Tout le cabinet le savait. Tout l'immeuble, même. Bon Dieu, maintenant tout le barreau devait être au courant de l'altercation du vendredi précédent au Great Impasta ! Une bagarre entre avocats en plein milieu d'un restaurant, ça valait tous les règlements de comptes à O.K. Corral. Surtout quand l'agresseur n'était autre que Jake Hart, monsieur le Grand Défenseur en personne.

Le bruit courait que tout était parti de sa femme. Tellement saoule qu'elle ne pouvait pas articuler un mot. Oui, monsieur, au point de ne pas pouvoir prononcer son nom. Quoi d'étonnant ? N'était-ce pas déjà elle qui avait fait cet éclat au tribunal l'automne dernier ? Ce jour-là, elle était tellement ivre qu'elle s'était fichue en l'air en voiture et s'était retrouvée à l'hôpital. Jake ne l'avait-il pas quittée peu après ? Pour aller vivre chez sa petite amie ? N'avait-il pas toujours été un peu coureur ? Peut-être était-ce la cause de leur dispute au restaurant. Et la raison pour laquelle elle avait trop bu. Pauvre Alan Peters. Il voulait simplement leur dire bonsoir. Vous êtes au courant ? On voit encore la marque des doigts sur son cou. Le pauvre n'a pas pu parler pendant une semaine.

Jake reposa la publicité de l'hôtel Danielle sur la petite pile de brochures touristiques qu'il avait accumulées au fil des semaines. Il se leva, boutonna la veste de son costume vert olive, lissa les plis inexistants de sa cravate imprimée jaune et vert, prit une grande inspiration, ouvrit la porte de son bureau et sortit dans le hall.

— Je suis dans le bureau de Frank Richardson, informa-t-il sa secrétaire.

— Vous avez un rendez-vous dans vingt minutes. Avec Cynthia Broome, ajouta-t-elle, en voyant son air interrogateur.

— Elle est déjà venue ?

Pourquoi ne retenait-il rien ? Il était sûr de lui avoir déjà posé la question.

— C'est la première fois.

Jake hocha la tête, à la fois soulagé et inquiet, et descendit le couloir sans jeter le moindre regard aux paisibles paysages et natures mortes qui ornaient les murs. Depuis qu'il accompagnait Mattie en mission de repérage dans les galeries, il avait appris à distinguer les œuvres de qualité de celles qui étaient purement décoratives. Il ne s'était jamais intéressé à l'art et considérait même son étude comme une perte de temps. Quelle réelle différence y avait-il entre l'impressionnisme et l'expressionnisme, le classicisme et le cubisme, entre Monet et Mondrian, Dalí et Degas ?

Une sacrée différence, avait-il découvert. Il éclata de rire, conscient que chacun de ses gestes était épié par une douzaine de paires d'yeux. Que regardez-vous ? eut-il envie de crier aux secrétaires qui l'espionnaient derrière leurs bureaux encombrés. Il aurait dû leur en donner pour leur argent. Mais il ne dit rien, ignorant leurs sourires narquois et leurs chuchotements à peine dissimulés alors qu'il disparaissait au coin du corridor. Cynthia Broome, répéta-t-il à voix haute à plusieurs reprises, essayant de ramener ses pensées vers son travail. Qui pouvait-elle bien être ? Pourquoi voulait-elle le voir ? Pourvu que ce ne soit pas encore une de ces foutues journalistes, se dit-il en espérant que son affaire serait simple, qu'elle ne lui demanderait pas trop de réflexion. Il avait eu du mal à se concentrer cette semaine. Sans doute parce qu'il s'attendait presque à ce que la police déboule dans son bureau, lui lise ses droits et l'arrête pour avoir attaqué un honorable confrère.

— Tu devrais l'appeler pour t'excuser, lui avait répété Mattie, qui parlait à nouveau normalement.

— Pas question.

Il n'avait aucune intention de s'aplatir devant un goujat qui avait insulté sa femme. Ce trou du cul faisait bien de l'éviter. Jake n'était pas sûr de pouvoir se retenir s'il le croisait dans les couloirs. Il avait éprouvé un tel plaisir à lui serrer le collet.

En revanche, il regrettait sincèrement sa conduite envers Mattie.

— Je regrette d'avoir réagi de façon aussi stupide, avait-il répété à maintes reprises.

— C'est moi qui ai eu tort. Je n'avais pas à jouer les psychologues amateurs.

— Et tu pensais vraiment ce que tu m'as dit ?

— Je ne sais pas, avoua-t-elle.

Comment ça, elle ne savait pas ! Jake n'en revenait pas. Comment osait-elle lui faire ça ? Elle réveillait les démons et disparaissait en le laissant seul les affronter.

Jake fit un rapide détour par les toilettes et fut soulagé de n'y trouver personne. Les femmes cherchent toujours des sens cachés là où il n'y en a pas, songea-t-il en se regardant dans le miroir, surpris de voir combien il avait l'air tranquille, sûr de lui. Demandez à un type pourquoi il aime le sport et il vous répondra qu'il aime le sport. Creusez plus profond et vous découvrirez qu'il aime réellement le sport. Mais les femmes refusent de se satisfaire d'une telle explication. Voilà pourquoi, selon Mattie, le fait qu'il ait trahi son frère et qu'il se juge ainsi en partie responsable de sa mort ne suffisait pas à justifier sa culpabilité. Non, s'il s'était complu à se reprocher l'accident de son frère pendant toutes ces années, c'était sa façon à lui de ne pas craquer, de tenir les sentiments à distance. Tant qu'il se sentirait coupable, il ne risquerait pas d'éprouver autre chose.

Jake se passa le visage sous l'eau froide. Mattie n'avait jamais dit que sa culpabilité lui permettait de se protéger sur le plan affectif. Qui jouait les psychologues, maintenant ? se demandat-il en ouvrant la porte des toilettes plus vivement qu'il ne l'aurait voulu. Le battant cogna contre le mur, manquant de peu un spécialiste en fiscalité.

– Désolé, s'excusa Jake, tandis que l'autre avocat s'écartait précipitamment de son chemin.

Le bureau de Frank Richardson, situé à l'angle sud-est au trente-deuxième étage, était de loin le plus grand et le plus luxueux de tous, comme il se devait, étant donné que son prestigieux occupant n'était autre que l'un des fondateurs de la firme. Sa secrétaire, Myra King, qui, à soixante-sept ans, était presque aussi vieille que son patron, attendait déjà devant sa porte, prête à faire entrer Jake.

– Myra, la salua Jake en passant devant elle.

– Monsieur Hart, répondit-elle, et elle referma la porte derrière lui avant de regagner la sécurité de son bureau.

Frank Richardson se tenait debout devant la fenêtre, intéressé apparemment par ce qui se passait dans la rue. C'était un homme de taille et de corpulence moyennes, le cheveu rare et rebelle, le profil quelconque avec un front trop proéminent, un menton fuyant, un nez aplati. Cependant une telle intelligence irradiait de ses yeux marron que l'on en oubliait la fadeur de son visage.

– Jake, l'accueillit-il chaleureusement en lui faisant signe de s'asseoir dans l'un des trois fauteuils rouges qui entouraient une table basse dans un angle de la pièce.

Un grand bureau en quartier de lune, couvert de photos des enfants et petits-enfants de Frank, occupait le coin opposé. Derrière, le mur était constellé de diplômes et de citations encadrés. Une grande peinture aurait été plus esthétique, par exemple un des tableaux gigantesques de Tony Sherman, se dit Jake en repensant à l'exposition à laquelle Mattie l'avait emmené la semaine précédente. Ou peut-être une des photographies de Rafael Goldchain, enfin, quelque chose qui apporterait un éclair de couleur et d'audace sur ce mur ennuyeux. Jake s'assit dans un des fauteuils, guère confortable comme il s'y attendait. Ils n'invitaient pas à ce qu'on s'y attarde. Frank Richardson s'installa sur le siège à côté.

– J'ai cru comprendre que vous aviez refusé l'affaire MacLean, attaqua ce dernier sans perdre de temps en préliminaires.

Visiblement un homme qui n'aimait pas les préludes, pensa Jake.

– Jake, l'affaire MacLean, répéta Frank, plongeant son regard perçant dans le sien. Ça vous ennuierait de me dire pourquoi vous l'avez refusée ?

– Le môme est coupable.

– Où est le problème? rétorqua Frank Richardson, abasourdi.

– Je ne me sens pas capable de lui apporter toute la défense que la loi est censée lui accorder, répondit platement Jake.

– Puis-je vous rappeler qu'il est le fils de Thomas MacLean, fondateur et directeur général des Drugstores MacLean, une des franchises les plus florissantes de cet État? Il représente des millions de dollars pour nous, sans compter que son affaire est exactement dans vos cordes. Elle fera la une des journaux pendant des mois.

– Eddy MacLean et ses deux dégénérés de copains ont violé une fille de quinze ans!

– D'après le père du garçon, la fille en paraissait vingt et était des plus consentantes.

– Vous voulez me faire croire qu'elle était ravie que ces trois brutes lui passent dessus et la sodomisent? Frank, j'ai une fille de quinze ans!

– Votre fille n'a pas invité un garçon qu'elle venait de rencontrer à la suivre dans la première chambre venue. – Frank croisa ses longues mains élégantes sur ses genoux. – J'ai dit quelque chose de drôle? ajouta-t-il en voyant Jake réprimer un sourire.

– Non, monsieur, dit Jake au bord du fou rire.

Quand avait-il dit « monsieur » pour la dernière fois? Et pourquoi souriait-il, bon sang? se demanda-t-il en essayant de chasser l'image du garçon maigre et nu que Mattie avait fait déguerpir de la chambre de leur fille.

– Écoutez, Jake, je comprends que vous soyez sensible à ce sujet, mais cette affaire est taillée sur mesure pour vous et vous le savez. Vous pouvez la gagner les doigts dans le nez.

– Je l'ai déjà passée à Taupin.

– MacLean vous veut.

– Ça ne m'intéresse pas.

Frank Richardson se leva, alla vers la fenêtre et fit à nouveau semblant de s'intéresser à la rue.

– Comment ça va, chez vous, Jake?

L'affaire MacLean n'était donc qu'un préambule!

– Très bien, monsieur.

– Votre femme?

Jake sentit sa gorge se serrer.

– Elle va bien.

– Naturellement, j'ai eu vent du malheureux incident de vendredi dernier.

– Bien sûr, Alan Peters n'a pas pu s'empêcher de tout vous raconter.

– Non, c'est Dave Corber qui m'a mis au courant, répondit Frank Richardson, le prenant par surprise. Alan ne m'a rien dit. J'ai cru comprendre qu'il ne tenait pas à donner suite à cette affaire.

Jake soupira de soulagement, malgré lui.

– Il pense que vous étiez extrêmement stressé, que vous avez des problèmes familiaux que nous ignorons.

– Je préfère ne pas parler de ma vie privée, si vous le permettez, monsieur, dit Jake en se levant. Cela ne regarde personne...

– Je suis directement concerné dès que cela affecte cette firme. Je vous en prie, asseyez-vous, je n'ai pas encore terminé.

– Avec tout le respect que je vous dois...

– Gardez-le pour plus tard. L'expérience m'a prouvé que les gens commencent souvent à vous parler de respect quand ils s'apprêtent à vous en manquer.

– Écoutez, Frank, reprit Jake d'un ton moins agressif. J'ai mal réagi vendredi soir, j'ai craqué. Je vous assure que cela ne se reproduira plus.

Devait-il parler à Frank de la maladie de sa femme ? Il hésitait. Mattie l'avait dit à tous ses amis, à la plupart des gens avec qui elle travaillait, à certains de ses clients. Jusqu'à présent, lui n'en avait touché mot à personne. Il portait ce lourd secret depuis des mois et commençait à tituber sous ce fardeau. Son jugement, son travail, peut-être même sa carrière en étaient affectés. Peut-être cela le soulagerait-il de se confier à Frank.

– Jan Steffens m'a dit que vous refusiez de travailler au Comité de développement, continua Frank, ignorant tout du monologue intérieur de Jake.

– Je suis débordé en ce moment, Frank.

– Vraiment ? On m'a pourtant laissé entendre que vous aviez pas mal de temps libre. Vos heures facturées ont considérablement baissé depuis six mois, vous êtes rarement là avant neuf heures du matin et souvent parti avant seize heures, sans compter qu'on ne vous a pas vu au cabinet le week-end depuis une éternité. Je me trompe ?

– Je travaille beaucoup chez moi.

– J'ai cru comprendre également que vous pensiez prendre des vacances en avril, continua Frank Richardson, repoussant l'explication de Jake d'un haussement de sourcils. Je voudrais que vous les reportiez.

– Pourquoi?

– Comme vous le savez sans doute, le Congrès international des avocats se déroulera en avril dans cette ville. Et le cabinet Richardson, Buckley et Lang a accepté de participer au comité d'accueil. Nous attendons une collaboration active de tous nos associés.

– Mais je n'ai jamais été impliqué...

– Il est temps de commencer, n'est-ce pas?

– Avec tout le resp... Je crains de ne pouvoir changer mes plans, Frank.

– Je peux savoir pourquoi?

– Je n'ai pas pris de vacances depuis que je suis entré dans ce cabinet, attaqua Jake, espérant sans y croire que cette réponse satisferait son interlocuteur. J'ai fait une promesse, Frank. Ne me demandez pas de la briser.

– Je crois malheureusement que c'est exactement ce que j'attends de vous.

– Vous me mettez dans une position impossible.

– Vous y excellez. – Frank se dirigea vers la porte de son bureau et posa la main sur la poignée. – Vous êtes sur le point de devenir associé à part entière, Jake. Je suis sûr que vous ne voulez pas compromettre cette promotion. Revoyez Tom MacLean. Je sais qu'il tient beaucoup à ce que vous défendiez son fils.

– Frank..., commença Jake en le voyant ouvrir la porte. Il faut que je vous dise quelque chose.

Frank Richardson referma aussitôt le battant et montra qu'il lui accordait toute son attention en penchant la tête de côté.

– Il s'agit de ma femme. – Jake prit une profonde inspiration. – Elle est très malade.

– J'en ai entendu parler, avoua Frank, brusquement rouge d'embarras. L'alcoolisme est une maladie insidieuse. Votre femme mérite toute votre sympathie et tout votre soutien. Mais il ne faut pas qu'elle vous entraîne dans sa chute. Il existe d'excellentes cliniques qui peuvent la prendre en charge.

– Elle est mourante, Frank, dit Jake, la voix enrouée de colère.

– Je ne comprends pas.

– Elle n'a jamais été alcoolique. Elle est atteinte de sclérose latérale amyotrophique. La maladie de Charcot.

– Mon Dieu!

– Nous ne savons pas combien de temps il lui reste..., continua Jake d'une voix entrecoupée. – Et soudain, comme si on avait appuyé sur une mystérieuse détente, les mots jaillirent de sa bouche telles des salves, et il se retrouva le visage inondé de larmes. Mais bon sang, que lui arrivait-il? – Je suis désolé, s'écria-t-il en voyant le regard de terreur de Frank devant ces pleurs intempestifs qu'il tentait vainement de maîtriser. Je ne sais pas ce qui m'arrive..., bredouilla-t-il, refusant de croire qu'il craquait devant le personnage le plus important de la firme.

Où était passé son fameux sang-froid? Pourquoi était-il si bouleversé? C'est vrai que lui et Mattie s'étaient beaucoup rapprochés depuis qu'il avait accepté de jouer les maris amoureux. Mais il s'agissait seulement d'un rôle, il essayait juste de rendre les derniers mois d'une femme condamnée aussi agréables que possible. Il ne l'aimait pas vraiment, bon sang! Alors pourquoi se donner ainsi en spectacle au risque de compromettre toute sa carrière?

– Écoutez, en ce qui concerne la conférence en avril...

– Je suis sûr qu'on trouvera une solution, Jake, quitte à remettre notre association à l'année prochaine.

– Je suis certain de pouvoir modifier mon emploi du temps. – Jake s'éclaircit la gorge, toussa. – Rien ne nous empêche de faire ce voyage en mai ou en juin.

– Bien entendu, ce serait merveilleux, approuva Frank.

Les muscles de son visage se détendirent mais ses yeux restaient sur le qui-vive.

– Et je vais joindre Tom MacLean. On devrait pouvoir s'arranger.

– Il attend votre appel, acquiesça Frank, comme si la question ne s'était jamais posée.

Jake prit une profonde inspiration.

– Merci, dit-il avec un sourire forcé, sans trop savoir de quoi il le remerciait. Sans doute de lui avoir remis les idées en place, songea-t-il en sortant dans le couloir.

– Merci d'être passé me voir, répondit Frank. Je vous en prie, transmettez ma sincère sympathie à votre épouse.

« Merde, putain, bordel! » marmonna Jake en passant devant sa secrétaire. Comment allait-il se sortir de ce pétrin, maintenant? Comment annoncer à Mattie que leur voyage était reporté? Comment tempérer sa déception? Que pouvait-il lui dire? Que c'était indépendant de sa volonté? Qu'il avait des circonstances atténuantes? Que rien ne les empêchait de partir en mai? Un mois, quelle différence? Mattie comprendrait dans quelle situation impossible elle le mettait. Loin d'elle l'intention de briser sa carrière. Mais le résultat était le même. Certes, il avait accepté de jouer la comédie du mariage heureux mais pas de compromettre ce qu'il s'était donné tant de mal à construire. Il était temps de remettre les choses à leur place, de reprendre sa vie en main. La comédie ne devait pas aller trop loin. Il fallait revenir aux réalités. Mattie comprendrait.

— Cynthia Broome vous attend..., dit sa secrétaire, en le suivant, tandis que la jeune femme assise devant son bureau se retournait et lui souriait.

Il sentit son cœur s'arrêter.

— Voulez-vous une autre tasse de café, madame Broome ? proposa la secrétaire.

— Non, merci.

— N'hésitez pas à m'appeler si vous changez d'avis, dit la secrétaire avant de ressortir et de refermer la porte derrière elle.

Jake regarda la jeune femme se lever de sa chaise, ses boucles rousses dansant autour de son visage, un bout du col de son chemisier blanc coincé sous son blazer bleu marine. Que faisait-elle ici ?

— Tu as des projets de voyage ? demanda Cherry en montrant les brochures devant elle. J'ai entendu parler de l'hôtel Danielle. Il paraît qu'il est merveilleux.

— Cherry, que se passe-t-il ? Qu'est-ce que tu fais là ?

L'embarras, la honte, la défiance et l'espoir se peignirent tour à tour sur le visage rougissant de Cherry.

— Je voulais te voir. Je n'ai pas trouvé d'autre moyen.

— Qui diable est Cynthia Broome ?

— L'héroïne de mon roman.

Jake sourit, fit un pas vers elle, s'arrêta net. Son corps oscilla.

— Je n'ai vraiment pas pu t'appeler de la semaine.

— Ce n'est pas grave.

— C'est de la folie d'être venue ici.

— Je comprends. Je sais que tu es très occupé.

— Comment vas-tu ?

— Bien. Et toi ?

— Bien.

Cherry laissa échapper un petit rire gêné.

— Écoute-nous. Si on continue, on va parler du temps qu'il fait.

— Cherry...

— Jason.

Jake sursauta en entendant son prénom.

– Tu es superbe.

– Je suis allée à la gym tous les jours. J'espérais t'y croiser.

– Ça fait des siècles que je n'y ai pas mis les pieds. J'en suis navré.

– Il n'y a pas de quoi. Je crois que j'ai perdu quelques kilos, ajouta-t-elle avec un petit rire qui ressemblait presque à un sanglot. Tu me manques tellement, Jason.

– Tu me manques aussi.

– C'est vrai?

Il se le demandait. En fait, il l'avait repoussée si loin dans ses pensées qu'il n'avait pour ainsi dire pas songé à elle de la semaine.

– J'avais envie de me couper les cheveux, annonça Cherry en repoussant une boucle rebelle.

– Ne fais pas ça.

– Je ne sais pas. J'ai envie de changer.

– J'adore tes cheveux.

– Je t'aime, lui dit-elle, les larmes aux yeux. Bon sang, je m'étais promis de bien me tenir. – Elle ravala ses larmes, prit une profonde inspiration, lui fit son petit sourire espiègle et remonta son nez du bout du doigt. – Qu'est-ce que tu en dis?

– Tu es beaucoup mieux comme ça.

Ils rirent doucement.

– J'aurais bien besoin que tu me serres dans tes bras, dit-elle.

– Cherry...

– Juste un petit peu. Pour m'assurer que tu n'es pas un produit de mon imagination comme Cynthia Broome.

Quel mal y avait-il à ça? se demanda Jake en l'attirant contre lui.

– Mon Dieu, que ça m'a manqué! murmura-t-elle en levant la tête vers lui, les lèvres tendues.

Il eut brusquement l'impression d'enlacer une inconnue! Petite alors que Mattie était grande. Ronde là où Mattie était ferme. Potelée là où Mattie était plate. Il n'avait plus l'habitude de se plier pour s'adapter à son corps. Il ne savait plus comment la tenir. Mattie se lovait plus naturellement dans ses bras, se dit-il en serrant Cherry contre lui, comme pour chasser sa femme de ses pensées.

– Je t'aime, répéta Cherry.

Elle attendait qu'il dise la même chose. Pourquoi en était-il incapable? Il l'aimait et il avait bien l'intention de revenir à Cherry dès que cette horrible histoire serait terminée. Non?

Que lui arrivait-il ? Non seulement il avait failli compromettre sa carrière mais, s'il ne se méfiait pas, il perdrait aussi Cherry, simplement parce que cette comédie l'entraînait dangereusement loin. Et tout comme sa visite à Frank avait tiré une première sonnette d'alarme, l'apparition inattendue de Cherry venait lui rappeler ce qu'il risquait de perdre s'il se laissait prendre au jeu.

Il baissa la tête vers la jeune femme qui le dévisageait, le regard encore humide de larmes. Elle s'était montrée si patiente, si compréhensive ! Et comme il se sentait bien avec elle, se dit-il en l'embrassant fiévreusement, ses mains plaquées sur ses fesses tandis qu'il imaginait sa peau douce sous le jean rugueux.

— Oh, Jason, Jason ! gémit-elle en passant les mains sous sa veste. Ferme la porte à clé, continua-t-elle en sortant son chemisier de son pantalon et en prenant les mains de Jake pour les mettre sur sa poitrine sans cesser de le dévorer de baisers. Ferme la porte à clé, le supplia-t-elle encore en l'entraînant vers le canapé.

Ce serait si facile. Pousser le verrou, dire à sa secrétaire de ne pas le déranger. Qu'il s'agisse de ses associés, de ses clients ou de sa femme.

Sa femme, se dit-il alors que Cherry glissait sa langue entre ses lèvres. Pouvait-il faire une chose pareille à Mattie ? Briser sa promesse concernant leur voyage à Paris ne suffisait-il pas ? Devait-il aussi lui briser le cœur ?

— *Mon Dieu, Mattie, mais c'est tout le contraire de ce que je veux.*

— *Je me fous de ce que tu veux. Moi, ce que je veux c'est ta passion. Ta fidélité. Ton amour.*

Elle ne saurait rien, se dit Jake en embrassant les larmes de Cherry. Il s'écarta et vit les yeux de Mattie dans le regard de Cherry.

Elle le saurait, il en était certain. Elle devinerait. Comme toujours.

— Je ne peux pas, bredouilla-t-il, en baissant les bras d'impuissance.

— Jason, je t'en prie...

— Je suis...

Elle ne dit rien et regarda autour d'elle, sa lèvre inférieure tremblante. Jake se pencha et enfouit son visage dans ses boucles rousses, surpris par la texture de ses cheveux épais si différents de ceux de Mattie, plus fins, plus soyeux. Il reconnut l'odeur du tabac froid.

– Je croyais que tu avais arrêté de fumer, murmura-t-il doucement.

– Impossible de tout arrêter en même temps, répondit-elle
d'une voix à la fois éplorée et résignée. D'ailleurs, d'après une
étude récente effectuée sur deux cents personnes, cent qui
fumaient et cent qui ne fumaient pas, eh bien, tu sais quoi? Elles
sont toutes mortes.

Jake sourit. Ça lui faisait du bien de la voir. Elle lui avait vraiment manqué.

– À propos, comment va Mattie? – À peine ces paroles lui
eurent-elles échappé qu'elle prit conscience de sa bévue. – Comment ai-je pu dire une chose pareille? balbutia-t-elle, horrifiée. Je
t'en prie, pardonne-moi, Jason. C'est un lapsus. Je suis désolée.
Mon Dieu, quelle horreur!

– Ce n'est pas grave, tenta de la rassurer Jake, qui n'en revenait pas qu'elle ait pu dire une chose aussi cruelle. Je sais que tu
ne l'as pas fait exprès.

– C'est vrai?

– Bien sûr.

– Tant mieux. Parce que pour être parfaitement honnête,
avoua-t-elle, les yeux pleins de larmes, moi, je n'en suis pas si
sûre.

– Quoi?

– J'ai peur, Jason. Ce qui m'arrive est affreux.

– Je ne comprends pas.

– Moi non plus. C'est justement ce qui m'effraie.

– Tu ne vas pas bien?

– Ça n'a rien à voir avec ma santé, riposta sèchement Cherry.
Tout le monde ne souffre pas d'une maladie mortelle, Jason.
Mon Dieu, voilà que je recommence. Tu m'entends! Je deviens
un monstre.

– Mais non!

– Non? Regarde les choses en face. Je passe ma vie à attendre
qu'elle meure, à prier qu'elle meure.

Jake resta muet. Que pouvait-il répondre à cela?

– Peux-tu imaginer ce que je ressens de me mettre au lit tous
les soirs en espérant que tu m'appelleras le lendemain matin pour
m'annoncer qu'elle est morte? Mon Dieu, parfois je me déteste.

– Il ne faut pas m'en vouloir.

– J'ai tellement peur de te perdre.

– Tu ne me perdras pas, protesta mollement Jake, surpris lui-
même par son manque de conviction.

– Je te perds déjà. – Elle se retourna vers son bureau et prit les brochures. – Avril à Paris. Comme c'est romantique ! Quand avais-tu l'intention de me l'annoncer ? Ou voulais-tu simplement m'envoyer une carte postale ?

– Ce n'était qu'une idée en l'air. Et elle va sans doute tomber à l'eau.

– Je suis jalouse, Jason, dit-elle en reposant les prospectus sur le bureau. Tu te rends compte, je suis jalouse d'une mourante.

– Tu as tort. Tu sais pourquoi je suis retourné vivre chez moi. Tu étais d'accord.

– J'ai accepté de rester en coulisses, pas de disparaître totalement de la circulation, protesta-t-elle en secouant la tête. Je ne crois pas pouvoir continuer ainsi.

– Je t'en prie, Cherry. Tiens le coup.

– Tu couches avec elle ?

– Quoi ?

– Est-ce que tu fais l'amour à ta femme ?

Jake jeta un regard impuissant autour de lui, pris soudain d'une violente migraine. Cette scène était pire que l'altercation au restaurant, pire que sa discussion avec Frank.

– Je ne peux pas l'abandonner. Cherry. Tu le sais.

– Ce n'est pas ce que je t'ai demandé, Jason.

– Je sais.

Jake attendit qu'elle insiste, mais elle resta muette. Elle sourit de son petit air espiègle, essuya ses larmes et rentra son chemisier dans son jean. Puis elle redressa les épaules, prit une profonde inspiration et se dirigea vers la porte.

– Cherry ! protesta-t-il.

Mais elle était déjà partie.

26.

Mattie était assise dans la cuisine, un manuel de français ouvert devant elle, et regardait distraitement par la fenêtre. Il y avait plus d'une demi-heure qu'elle rêvassait ainsi, s'aperçut-elle en consultant les deux pendules à l'autre bout de la pièce. C'était fou le temps que l'on pouvait passer à ne rien faire, sans bouger, sans parler, en respirant à peine. Ce n'était pas trop désagréable, décida-t-elle en pensant à ce qui l'attendait, quand cette immobilité ne serait plus volontaire, quand elle serait forcée de passer des heures, des jours, des semaines, des mois, voire des années, sans pouvoir bouger, ni parler, et avec des difficultés à respirer. « Oh, mon Dieu ! » soupira-t-elle, prise de panique. Elle ne laisserait jamais une chose pareille lui arriver.

Elle s'affaiblissait de jour en jour, comme si ses muscles se vidaient lentement, tels des pneus criblés de minuscules pointes, et qu'elle laissait chaque jour un peu de son énergie en chemin. Quand elle marchait, ses jambes lui semblaient en plomb. Quant à ses mains, il y avait des jours où elle n'avait même plus la force de serrer le poing. Elle avait parfois du mal à avaler et encore plus de mal à respirer. Elle faisait de plus en plus fréquemment tomber ses stylos, n'arrivait plus à boutonner ses vêtements, laissait ses phrases en suspens, sa nourriture intacte.

Elle essaya de se rassurer en pensant aux récents miracles de la médecine. Par la manipulation génétique, un savant de Montréal prétendait avoir ralenti de 65 % la progression de la maladie de Charcot chez les souris. Maintenant que le gène cible était trouvé, les scientifiques cherchaient quelles drogues pouvaient l'activer afin de lui faire produire la protéine qui pourrait freiner la maladie. Mais Mattie savait que les chercheurs auraient beau s'activer, jamais ils ne trouveraient ce remède à temps. En tout cas, pas pour elle. « Qu'on me donne juste Paris », murmura-t-elle doucement en ramenant son attention sur le livre posé devant elle.

Comment se comporterait-elle là-bas ? se demanda-t-elle en voyant les pages lui échapper et la ramener au début du guide. Pourrait-elle marcher dans les charmantes rues pavées du Quartier latin ? Pourrait-elle grimper les interminables escaliers de Montmartre ? Aurait-elle la force de voir tous les trésors du Louvre, du Grand Palais, du musée d'Orsay ? Serait-elle fatiguée par le décalage horaire ? Et le long voyage en avion ? Lisa l'avait déjà avertie que les variations de taux d'oxygène pendant le vol pouvaient la perturber. Le supporterait-elle ?

Tout se passerait bien. Jake lui avait acheté une canne et elle avait accepté d'utiliser un fauteuil roulant dans les aéroports de Chicago et de Paris. Elle emporterait des somnifères, du Riluzole et son cher flacon de morphine. Elle se reposerait quand elle serait fatiguée. Pas question de faire la fière. Peut-être essaierait-elle un de ces tricycles motorisés dont Lisa lui avait parlé pour sillonner les rues parisiennes.

Le téléphone sonna.

Après avoir hésité à laisser son répondeur prendre l'appel, elle se décida finalement à répondre, au cas où ce serait Jake ou Kim. Elle ne voyait presque plus sa fille en ce moment. Quand elle n'était pas en classe, elle était chez sa grand-mère où elle s'occupait de son chiot en attendant qu'il soit assez grand pour qu'elle puisse le séparer de sa mère. Quant à Jake, elle le sentait préoccupé ces dernières semaines, et se demandait pourquoi il ne lui disait rien.

– Autant répondre, dit-elle à voix haute en se levant péniblement pour aller décrocher. Allô?

– Madame Hart? demanda une voix de femme inconnue.

– Elle-même.

– Je suis Ruth Kertzer, je vous appelle de la part de Tony Graham du cabinet Richardson, Buckley et Lang.

Mattie se raidit devant ce déferlement de noms. Pourquoi l'appelait-on du cabinet de son mari? Était-il arrivé quelque chose à Jake?

– M. Graham est chargé de coordonner les dîners que donneront certains de nos avocats pendant le Congrès international des avocats qui se tiendra à Chicago le mois prochain et il voudrait savoir quelles dates vous conviendraient.

– Pardon? – De quoi parlait donc cette bonne femme? – J'ai peur de ne pas vous suivre.

– M. Graham pense que des petits dîners privés de douze à quatorze personnes seraient plus sympathiques que des réceptions traditionnelles dans un restaurant ou dans un hôtel. Le nom de votre mari figure sur la liste des volontaires. Le cabinet couvre toutes les dépenses, bien entendu. Votre mari aurait-il oublié de vous en parler?

Apparemment, pensa Mattie en se demandant si c'était cela qui tracassait Jake. Comment assumerait-elle une douzaine de personnes à dîner? Oh, finalement, du moment qu'elle n'aurait pas à faire la cuisine, elle devrait s'en sortir! À vrai dire, elle se sentait même un peu flattée. Jake avait toujours répugné à la faire participer aux réceptions du cabinet. Qu'il la juge capable d'assumer une telle soirée en cette période particulière la rendait heureuse, même optimiste.

– Quand cela est-il prévu? demanda-t-elle.

– Le congrès a lieu du 14 au 20 avril. Les soirs en question sont...

– C'est impossible. Nous partons du 10 au 21.

– Vous partez? Mais M. Hart dirige un des séminaires...

– Quoi ? – Mattie se mordit la lèvre inférieure. – C'est impossible !

– Je lui en ai parlé moi-même l'autre jour.

– Hum, écoutez, il doit y avoir un malentendu. Je peux vous rappeler ?

– Bien sûr.

Mattie raccrocha sans prendre congé. Que se passait-il ? Jake n'avait fait aucune allusion à ce congrès et ils préparaient leur voyage à Paris depuis des mois. Il y avait une erreur. Ne t'inquiète pas, se dit-elle en sentant son cœur s'emballer. Cette idiote a dû se tromper de date. Le congrès n'a sans doute lieu qu'en mai ou peut-être en avril de l'année prochaine. N'organisaient-ils pas ces manifestations des années à l'avance ? Pas question que Jake revienne sur sa promesse, surtout à quelques semaines à peine de leur départ. Non, jamais Jake ne lui ferait une chose pareille.

L'ancien Jake, peut-être. Celui qui était froid, distant et réservé, celui qui faisait passer le travail avant sa famille, avant tout le reste. Ce Jake-là n'aurait pas hésité à tout annuler au dernier moment, sans se soucier de la blesser ni de gâcher ses vacances. Mais il avait disparu depuis des mois et celui qui l'avait remplacé était prévenant, gentil, sensible, il l'écoutait et se confiait à elle, lui parlait et riait avec elle. Elle avait maintenant confiance en Jake Hart, elle savait pouvoir compter sur lui. Et pouvoir l'aimer.

Et elle le sentait capable de l'aimer en retour.

– C'est impossible, murmura-t-elle en reprenant le téléphone pour appeler la ligne privée de Jake.

– Mattie, que se passe-t-il ? dit-il en décrochant sans même lui dire bonjour.

Elle sentit dans sa voix une trace de l'impatience d'autrefois et se demanda si elle ne se faisait pas des idées. Peut-être l'avait-elle interrompu au milieu d'un rendez-vous important.

– Je viens de recevoir un coup de fil qui m'inquiète, répondit-elle, décidant d'aller droit au but.

– De qui ? De Lisa ?

– Non, de Ruth Kertzer.

Silence.

– Ruth Kertzer, du bureau de Tony Graham, précisa-t-elle, bien qu'à son mutisme il parût savoir parfaitement de qui il s'agissait.

– Que voulait-elle ? demanda-t-il finalement.

– Elle voulait qu'on s'entende sur une date.

– Une date ? Pourquoi donc ?

Il semblait sincèrement perplexe. Se pouvait-il qu'il ne fût pas au courant ? Que toute l'affaire fût un malentendu ? Que Ruth Kertzer se fût trompée de date ou d'avocat ?

– Il y aurait un grand congrès en avril, commença Mattie, prête à rire avec son mari de l'incompétence de la secrétaire. – Mais, alors même qu'elle prononçait ces paroles, elle sut que Ruth Kertzer n'avait commis aucune erreur. – J'ai cru comprendre que nous devions organiser un dîner, continua-t-elle doucement en retenant son souffle.

– Rien n'a encore été décidé.

La réponse ne lui parut guère satisfaisante.

– Ruth Kertzer avait l'air sûre de ce qu'elle avançait. Tu veux bien me dire ce qui se passe, Jake ?

– Écoute, Mattie, c'est un peu compliqué. Pourrait-on attendre que je rentre pour en parler ?

– Elle m'a dit que tu devais diriger un séminaire.

Silence.

– On m'en a parlé, dit-il enfin.

– Et tu as accepté ?

Jake s'éclaircit la gorge.

– Il n'est pas question d'annuler notre voyage, il suffirait de le reculer d'une quinzaine de jours. Mattie, je t'en prie, je suis déjà en retard pour mon rendez-vous. On en parle ce soir ? Je te promets de tout arranger.

Mattie se mordit à nouveau la lèvre.

– Bien sûr, répondit-elle. On en parlera ce soir.

Elle attendit qu'il raccroche avant de jeter violemment à terre le récepteur et vit avec horreur le plastique exploser en morceaux.

– Salaud ! Fils de pute ! Pas question que je reporte notre voyage. Même pas de quelques jours. Je partirai à Paris comme prévu, avec ou sans toi. Tu comprends ? hurla Mattie avant d'éclater en sanglots. Comment peux-tu me faire ça ? gémit-elle. Sa respiration, de plus en plus haletante, sortait de sa poitrine en spasmes laborieux, douloureux. – Elle s'agrippa au comptoir. – Tu peux respirer, mais comme les muscles de ta poitrine sont plus faibles tu aspires moins d'air, tu as l'impression de suffoquer et tu paniques. Mais tout va bien, tout va bien. Reste calme, murmura-t-elle, son regard rebondissant d'un meuble à l'autre de la cuisine comme une balle de flipper.

Sa morphine était en haut, dans la salle de bains. Un petit comprimé de cinq milligrammes suffirait à dissiper son angoisse, contrôler sa panique et lui faire retrouver son calme.

Vingt comprimés suffiraient à arrêter définitivement sa respiration.

Qu'attendait-elle? Paris? Elle plaisantait. Qui voulait-elle tromper? se demanda-t-elle alors que, le visage couvert de sueur, elle sentait sa respiration redevenir normale. Comment pourrait-elle partir seule là-bas? Qu'elle arrête de délirer, ça avait trop duré. Jake l'avait laissée rêver en sachant qu'elle serait d'ici là trop faible ou trop handicapée pour partir où que ce soit. Comment avait-elle pu croire qu'il ait jamais eu l'intention de tenir sa promesse? Il devait penser à sa propre vie, à sa maîtresse, à sa carrière, à son foutu dîner et aux séminaires à venir.

Et elle, qu'avait-elle à attendre? Une vie en fauteuil roulant, alimentée par des tubes avant de mourir lentement étouffée.

Qu'attendait-elle? Pouvait-elle vraiment compter sur sa mère pour mettre fin à ses souffrances le moment venu? Ne valait-il pas mieux le faire maintenant? Elle laisserait un mot à Kim, au cas où elle rentrerait à la maison avant Jake, lui disant qu'elle se repose, de ne pas la déranger. Elle n'écrirait rien à Jake. Pour quoi faire? *The time for hesitating is through*, fredonna-t-elle en se dirigeant lentement vers l'escalier. *Come on, baby, light my fire.*

Light my fire. Light my fire. Light my fire.

Sans cesser de chantonner, elle entra dans la salle de bains, ouvrit la pharmacie de ses mains tremblantes. Elle se servit un verre d'eau, vida le flacon dans sa paume, compta vingt comprimés et les mit tous à la fois dans sa bouche.

— Bonjour, mademoiselle Fontana, bonjour, messieurs, dit Jake en saluant les trois jeunes gens, leurs pères et leurs avocats et avocate, déjà assis autour de l'impressionnante table de conférence.

Il passa en revue les occupants des fauteuils face à lui: un violeur, son père, son avocat, énuméra-t-il silencieusement. Puis, à nouveau, de l'autre côté, un violeur, son père, son avocat. Il y avait une certaine symétrie dans tout cela, pensa-t-il en remarquant que seuls les MacLean se distinguaient des autres: le jeune MacLean était assis tout seul à l'autre extrémité de la table tandis que son père se tenait debout devant les imposantes baies vitrées qui dominaient Michigan Avenue. C'était une belle journée, claire et ensoleillée. Trop belle pour rester enfermé, se dit Jake en se demandant quel temps il faisait à Paris. Il prit sa place en bout de table et fit signe à Thomas MacLean de s'asseoir.

– Vous êtes en retard, lui déclara ce dernier, déclinant son invitation.

– Je vous prie de m'excuser. J'ai reçu un appel au dernier moment.

Jake se força à sourire. Pourquoi leur devrait-il une explication ? Il était là, non ? Cela ne suffisait-il pas ?

– Ai-je manqué quelque chose ?

– Il était impensable de commencer sans vous, Jake, répondit Angela Fontana, une brune sophistiquée, aux cheveux noués en chignon sur la nuque, avec une bouche démesurée qui lui mangeait le visage.

Jake lui donnait la quarantaine bien tassée, tout comme à Keith Peacock, l'autre avocat, toujours souriant en toute circonstance. Ils venaient tous deux de gros cabinets et jouissaient d'un grand prestige. En temps normal, Jake aurait trouvé intéressant et même amusant de travailler avec eux, mais aujourd'hui leur présence l'irritait. Comment trois des meilleurs avocats de la ville pouvaient-ils perdre leur temps à défendre des jeunes gens aussi hautains que méprisables ?

L'attention de Jake passa des avocats à leurs clients. Mike Hansen, un garçon séduisant aussi grand et maigre que Keith Peacock mais qui, à l'inverse de ce dernier, affichait une expression de profond dédain plaquée sur son visage. Ses cheveux bruns étaient bien coiffés et il portait une chemise et une cravate sous sa veste de cuir rouge et blanc qui jurait avec les sièges rouille. Le regard de Jake glissa vers Neil Pitcher, plus petit et plus lourdement bâti, qu'il aurait pu également trouver beau garçon dans d'autres circonstances. Il rongeait nerveusement ses ongles en jetant des regards inquiets à Eddy MacLean, qui rêvassait, les yeux dans le vide, une cigarette non allumée plantée paresseusement entre ses doigts.

– Range-moi ça, ordonna son père, et Jake vit le garçon écraser la cigarette dans la paume de sa main et le tabac tomber entre ses doigts sur la table de chêne comme du fumier desséché.

– Voici Neil Pitcher, reprit Angela Fontana en présentant son client à Jake. Et son père, Larry Pitcher.

Jake salua d'un signe de tête l'homme pâle dont le regard semblait tiré par le poids des énormes valises qu'il avait sous les yeux. Avait-il ces cernes avant que son fils ne viole et ne sodomise une jeune fille de quinze ans ? s'interrogea Jake en essayant de ne pas penser à Kim, ni à ce qu'il éprouverait si elle était la victime d'une telle ordure, ni à la façon dont elle le jugerait en le voyant défendre une telle affaire.

« Mon rôle n'est pas de rendre la justice mais de jouer le jeu selon les règles », lui avait-il déclaré le jour où elle était venue le voir plaider au tribunal. Mais, depuis quelque temps, il ne savait plus quelles étaient ces règles.

– Jake ? dit Keith Peacock.

– Pardon, qu'y a-t-il ?

– Je vous présente le père de Mike, Lyle Hansen.

– Pardonnez-moi, dit Jake en hochant la tête en direction de l'homme au faciès de bouledogue assis en face de lui, les bras croisés. Je crois qu'on peut commencer.

Tous les regards se tournèrent vers lui. Montrez-nous combien vous êtes brillant, criaient-ils à l'unisson. Montrez-nous comment tirer d'affaire trois violeurs sans remords. Indiquez-nous une stratégie et ouvrez-nous la route. Qu'importe que la fille qu'ils ont violée ait le même âge que votre fille, ou que votre fille vous haïsse de défendre une cause pareille. Elle vous détestera de toute façon d'avoir déçu sa mère. D'avoir brisé à la fois votre promesse et son cœur. La belle affaire ! Elle vous exècre déjà.

– Quelque chose vous amuse, maître ? demanda Thomas MacLean en le voyant sourire.

Jake s'éclaircit la gorge.

– Pardon, je pensais à autre chose.

– On peut savoir à quoi ?

– Non, aucune importance. – Jake se tourna vers Angela. – Angela, comment voyez-vous l'affaire ?

– C'est assez simple : la parole d'une fille au passé discutable contre celle de trois jeunes gens dont les origines remontent au *Mayflower*. Je pensais que vous pourriez présenter l'exposé introductif et la plaidoirie devant les jurés, moi je m'occuperais des témoignages des policiers et des médecins, Keith se chargerait du contre-interrogatoire du médecin légiste, et nous pourrions tous nous occuper de la fille à tour de rôle.

– Un peu comme ces garçons l'ont fait, commenta Jake.

– Qu'avez-vous dit ? demanda Thomas MacLean.

– Juste un peu d'humour noir.

Jake regarda Angela écarquiller les yeux d'étonnement et le sourire s'effacer brutalement du visage de Keith Peacock.

– Je crains de ne trouver drôle ni votre remarque ni la situation.

Quel sale con de prétentieux ! Il se foutait complètement de la pauvre fille. Presque autant que de son fils, si son comportement n'avait pas risqué de ternir sa précieuse réputation. Non, la seule personne qui comptait aux yeux de Thomas MacLean, c'était lui-même. Ça ne te rappelle, personne, Jake?

– Nous pourrions peut-être déjà retenir quelques dates, dit Keith Peacock.

Ruth Kertzer a appelé, entendit-il dire Mattie. *Elle voulait s'entendre avec moi sur une date.*

Une date pour quoi?

– Je suis libre lundi et mercredi après-midi, annonça Angela en vérifiant dans son agenda.

– Je suis pris lundi, dit Lyle Hansen.

Tu veux bien me dire ce qui se passe, Jake?

Écoute, Mattie, c'est un peu compliqué. Pourrait-on attendre que je rentre pour en parler?

Mais que dirait-il? Il avait pris une décision. Il ne pouvait pas se rendre à Paris. Pas maintenant que Frank Richardson lui avait fait clairement comprendre que cela remettrait en cause son association, sans parler de sa carrière. Il ne pouvait pas prendre ce risque. Mattie n'avait aucun droit d'exiger une chose pareille.

Seul détail : elle ne lui avait rien demandé. C'était lui qui l'avait pratiquement suppliée de l'accompagner. Elle avait accepté malgré elle et il avait dû se battre pour gagner sa confiance. Il savait avec quelle impatience elle attendait ce voyage, combien, à sa seule évocation, elle retrouvait espoir et joie de vivre. Il savait également que le moindre délai pouvait tout compromettre. S'ils n'allaient pas à Paris en avril, ils n'iraient jamais, et même si Mattie acceptait de retarder leur départ, elle n'aurait plus jamais foi en sa parole et il perdrait lui aussi toute confiance en lui. Un empêchement se présentait maintenant. Un autre surviendrait ensuite. Il en était toujours ainsi avec les hommes qui faisaient passer leurs propres intérêts avant ceux des autres. Des hommes comme Thomas MacLean. Ou comme Jake Hart.

Vilain Jason. Vilain Jason. Vilain Jason.

Vilainjason. Vilainjason. Vilainjason.

Mais la situation était bien différente maintenant. Il n'était plus l'homme que sa mère avait programmé. Ses priorités avaient changé. À force de jouer les bons maris et les bons pères, il avait fini par le devenir et Jake était surpris de découvrir qu'il aimait son personnage. Il se sentait bien dans sa peau, encouragé par cette bienséance. Finalement, il avait découvert que le visage que l'on montre au monde extérieur est souvent plus vrai que celui que nous voyons tous les jours dans notre miroir.

Nous sommes ce que nous prétendons être.

Et, Dieu, qu'il était content d'accompagner Mattie à Paris ! Au fil des mois, à force de préparer ce voyage et de se plonger dans les guides touristiques, la comédie avait cédé la place à un véritable enthousiasme. Était-il vraiment prêt à abandonner ses beaux projets, l'homme qu'il était devenu, contre le plaisir douteux de devenir associé dans un cabinet snobinard de Chicago ? Souhaitait-il perdre le respect de sa femme et de sa fille afin de gagner un acquittement non mérité ? Voulait-il tout perdre, et lui par la même occasion ?

– Jake ?

Angela Fontana attendait une réponse.

– Pardon ?

Combien de fois s'était-il excusé depuis son arrivée dans cette salle ?

– On vous ennuie ? demanda Eddy MacLean.

Le regard de Jake alla d'Eddy MacLean à son père, aux autres garçons, à leurs pères, à leurs avocats respectifs, et revint sur le jeune homme.

– En effet, répondit Jake.

Il se leva et se dirigea vers la porte.

– Quoi ? entendit-il Keith Peacock s'exclamer au-dessus du rire stupéfait d'Angela Fontana.

– Mais c'est quoi, ce cirque ? s'écria Thomas MacLean en courant pour le rattraper. Où pensez-vous aller ?

– Je pars pour Paris, répondit Jake en sortant dans le couloir. Et vous et votre abominable rejeton, vous pouvez aller au diable, ajouta-t-il en souriant.

– Mattie, appela Jake depuis l'entrée. Mattie, où es-tu ? Mattie !

Mattie entendit la voix comme dans un rêve. Elle essaya de la repousser de toute sa volonté. Elle dormait si bien. Elle ne voulait pas être dérangée par des songes, des souvenirs, des fantômes ou des illusions. « Allez-vous-en », marmonna-t-elle entre ses dents.

– Mattie, entendit-elle à nouveau. – La porte de sa chambre s'ouvrit. – Mattie ?

Mattie se revit debout au-dessus du lavabo, comptant les vingt comprimés mortels au creux de sa main, comme des grains de sel. Elle entrouvrit les yeux et découvrit le beau visage de Jake penché sur elle.

– Jake ? Qu'est-ce que tu fais à la maison si tôt ?

– Je n'ai plus de travail pour aujourd'hui. En fait, je n'en ai peut-être même plus du tout, ajouta-t-il avec un petit rire nerveux.

Elle sentait encore dans sa bouche le goût amer des pilules alors qu'elle portait le verre d'eau à ses lèvres.

– Jake, tu vas bien ? demanda-t-elle en s'asseyant.

– On ne peut mieux, répondit-il aussitôt.

Il se pencha et l'embrassa doucement sur le front.

– Je ne comprends pas.

– Eh bien, voilà. Il y a une heure environ, j'ai dit à un client d'aller se faire voir, à Jan Stephens que je serai finalement dans l'incapacité de collaborer au Comité de développement, à Ruth Kertzer que je ne participerai à aucun séminaire et qu'il ne fallait pas compter sur moi pour organiser un dîner car je partais avec ma femme à Paris.

Mattie resta sans voix. Elle se revit debout dans la salle de bains, la bouche pleine de comprimés. Jake ne l'avait pas laissée tomber, disait-elle au visage effrayé dans le miroir. Il ne la décevrait pas. Et même s'il le faisait, elle n'avait finalement aucune envie de mourir. Enfin, pas encore. Et elle revit son image cracher les pilules dans le lavabo et les suivre des yeux tandis qu'elles disparaissaient dans le siphon.

– Comment vont-ils faire pour le séminaire et le dîner ? Pourront-ils trouver quelqu'un d'autre ?

– Nul n'est indispensable, Mattie.

– Tu es unique, chuchota Mattie en lui caressant la joue.

Il s'adossa à la tête du lit et la prit dans ses bras en fermant les yeux.

– Parle-moi de Paris, dit-il.

– Eh bien, sais-tu que les Parisiens adorent les animaux ? demanda-t-elle en se lovant contre lui pendant qu'il essuyait sous ses baisers les larmes qui roulaient sur ses joues. Au point que les chats et les chiens ont leurs propres pensions, salons de toilettage et même cimetières ? – Elle riait et pleurait en même temps. – En revanche, ils n'aiment pas beaucoup les touristes, surtout ceux qui ne parlent pas français. Ce qui ne nous empêchera pas de visiter tout ce qu'il y a à voir. Je veux aller en haut de la tour Eiffel et de l'Arc de triomphe. Je veux me promener dans Pigalle, prendre les bateaux-mouches et visiter le Louvre, le musée d'Orsay. Et les jardins du Luxembourg. Et Notre-Dame et le tombeau de Napoléon. Je ne veux rien rater. – Mattie se recula pour voir le regard de son mari. – J'ai eu tellement peur quand tu m'as dit tout à l'heure que tu ne pourrais pas y aller. Tu vois, j'en rêve, pourtant je n'avais aucune envie d'y aller sans toi.

Les yeux de Jake se remplirent de larmes.

– Je ne t'aurais jamais laissée voir Paris sans moi.

– Je t'aime, s'entendit-elle dire, en le serrant à nouveau dans ses bras.

Je t'aime, répétèrent les murs. *Je t'aime, je t'aime, je t'aime. Jetaime, jetaime, jetaime.*

27.

Il était un peu plus de neuf heures du matin, le 11 avril, lorsque leur taxi s'arrêta devant l'hôtel Danielle, rue Jacob, au cœur de la rive gauche.

– N'est-ce pas la plus belle ville du monde ? s'exclama Mattie pour la énième fois depuis qu'ils avaient quitté l'aéroport.

– Si, de loin, répondit Jake.

Mattie éclata de rire : elle avait du mal à croire qu'ils y étaient vraiment. Des mois de préparation et de rêves se transformaient soudain en réalité. Elle en oubliait la fatigue du voyage et sa contrariété de n'avoir rien pu avaler dans l'avion.

– On y va ? demanda Jake en l'aidant à s'extirper de la banquette arrière pendant que le chauffeur de taxi portait leurs bagages dans le charmant hall Art déco du vieil hôtel.

– Oh, Jake, que c'est beau ! *C'est magnifique* [1] *!* dit-elle à la jeune femme de la réception.

« Chloé Dorléac », lisait-on sur son badge. Des yeux violets, d'épais cheveux noirs, bien droite, elle toisa Mattie d'un œil soupçonneux, comme si elle craignait qu'elle ne se mît à faire des sauts périlleux autour de la pièce. Il n'y a pas de danger, se dit Mattie, appuyée sur sa canne.

– Bonjour, madame, monsieur. *Can I help you ?* demanda-t-elle.

– Comment avez-vous deviné que nous parlions anglais ? s'étonna Mattie.

Chloé Dorléac lui sourit d'un air condescendant en guise de réponse. Sa bouche, à peine une mince fente rouge, resta imperturbable.

– Nous avons réservé, dit Jake en sortant de sa poche le justificatif et leurs passeports qu'il posa sur le haut comptoir d'ébène. Jake et Mattie Hart.

---

1. En français dans le texte. *(N.d.T.)*

– Hart, répéta la jeune femme. – Elle scruta les documents avec encore plus de soin que le douanier à l'aéroport, avant de recopier leurs numéros sur son registre. – Jason et Martha.

Mattie chercha un endroit où s'asseoir. Apercevant son image répétée à l'infini par les miroirs, elle fut surprise de se voir si lasse.

– Une autre personne de Chicago est descendue chez nous, annonça la réceptionniste.

– C'est une grande ville.

– Tout est grand aux États-Unis, non ? – Chloé Dorléac leur décocha un autre de ses sourires supérieurs, et poussa vers eux un formulaire. – Pourriez-vous remplir ceci, s'il vous plaît ?

Mattie se dirigea à pas prudents vers un petit canapé installé dans un renfoncement, sous une fenêtre qui donnait sur la rue Jacob. Je suis à Paris, se dit-elle en s'enfonçant dans les coussins moelleux. « J'y suis vraiment », murmura-t-elle à voix basse en regardant par-dessus son épaule la rue animée qui était encore plus pittoresque que tout ce qu'elle avait imaginé. J'y suis arrivée. Nous y sommes arrivés.

Pourrait-elle se promener sans sa canne dans la rue grouillante de piétons, de voitures et de motos ? Elle en doutait. Mais ce serait déjà mieux qu'en fauteuil roulant. Elle n'avait guère apprécié l'expérience qu'elle en avait faite dans les deux aéroports. Même très perfectionnés, ils créaient une barrière. On ne voyait plus les choses de la même façon. On devait constamment lever la tête vers les autres et eux vous considéraient toujours de haut. Et encore, s'ils vous remarquaient. Le douanier, à l'aéroport Charles-de-Gaulle, l'avait quasiment ignorée. Il n'avait adressé ses questions qu'à Jake, même celles qui la concernaient, comme si elle n'était qu'une enfant irresponsable ou n'avait plus droit à la parole. Elle la perdrait bien assez tôt pour accepter d'y renoncer prématurément.

Mattie sentit un mouvement, releva la tête et vit Jake s'approcher d'un air préoccupé.

– Un problème ?

– Notre chambre ne sera prête que dans une heure.

– Oh !

Elle avait beau être impatiente de découvrir la ville, elle avait terriblement besoin de se reposer. Elle se sentait les jambes lourdes comme si elle avait traversé l'Atlantique à la nage et les bras aussi endoloris que si elle avait volé tout le long. Elle n'avait pu trouver une position satisfaisante malgré le confort des sièges de première classe, et n'avait pratiquement pas fermé l'œil de la nuit. À peine avait-elle somnolé. Elle devait maintenant recharger ses batteries, prendre quelques heures de sommeil.

– Si nous allions boire un café?

– Nous pouvons rester ici, proposa Jake. Il paraît qu'il y a un adorable jardin intérieur avec des transats où nous pourrons nous allonger et peut-être même dormir en attendant.

– Bonne idée.

Jake aida Mattie à se lever et la guida vers le patio, à peine plus grand qu'un timbre-poste, qui abritait quelques fauteuils en bois peu engageants et une chaise longue mal en point.

– Eh bien, ce n'est pas le Ritz! constata Jake.

Non, loin de là, pensa Mattie. Le Ritz-Carlton était à des années-lumière. Pour tous les deux.

– C'est charmant. Très français. Et très confortable, ajouta-t-elle quand il l'eut fait asseoir sur le transat branlant. – À sa grande surprise, elle découvrit que c'était vrai. – Mais toi?

– Je suis très bien, répondit-il en s'asseyant du bout des fesses dans un fauteuil en bois, alors que son visage pincé démentait ses paroles.

Elle sourit, les yeux lourds de sommeil. Il est aussi fatigué que moi, pensa-t-elle. Il a beau dire, les dernières semaines ont dû être éprouvantes pour lui. Prendre un congé exceptionnel, mettre sa carrière en jeu, sa vie en attente, combien d'hommes l'auraient fait? Surtout pour une femme qu'ils n'aimaient pas. Jake envisageait déjà leur prochain voyage. Hawaï. Ou une croisière en Méditerranée. Elle avait beaucoup de chance, songea-t-elle en fermant les yeux, et elle sourit de l'ironie de cette réflexion. Elle mourait, son mari ne l'aimait pas et elle était la femme la plus heureuse du monde.

Elle se réveilla en sursaut et faillit tomber de la chaise longue. Il lui fallut quelques secondes avant de se souvenir qu'elle était à Paris, dans le jardin d'un charmant petit hôtel français à attendre que sa chambre soit prête. Combien de temps avait-elle dormi? Elle regarda autour d'elle, le regard aveuglé par le soleil, à la recherche de Jake. Une femme coiffée d'une capeline beige occupait son fauteuil. Mattie lui sourit mais l'inconnue, plongée dans un guide posé sur ses genoux, ne remarqua rien. Mattie entendit des voix et aperçut un homme et une femme, appuyés contre un mur, qui bavardaient en français. Elle essaya de reconnaître un mot ou une bribe de phrase, mais ils parlaient trop vite et elle y renonça rapidement. Où était passé Jake?

– Excusez-moi, dit-elle à la cantonade. Mon mari... – Non, ce n'était pas ça. – Qui a vu...?

Que voulait-elle dire exactement? Nom d'un chien! Elle n'y arriverait pas!

Sa voisine en capeline leva le nez de son livre.

– Vous pouvez parler anglais, dit-elle d'une voix enjouée qui lui parut étrangement familière, sans doute parce qu'elle était américaine.

– Quelqu'un aurait-il vu mon mari? Il a disparu.

– Oui, c'est une manie chez eux. Désolée de ne pouvoir vous aider, mais vous étiez seule quand je suis arrivée. Je ne suis là que depuis cinq minutes, précisa-t-elle avant de se replonger dans sa lecture.

Mattie essaya de se redresser, mais ses mains refusèrent de lui obéir et elle n'eut d'autre choix que de rester allongée. Elle laissa échapper un grand soupir.

– Ça va? lui demanda l'Américaine.

– Oui, je suis juste un peu fatiguée, répondit Mattie en essayant vainement de distinguer les traits de l'inconnue, gênée par le contre-jour et la capeline.

– Vous venez d'arriver?

Mattie regarda sa montre.

– Il y a une heure. Et vous?

– Je suis là depuis quelques jours.

– Que me recommandez-vous de voir particulièrement?

– Je me suis surtout promenée dans les rues, à la recherche de mes souvenirs. Je n'étais pas revenue depuis mes études.

– Moi, c'est la première fois que je viens à Paris.

– C'est une expérience inoubliable.

– La ville est encore plus belle que je ne l'imaginais, acquiesça Mattie en souriant.

– Nous avons de la chance pour le temps. En avril, il fait rarement aussi beau.

– Vous êtes avec votre mari? demanda Mattie en tournant les yeux vers le hall.

Où Jake avait-il pu passer?

– Non, je voyage seule.

– Vraiment? Vous êtes très courageuse.

L'inconnue éclata de rire.

– Non, désespérée serait un terme plus exact.

– Que voulez-vous dire?

– Parfois on a tellement envie d'une chose qu'on finit par se prendre par la main.

– Je connais. – Mattie sourit. – Au fait, je me présente, Mattie Hart.

Il y eut un moment de flottement. Le soleil éclaira brièvement le visage de l'inconnue d'une pâleur mortelle.

– Cynthia, répondit-elle en retirant son chapeau, libérant un flot de boucles rousses. Cynthia Broome.

– Où étais-tu ? demanda Mattie en voyant Jake venir vers elle, chargé d'un gros sac en papier brun.

– Je suis allé faire quelques courses. Une bouteille d'eau, des biscuits, des fruits. – Il embrassa Mattie sur le front. – Tu dormais si profondément que j'ai préféré ne pas te déranger. Tu es réveillée depuis longtemps ?

– Une vingtaine de minutes, répondit-elle en regardant sa montre. J'ai rencontré une femme charmante. L'Américaine de Chicago dont notre dragon a parlé.

– Notre dragon ?

– C'est le nom dont Cynthia l'a baptisée. Cynthia... bon sang, j'ai déjà oublié son nom de famille. Oh, ça me reviendra ! soupira-t-elle en haussant les épaules. Elle voyage seule.

– Quel courage !

Mattie sourit.

– C'est ce que je lui ai dit. On pourrait peut-être lui proposer de venir avec nous un de ces jours.

– Bien sûr, si ça te fait plaisir.

– Oui, pourquoi pas, si on la revoit. Tu crois que notre chambre est prête ?

– Nous sommes au troisième étage, annonça-t-il en l'escortant vers le minuscule ascenseur installé à côté de l'escalier en colimaçon, au fond du hall. Les bagages sont déjà montés.

– On dirait une cage à oiseaux, s'émerveilla Mattie pendant qu'ils se serraient dans l'espace étroit, et que Jake refermait la porte en fer forgé derrière eux.

Quelques secondes plus tard, l'appareil s'arrêta avec une secousse à leur étage, et ils sortirent sur un palier exigu à la moquette bleue délavée et usée qui desservait une demi-douzaine de chambres.

Jake mit la vieille clé dans la serrure et ouvrit la porte, révélant une petite chambre merveilleusement meublée qui donnait sur la rue.

– C'est adorable ! s'exclama Mattie en embrassant d'un seul coup d'œil le grand lit en cuivre qui disparaissait sous une énorme couette en piqué de coton, les murs décorés d'affiches impressionnistes et la petite armoire qui se dressait près de la fenêtre. – Dans la salle de bains attenante, elle remarqua le sol orné d'une mosaïque représentant *La Balançoire* de Renoir. – Ça me plaît beaucoup, ajouta-t-elle, ravie.

– Les Français ne doivent pas aimer le grand air, remarqua Jake en essayant vainement d'ouvrir la fenêtre. J'ai l'impression qu'elle est coincée.

– Ce n'est pas grave. – Mattie se mordit la langue. Bien sûr que c'était grave. Comment pouvait-elle manquer de tact à ce point ? – Je suis désolée, Jake, nous n'avons qu'à changer de chambre.

– Ne t'inquiète pas. Ça ira.

– Non, ils doivent bien en avoir une autre.

Malheureusement non. Jake appela Chloé Dorléac, qui l'informa que l'hôtel était complet et qu'aucune chambre ne serait libérée avant plusieurs jours.

– Comme les Américains se plaignent toujours du bruit lorsque les fenêtres sont ouvertes, le dragon m'a dit que l'hôtel n'avait pas pris la peine de faire réparer celle-ci, expliqua-t-il à Mattie, allongée de tout son long sur la grosse couette qui gonflait autour d'elle comme un parachute. Ce n'est pas un problème, ça ira.

– Tu es sûr ?

– Absolument. Et ma mère ne sait même pas que je suis là, conclut-il en levant les yeux vers le plafond.

– « La tour Eiffel fut bâtie en un temps record de deux ans en vue de l'Exposition universelle de 1899 », lut Mattie dans son guide, alors qu'ils étaient assis sur un banc au pied de l'impressionnante structure métallique. – Il faisait une agréable température de 22 degrés. Ils avaient troqué leurs vêtements de voyage pour s'habiller, sans le vouloir, de façon identique : pantalons de coton beige, chemises blanches et vestes légères. – « Elle n'a jamais été conçue pour durer, et c'est uniquement parce qu'elle pouvait servir d'antenne radio qu'elle fut gardée continua Mattie, stupéfaite. Ce n'est qu'en 1910 qu'il fut décidé de la conserver définitivement, et elle attire chaque année plus de quatre millions de visiteurs. »

– Qui ont tous décidé de venir cet après-midi, poursuivit Jake.

Mattie sourit.

– Elle pèse plus de 7 700 tonnes et mesure 320 mètres de haut. Elle est constituée de 15 000 poutres métalliques, et il a fallu

246

55 tonnes de peinture pour la repeindre. Elle bouge de moins de 15 centimètres par grand vent. Trois cent soixante-dix personnes se sont suicidées en sautant de la plus haute plate-forme qui se situe à 276 mètres du sol.

— Ouille !

— Je la trouve vraiment belle, pas toi ?

— Si, tu as raison.

Mattie regarda avec envie la file interminable de gens qui attendaient au pied des ascenseurs. D'après leurs calculs, il fallait compter une bonne heure de queue. Elle ne pourrait jamais supporter de piétiner aussi longtemps et pas question non plus de monter par l'escalier. Ils avaient donc décidé de patienter sur un banc le temps que la foule diminue. Jusqu'à présent, il y avait toujours autant de monde, mais être assise à côté de Jake suffisait à son bonheur.

Elle adorait regarder les passants, songea-t-elle, en contemplant deux adolescents qui s'embrassaient à bouche que veux-tu sous un magnifique marronnier. Un autre couple s'étreignait sous un kiosque, un peu plus loin, tandis que deux amoureux venaient vers eux, étroitement enlacés, aveugles au reste du monde, comme sur la fameuse photographie de Robert Doisneau. C'est la ville de l'amour, pensa Mattie en posant son regard sur Jake.

— Il paraît qu'on peut éviter la file d'attente en visitant la tour de nuit, lut Jake sur une publicité qu'il venait de ramasser.

— C'est vrai ?

— Et ce sera encore plus romantique, avec les illuminations.

— Tu crois qu'on pourrait le faire ?

— On pourrait revenir après notre promenade en bateau-mouche.

Mattie fondit en larmes.

— Qu'est-ce qui t'arrive, Mattie ? Si tu es trop fatiguée, on peut attendre ici tout simplement. On remettra la balade en bateau à un autre jour.

— Non, pas du tout, le rassura-t-elle à travers ses larmes. Je pleure de joie !

Jake lui essuya doucement les joues du bout des doigts.

— Et toi ? Tu dois être épuisé. Moi, au moins, j'ai dormi quelques heures à l'hôtel.

— Je m'étais reposé dans l'avion. Tu as peur que je ne tienne pas le coup ? – Jake se dressa d'un bond et l'aida à se lever. – Une minute ! – Il se précipita vers un touriste japonais et lui colla son appareil dans les mains. – Vous pouvez nous prendre en photo ? Appuyez simplement ici, ajouta-t-il avant de courir se mettre à côté de Mattie devant le magnifique monument, un bras protecteur passé autour de ses épaules. Génial ! Merci. Ça va faire une photo superbe, dit-il en récupérant son appareil. On y va ?

Elle glissa son bras sous le sien et aperçut au même moment une femme coiffée d'une capeline beige. Elle allait l'appeler lorsqu'elle s'aperçut qu'elle ne ressemblait pas du tout à Cynthia... comment s'appelait-elle ? Ah oui ! Cynthia Broome, de Chicago.

– Allons-y, répondit-elle.

28.

Son cauchemar commença comme d'habitude.

Sa mère dansait dans le salon beige et marron de son enfance. Elle balançait ses cheveux blonds d'un côté à l'autre et soulevait sa grande jupe à fleurs pour dévoiler ses cuisses et attirer l'attention de son mari, plongé dans son journal.

– Parle moins fort, tu vas réveiller les garçons.

Oui, réveille-toi, disait une petite voix dans la tête de Jake. *Réveille-toi. Tu n'es plus un enfant. Réveille-toi. Tu n'es pas chez tes parents. Tu es à l'autre bout du monde. Et tu es adulte. Elle ne peut plus te faire de mal. Réveille-toi. Réveille-toi.*

Malgré ces injonctions, Jake se laissait prendre par la vue de trois petits garçons en pyjama qui construisaient un barrage dérisoire de livres et de jouets contre la porte de leur chambre.

Trois petits garçons qui couraient vers le placard et s'y enfermaient, tassés les uns contre les autres dans le noir. Luke tremblait dans les bras de Jake pendant que Nicholas, perdu dans ses pensées, regardait fixement droit devant lui.

Jake vit sa mère se jeter sur son père comme si elle voulait lui sauter sur le dos et le chevaucher tel un cheval sauvage. Mais elle perdait l'équilibre et tombait contre le lampadaire qui oscillait comme un métronome, décomptant les secondes précédant les adieux furieux de son père.

– Et moi, je suis fou de rester avec une cinglée pareille !

– Ah oui ? Alors qu'est-ce que t'attends pour foutre le camp, pauvre minable ?

« Ne pars pas, pleurait silencieusement Jake. Je t'en prie, papa, ne pars pas. Tu ne peux pas nous laisser seuls avec elle. Tu ne sais pas ce qu'elle va faire. »

– Ne vous inquiétez pas, chuchotait-il à ses frères, en leur rappelant qu'ils avaient de l'eau et une pharmacie. Tout ira bien tant qu'on ne fera pas de bruit.

Tu n'es pas obligé de regarder ça, murmurait la petite voix. *Ça s'est peut-être réellement passé autrefois, mais maintenant c'est fini. C'est juste un cauchemar. Réveille-toi. Rien ne te force à rester là.*

Mais c'était trop tard. Sa mère tambourinait déjà contre la porte du placard en lui criant d'ouvrir, lui réclamant sa loyauté, son âme. Il la regardait tituber dans la chambre, folle de rage, attraper sa maquette d'avion, celle qu'il avait passé des semaines à construire et qu'il espérait présenter à son professeur et à ses camarades de classe.

Réveille-toi avant qu'elle ne la mette en miettes, le suppliait la petite voix, le secouant par les épaules de ses mains invisibles. *Réveille-toi.*

Pendant quelques secondes, Jake oscilla à la frontière de son rêve.

– Réveille-toi, répéta-t-il à voix haute.

Le son de sa voix lui fit franchir la limite impalpable qui séparait le présent du passé. Il ouvrit les yeux et entendit sa respiration saccadée résonner entre les murs de la petite chambre d'hôtel. Il lui fallut une minute pour rassembler ses idées, savoir où il était, qui il était. Adulte. Avocat. Mari. Père. Tu n'es plus un petit garçon effrayé. Tu es grand maintenant. Et encore et toujours terrorisé. Il s'essuya le front et expira profondément. Combien de temps avait-il retenu son souffle?

Toute ta vie, souffla la petite voix.

Jake regarda Mattie, endormie à côté de lui dans le vieux lit trop étroit. Lorsque les Français disaient charmant et pittoresque, il fallait traduire par petit et ancien. Jake sourit en sentant la chaleur de la jambe de Mattie contre la sienne. Cette promiscuité forcée n'avait pas que du mauvais.

Quelle journée! Il se leva en faisant attention de ne pas la réveiller et s'approcha de la fenêtre qui surplombait la rue. Paris était vraiment une ville stupéfiante. Mattie avait eu raison une fois de plus. Il aurait dû l'écouter quand elle voulait y venir, autrefois, lorsque ses pas étaient aussi débridés que son enthousiasme. Elle n'aurait pas attendu qu'un ascenseur bondé la porte en haut de la tour Eiffel. Elle aurait défié Jake d'y arriver avant elle et elle l'aurait battu.

— Ne culpabilise pas, lui avait-elle dit, lisant dans ses pensées, alors qu'ils admiraient Paris de nuit du haut de la plate-forme d'observation. Je suis tellement heureuse. Je n'ai jamais rien vu d'aussi beau.

— Même la promenade en bateau-mouche ? l'avait-il taquinée.

Ils avaient éclaté de rire, comme cela leur arrivait si souvent ces derniers temps. Pourquoi les appelle-t-on des bateaux-mouches ? avait-il demandé en cherchant vainement dans son dictionnaire de poche, au moment d'embarquer. Dix minutes plus tard, le visage assailli par des hordes d'insectes, ils s'étaient demandé si c'était cela l'explication.

Elle lui avait paru infatigable, malgré d'évidentes difficultés à marcher. Ils avaient dîné au Petit Zinc, un bistrot bondé de la rue Jacob. Et c'était lui qui avait finalement crié grâce le premier. Mattie avait aussitôt glissé son bras sous le sien et ils avaient traversé la chaussée pour regagner leur hôtel.

À quatre heures du matin, la rue était encore animée, s'étonna Jake, en voyant un jeune sur un scooter s'arrêter sous sa fenêtre. Le garçon, qui portait un blouson de cuir noir et un casque violet, leva la tête comme s'il se savait observé et fit bonjour de la main en voyant Jake, qui lui rendit son salut en souriant. Son regard fut alors attiré par une bande d'adolescents qui marchaient au milieu de la rue en se tenant par la taille et riaient aux éclats. Au coin, il aperçut un couple d'un certain âge qui s'embrassait sous l'auvent d'un café fermé. Les Parisiens ne dormaient-ils donc jamais ?

Peut-être craignaient-ils le sommeil, comme lui.

Jake retourna se coucher et resta quelques minutes à regarder Mattie respirer régulièrement. Sans doute grâce à la morphine. Il avait dû insister pour qu'elle en prenne.

— Tu dois dormir, Mattie. Tu auras besoin de toutes tes forces avec l'emploi du temps d'enfer que tu nous as préparé.

— J'ai seulement besoin de toi, avait-elle répondu en l'attirant dans ses bras.

Ils avaient fait l'amour et, soudain, au moment de jouir, elle avait étouffé. Il avait senti son corps se raidir tandis qu'elle luttait pour respirer, en battant des bras, le visage écarlate, les yeux écarquillés de terreur. Elle avait fini par s'effondrer contre lui, en larmes, à bout de souffle, en sueur des pieds à la tête. Jake lui avait passé un linge humide sur le front, puis il l'avait serrée tendrement contre lui, en essayant de régler son souffle sur le sien et même de respirer à sa place.

Elle avait alors accepté de prendre la morphine. Peu après, elle s'était endormie dans ses bras.

Elle avait tellement maigri, constata Jake en voyant le bras, sorti des draps, qui paraissait si fragile sur la grosse couette. Elle avait perdu au moins cinq kilos, peut-être plus. Elle essayait de le cacher sous de larges vêtements le jour et d'amples chemises de nuit le soir. Mais là, éclairée par le clair de lune parisien qui filtrait de la fenêtre voisine, elle ne pouvait pas tricher. Même ses cheveux semblaient plus fins. Jake écarta de petites mèches de ses pommettes plus prononcées, et ses doigts s'attardèrent sur la peau pâle. Elle s'évanouissait sous ses yeux. Il se pencha pour effleurer son front de ses lèvres. « Tu es si belle », chuchota-t-il, brusquement assailli d'une tristesse si profonde qu'il lui était douloureux de respirer. Était-ce ce qu'elle éprouvait quand elle luttait pour trouver de l'air ?

« Je t'aime », lui avait-elle déclaré le jour où il était rentré plus tôt pour lui annoncer qu'ils partiraient comme prévu à Paris. Les mots lui étaient venus spontanément, sans attente ni espoir d'entendre les mêmes en retour. Et il ne les avait pas prononcés. Pas à ce moment-là. Ni depuis. Comment le pourrait-il ? Il n'avait aucune confiance en sa voix. Ni en lui-même. Et depuis ces trois mots le provoquaient, toujours sur le bout de sa langue, à jouer sur ses lèvres et à se cacher derrière sa bouche fermée. Quelle ironie ! se dit-il en se glissant sous la couette tout contre elle. Qu'il ait attendu que la vie de Mattie s'achève pour s'apercevoir qu'il ne pouvait pas imaginer l'existence sans elle.

Mattie se cala contre lui sans se réveiller, la courbe convexe de son dos contre la courbe concave de l'estomac de Jake, telles les deux pièces voisines d'un puzzle, une description assez proche de la réalité, somme toute. Il lui embrassa l'épaule et sentit les effluves de son parfum au lilas. Il retint sa respiration comme si cela pouvait la protéger. Puis il la relâcha, longuement, à regret, et laissa tomber sa tête sur l'oreiller, les paupières lourdes de sommeil.

Il sentait son cauchemar en attente, prêt à se remettre en route telle une vidéo qu'il aurait tour à tour avancée et reculée pour trouver le bon passage. Encore éveillé, Jake entendit Nicholas sangloter et vit Luke accroché à la poignée du placard. En tremblant, il retira son bras posé sur Mattie et se couvrit les oreilles pour échapper au bruit affreux de sa maquette qui s'écrasait par terre.

« Allez au diable, sales gamins trop gâtés. Vous savez ce que je vais faire maintenant ? Je vais aller dans la cuisine et ouvrir le gaz, et demain matin, quand votre père rentrera après avoir passé la nuit chez sa maîtresse, il nous trouvera morts dans nos lits.

– Non ! hurlait Nicholas en enfouissant son visage dans ses mains.

– Et je suis gentille ! continuait Eva Hart, en trébuchant sur les livres et les jouets éparpillés avant de jeter une chaussure contre le placard. Vous mourrez dans votre sommeil. Vous ne souffrirez pas comme moi. Vous ne saurez même pas ce qui vous arrive. »

– Non ! cria Jake.

Il rouvrit les yeux et, bien décidé à ne plus se laisser effrayer, chercha la vue rassurante de Mattie qui respirait régulièrement. Il n'y avait pas de gaz. Rien à craindre. Il avait une femme qui l'aimait, et pourtant elle le connaissait mieux que quiconque. Parce qu'il le méritait. Parce qu'il était digne d'être aimé, comprit-il pour la première fois.

Si Mattie était capable d'affronter un avenir aussi cruel et injuste avec tant de courage, il devait pouvoir venir à bout de ce passé qui contrôlait sa vie depuis trop longtemps et l'étouffait à petit feu.

Il regarda Mattie. Inutile qu'on soit deux à étouffer, l'entendit-il dire d'une petite voix ironique.

Soudain, il se retrouva debout dans sa chambre, adulte, au milieu des décombres de son enfance. Sa mère, le dos tourné, s'apprêtait à quitter la pièce. Il éclata d'un rire tonitruant qui déferla en longues volutes et s'enroula autour de ses épaules pour la forcer à se retourner.

Si elle fut surprise de le voir, elle n'en laissa rien paraître. Elle le toisa avec une méfiance accrue par l'ivresse.

– Qu'est-ce qui te fait rire ? grommela-t-elle. Pour qui te prends-tu pour oser te moquer de moi ?

– Je suis ton fils, répondit-il simplement.

Elle poussa un grognement, visiblement peu impressionnée.

– Laisse-moi tranquille, rétorqua-t-elle en se retournant vers la porte.

– Reste là !

– Je fais ce que je veux.

– Reste là ! Personne ne sortira de cette pièce. Personne n'ira ouvrir le gaz.

Ce fut au tour de sa mère de rire.

– Ne me dis pas que tu as pris cette menace idiote au sérieux. Tu sais que je ne ferai jamais une chose pareille.

– J'ai cinq ans, maman, répondit Jake l'adulte. Évidemment que je te crois.

– Eh bien, tu as tort, dit-elle en lui souriant presque avec coquetterie. Tu sais parfaitement que je ne te ferai jamais de mal. Tu as toujours été mon préféré.

– Sais-tu à quel point je te déteste ? Combien je t'ai toujours détestée ?

– Vraiment, Jason. Comment parles-tu à ta mère ? Tu es très vilain, Jason.

Vilain Jason. Vilain Jason. Vilain Jason.

Vilainjason, vilainjason, vilainjason.

– Je ne suis pas vilain.

– Tu prends les choses beaucoup trop au sérieux. Comme d'habitude. Allez, Jason. Regarde-toi. Tu n'arrêtes pas de geindre. On croirait entendre tes frères.

– La seule chose qu'on puisse leur reprocher, c'est leur mère.

– Alors là, ce n'est pas très gentil, tu ne crois pas ? Je n'ai pas été si mauvaise que ça. Regarde-toi. Tu t'en es bien tiré. – Elle lui fit un clin d'œil. – Je n'ai donc pas tout raté.

– La seule chose bien que tu aies faite c'est de mourir.

– Mon Dieu ! Nous voilà en plein mélodrame ! Je ferais peut-être mieux d'aller ouvrir le gaz, finalement.

– Nous n'avons plus peur de toi, tu comprends ?

Jake lui serra si fort le bras qu'il sentit ses doigts se toucher à travers sa peau.

– Lâche-moi. Je suis ta mère, nom d'un chien ! Comment oses-tu me parler ainsi ?

– Tu n'es qu'une brute alcoolique. Tu ne peux plus me faire de mal.

– Lâche-moi. Pousse-toi de là ! cria Eva Hart, mais sa voix faiblissait et son image s'estompait, brouillée sur les bords comme un dessin à la craie, s'effaçant un peu plus à chaque mot.

– Tu n'as plus aucun pouvoir sur moi, déclara Jake d'une voix claire et forte.

Un voile d'incompréhension obscurcit les yeux noisette de sa mère. Et soudain, elle disparut.

Jake resta immobile quelques secondes à apprécier le silence, puis il retourna se coucher contre Mattie. Il caressa distraitement la courbe de sa hanche, pendant qu'en pensée il ramassait les livres et les jouets épars sur le sol de sa chambre. Il recueillit soigneusement tous les morceaux de sa maquette et les posa sur la petite table où l'avion était installé habituellement. Puis il se vit avancer vers la porte du placard, l'ouvrir, et contempler les trois petits garçons tapis les uns contre les autres.

– Vous pouvez sortir, chuchota-t-il. Elle est partie.

Aussitôt, Nicholas bondit du placard et quitta la pièce en courant.

– Nick ! l'appela Jake, en le regardant se volatiliser. On se reverra plus tard, murmura-t-il avant de se retourner vers les deux autres garçons toujours cachés dans le réduit. – Luke était assis près de la porte, les yeux écarquillés, perdus dans le vide. – Je suis vraiment désolé, Luke, soupira Jake. – Il se faufila dans le placard, gêné par sa large stature, et s'agenouilla devant le petit garçon qui était son aîné. – Je t'en prie, peux-tu me pardonner ?

Luke ne dit rien. Mais il se pencha et laissa Jake le prendre dans ses bras et le bercer jusqu'à ce qu'il disparaisse.

Il ne restait plus que l'enfant Jake.

– Tu es un gentil garçon, lui dit muettement Jake, et il vit le sourire du garçon se refléter dans son regard. Un très gentil garçon, Jason. Un très gentil garçon.

– Jake ! – Mattie se redressa et sa voix le fit basculer de son passé dans l'aube d'un nouveau jour. – Ça va ?

– Très bien, répondit-il. J'ai juste un peu de mal à dormir.

– J'ai fait un rêve où tu riais.

– Un beau rêve, on dirait.

– Et toi ? demanda-t-elle d'une voix inquiète. Tu as encore eu des cauchemars ?

Jake secoua la tête.

– Non. – Il s'allongea contre elle, la prit dans ses bras et ferma les yeux. – Non, c'est fini, les cauchemars.

29.

Kim rêvassait une fois de plus.

Elle était assise au fond de la classe, son livre de maths ouvert à la bonne page, le regard rivé sur le professeur comme si elle écoutait attentivement ce que le vieux M. Wilkes racontait : une histoire où x représentait Dieu sait quoi, comme si on pouvait résoudre les problèmes en prétendant qu'une chose en était une autre. En fait, son esprit était à des milliers de kilomètres, de l'autre côté de l'océan, en France, à Paris, avec sa mère, sur les Champs-Élysées.

Mattie l'avait appelée la veille pour savoir comment ça se passait à l'école et avec grand-mère Viv, son nouveau chiot et sa thérapeute.

– Bien, bien, bien, bien, avait-elle répondu à chacune des questions. Et toi ?

Merveilleusement bien. Ils avaient déjà visité la tour Eiffel, le Louvre, Montmartre, Notre-Dame, le musée d'Orsay. Aujourd'hui, ils allaient aux Champs-Élysées et à l'Arc de triomphe. Il faisait un temps merveilleux. Jake était merveilleux. Elle se sentait merveilleusement bien.

Et soudain Mattie s'était mise à tousser et à manquer d'air. Jake avait dû prendre le téléphone et finir la conversation à sa place. Comment vas-tu ? avait-il demandé. Et l'école ? Ta grand-mère ? Ton petit chien ? Tes séances avec Rosemary Colicos ?

– Tout va très bien. Repasse-moi maman.

Sa mère avait du mal à faire de longues phrases, lui expliqua-t-il. Mais elle allait très bien, s'empressa-t-il de la rassurer. Ils la rappelleraient d'ici à quelques jours. Ils adoraient Paris. L'année prochaine, ils l'emmèneraient avec eux.

Comment donc ! se dit Kim en tirant sur son petit chignon, ce qui délogea quelques épingles qui tombèrent par terre avec un petit bruit métallique. Elle se pencha pour les ramasser et contempla l'assortiment curieux de sandales d'été et de lourdes bottes d'hiver qu'arboraient ses camarades de classe. Il suffisait d'un jour ensoleillé et de quelques degrés au-dessus de zéro pour que la moitié des élèves se mettent pieds nus et en manches courtes. Ils étaient si pressés d'arriver à l'été, se dit-elle en se redressant et en repiquant les épingles dans son chignon. Si pressés de se rapprocher d'une saison de leur mort.

– Kim ?

Son nom résonna à ses oreilles comme un coup de cymbales et ricocha à l'intérieur de son crâne à la recherche désespérée d'une sortie.

– Pardon ? dit-elle à M. Wilkes, qui la dévisageait dans l'attente d'une réponse plus pertinente.

– Je crois vous avoir posé une question.

– Je crois que je n'ai pas entendu, répondit-elle sans réfléchir.

Un éclair de contrariété traversa le regard glauque de M. Wilkes.

– Comment cela, Kim ? Vous n'écoutiez pas ?

– Ça me paraît évident, monsieur, rétorqua-t-elle, aussi sidérée de son insolence que ravie des murmures et des gloussements de ses camarades.

C'était la première réaction qu'elle leur arrachait depuis des semaines.

La cloche sonna. Les vingt-sept somnambules affalés sur leurs sièges, ramenés brusquement à la vie, se levèrent comme un seul homme et se précipitèrent vers la porte.

– Kim ? l'appela le professeur au moment où elle allait quitter la classe.

Kim se dirigea vers son bureau de mauvaise grâce.

– Je suis au courant de votre situation familiale, commença-t-il. Votre père nous a appris l'état de santé de votre mère, continua-t-il, voyant qu'elle ne répondait pas. Je voulais juste vous dire que si jamais vous aviez besoin de parler, j'étais là.

– Je vais bien, monsieur, dit-elle en serrant ses livres sur sa poitrine.

Bien, bien, bien.

Comment son père avait-il osé appeler le lycée et mettre ses professeurs au courant de la maladie de sa mère ?

– Je peux m'en aller maintenant ?

– Bien sûr.

Kim descendit l'escalier en courant jusqu'à son casier. Que pouvait-il leur avoir raconté d'autre ? Jake Hart, le Grand Défenseur. « Le Grand Baratineur, oui ! » grommela-t-elle en composant la combinaison de son cadenas de travers, ce qui l'obligea à recommencer. Elle ne réussit à l'ouvrir qu'au troisième essai, jeta ses livres à l'intérieur, attrapa le sac qui contenait son repas et partit vers la cafétéria.

Elle trouva une table vide au fond de la salle et s'assit face au mur, le dos tourné aux autres élèves. Elle ouvrit son sac et fronça les sourcils en voyant le sandwich au beurre de cacahuètes et au jambon que sa grand-mère lui avait préparé.

– Je ne veux pas que ta mère me reproche de ne pas t'avoir nourrie, lui avait-elle expliqué. Si tu n'as plus que la peau sur les os à leur retour, à qui va-t-on s'en prendre, à ton avis ?

Ça serait bien fait pour eux, pensa-t-elle en jetant le sandwich vers la poubelle béante, un peu plus loin. Il heurta le couvercle, s'ouvrit et retomba par terre sur les deux faces tartinées.

Punaise ! soupira Kim en ramassant les tranches qui laissèrent sur le lino des traînées de graisse. Oui, c'était bien fait pour eux s'ils ne retrouvaient qu'un sac d'os à leur retour du gai Paris. Ça leur apprendrait à l'abandonner. Et même si elle comprenait leur envie de s'en aller, elle ne s'en sentait pas moins seule et délaissée.

Son estomac gargouilla de faim et de protestation. Elle contempla ce qui restait dans le sac. Un petit carton de lait écrémé et un paquet de Snickers. Elle se sentit saliver. Elle remit aussitôt la barre de chocolat dans le sac, lança le tout vers la poubelle et, cette fois-ci, atteignit son but. Elle ne mangeait plus de friandises. C'était mauvais pour la santé. Ça contenait trop de graisses. Trop de sucre. C'était important de surveiller son régime, ce qu'on mettait dans sa bouche. Peut-être que, si sa mère s'était abstenue de manger ces desserts et toutes ces ridicules fraises en guimauve qu'elle adorait, elle serait en bonne santé maintenant. Non, on n'était jamais assez prudent. Les aliments contenaient tant de produits chimiques, d'additifs et de colorants. On mettait sa vie en danger dès qu'on ouvrait la bouche.

Même le lait, songea-t-elle en déchirant le carton du mauvais côté. Le liquide lui coula sur les doigts. Allez savoir ce qu'on y ajoutait pour cacher les poisons que les vaches absorbaient. Il suffisait de voir le nombre de personnes allergiques au lactose de nos jours. Ce n'était pas un hasard si les gens contractaient toutes sortes d'horribles maladies.

Kim porta le petit carton à ses lèvres et sentit le liquide tiède se cailler sur le bout de sa langue. Le lait partit rejoindre le reste de son repas. Elle se leva d'un bond et se dirigea vers le gymnase. Si elle ne mangeait pas, autant se mettre tout de suite à sa musculation.

Elle avait commencé après son fiasco avec Teddy. Au début, elle ne s'entraînait que dix minutes par jour, quelques exercices, un peu de jogging. Mais jour après jour, elle avait ajouté de nouveaux mouvements si bien qu'elle y passait maintenant presque deux heures quotidiennement. Elle alternait étirements et aérobic puis enchaînait par deux cents abdominaux et une centaine de pompes avant de terminer par une dernière séance d'étirements, un passage au tapis de jogging et un peu de saut à la corde. Même quand elle tenait George dans ses bras, elle continuait à contracter et relâcher son ventre, parce qu'on n'est jamais trop musclé. Ni jamais trop bien portant.

Kim laça ses chaussures de jogging et regarda sa montre. Il lui restait plus de quarante minutes avant son prochain cours. Largement le temps de courir, décida-t-elle en commençant son premier tour du gymnase. Dans un mois, elle ajouterait la natation à son programme. Elle revit sa mère dans la piscine à la maison. Aller, retour, aller, retour, une centaine de longueurs tous les jours de mai à octobre. Et quel bien cela lui avait-il fait ? se demanda-t-elle en s'arrêtant brusquement. Avec ce chlore qui vous esquinte les cheveux. Allez savoir ce que ça devait faire à l'estomac ? On en avalait forcément. Kim reprit ses exercices en se disant que nager n'était peut-être pas une bonne idée.

— Hé, Kimbo ! cria quelqu'un. Où cours-tu comme ça ?

Kim tourna la tête vers l'entrée du gymnase et aperçut Caroline Smith flanquée de ses deux clones, Annie Turofsky et Jodi Bates, toutes trois resplendissantes dans leurs pulls rouges identiques.

— Où cours-tu ? demanda Jodi.

— Tu es poursuivie ? ajouta Annie.

Kim essaya de les ignorer. Ça faisait des mois qu'elles ne lui parlaient plus. Elles ne s'intéressaient à nouveau à elle que parce qu'elle avait été grossière avec M. Wilkes, ce qui signifiait qu'elle était potentiellement intéressante, potentiellement dangereuse. Pourquoi se plier à leur bon vouloir ? Pourquoi se sentir obligée de leur répondre ? Sauf qu'elle ne se sentait pas obligée mais reconnaissante, s'aperçut-elle en se dirigeant vers elles à petites foulées.

— Qu'est-ce qu'il y a ? demanda-t-elle comme si les derniers mois n'avaient pas existé.

— Qu'est-ce que le vieux Wilkes t'a raconté après le cours ? demanda Caroline. On a parié qu'il allait te coller un avertissement.

— Raté.

— C'est qui la vieille sorcière qui t'amène à l'école tous les matins ? reprit Annie.

— Ma grand-mère. Et ce n'est pas une vieille sorcière.

Caroline haussa les épaules, aussitôt imitée par ses deux acolytes. Rien d'intéressant à en tirer.

— J'habite chez elle pendant que mes parents sont en France.

— Tes parents sont partis ? demanda Caroline.

— Mais pourquoi tu ne l'as pas dit ? intervint Annie Turofsky d'un ton de reproche.

— Depuis quand ? demanda Jodi Bates.

— Dis-nous plutôt quand ils reviennent, corrigea Caroline.

— Ils sont partis la semaine dernière, répondit Kim, ravie d'être le centre d'attraction. Et ils rentrent mercredi.

— Si je comprends bien, tu habites chez ta grand-mère pendant que ta belle maison reste vide ? résuma Caroline.

— Ouais, c'est dommage, hein ? dit Kim.

— Un vrai gâchis, acquiesça Caroline.

— Penserais-tu la même chose que nous, par hasard ? demanda Jodi Bates.

– Que c'est une honte pour une belle maison comme ça de rester vide tout le week-end ? répondit Kim.

– Surtout quand on manque tellement d'endroits pour faire la fête.

– Tu fournis le local, proposa Caroline, et on fournit les invités. Chacun amène ses boissons. Ça te va ?

– Génial.

– Je vais vite annoncer la nouvelle avant les cours, lança Annie.

Kim prit une profonde inspiration. Quel mal y avait-il à ça ? Sa grand-mère la laisserait sortir sans problème samedi soir. Et ses parents étaient au bout du monde. Ils ne sauraient rien. Attention. Pas question non plus de faire n'importe quoi. Elle ne voulait ni drogue, ni alcool.

– Et pas de resquilleurs, pensa-t-elle à voix haute.

– Pas de problème, dit Jodi.

– Non, que le gratin, renchérit Caroline.

– Je ne sais pas si c'est une bonne idée, finalement, hésita Kim.

Mais Annie était déjà dans le hall et criait à qui voulait l'entendre :

– Soirée chez Kim Hart. Demain soir. Vingt et une heures.

Soirée chez Kim, répétaient les murs. *Demain soir. Vingt et une heures.*

Soirée chez Kim. Soirée chez Kim. Soirée chez Kim.

– Crois-tu que j'aie une chance de persuader notre serveuse d'échanger un de ces pains contre un croissant ? soupira Jake, en faisant rebondir sur la table un petit pain dur comme du bois.

Ils étaient assis dans la minuscule salle à manger située derrière l'ascenseur, à l'arrière de leur hôtel. Il était neuf heures du matin et, dehors, il tombait des cordes qui couvraient le bruit habituel de la rue.

Il pleuvait depuis au moins quatre heures, calcula Mattie en étouffant un bâillement. Il pleuvait déjà quand elle s'était réveillée à cinq heures pour aller à la salle de bains. Jake ronflait avec un tel contentement qu'elle n'avait pas voulu le réveiller et elle avait cherché son chemin à tâtons dans le noir. Quand elle était enfin arrivée à la salle de bains, elle avait vu un véritable déluge ruisseler sur la fenêtre. Elle s'était battue avec le papier pour découper la bande nécessaire et s'était demandé combien de temps elle pourrait encore assumer cette fonction des plus intimes. Le bruit de la pluie l'avait raccompagnée jusqu'au lit et, glissée à nouveau contre son mari, elle avait écouté l'eau battre leur vitre jusqu'au réveil de Jake. Il était plus facile de ne pas penser quand il pleuvait, remarqua-t-elle, étrangement apaisée par les éléments qui se déchaînaient de plus en plus.

— Tu connais les lois du pays, répondit-elle. Un croissant bien tendre, un pain à se casser les dents.

Elle porta la tasse de café noir à ses lèvres, en espérant que la caféine lui donnerait suffisamment d'énergie pour attaquer la journée. À vrai dire, elle n'avait qu'une envie, remonter se coucher. N'avait-elle pas promis à Jake de ne pas forcer, de ne pas lui cacher quand elle serait fatiguée ? Elle n'avait besoin que de quelques heures de sommeil supplémentaires. Et, d'ici là, le temps se serait peut-être arrangé.

— Je me réjouis d'avance de notre visite de ce matin, annonça Jake, tandis qu'un guide apparaissait miraculeusement entre ses mains. Écoute ça : « Plus qu'un simple jalon dans la vague de rajeunissement que Paris a entreprise ces vingt dernières années, le Centre national d'art et de culture Georges-Pompidou est un foyer de culture en évolution constante. Art contemporain, architecture, design, photographie, théâtre, cinéma et danse sont tous représentés dans cette structure magistrale qui offre une vue exceptionnelle sur le centre de Paris. »

Mattie laissa tomber ses épaules, lasse à l'avance. Art contemporain, architecture, design, photographie, théâtre, cinéma, danse – les mots martelèrent son crâne avec l'obstination indifférente des gouttes sur les carreaux.

— « Prendre les escalators transparents pour profiter de la vue sur la place, continua à lire Jake, où des musiciens, des artistes des rues et des portraitistes exhibent leurs talents devant les badauds. »

Escalators, vues aériennes, artistes des rues, foule grouillante, répéta intérieurement Mattie, prise de vertige.

— Vu le temps, continua Jake, on pourrait commencer par l'exposition et visiter d'abord l'intérieur. Avec un peu de chance, la pluie aura cessé quand nous aurons terminé et nous pourrons sortir et faire exécuter notre portrait. – Il s'arrêta, ses yeux bleu marine soudain inquiets. – Tu ne te sens pas bien, Mattie ?

— Moi ?

Mattie sentit la tasse lui glisser des mains.

Elle voulut resserrer sa prise sur l'anse mais ses doigts refusèrent d'obéir. Alors qu'elle voyait déjà la fine porcelaine exploser sur le sol en marbre, Jake, sans la quitter des yeux, lui prit la tasse des mains et la reposa délicatement dans la soucoupe, sans renverser une seule goutte.

– Tu es toute pâle.

– Ça va.

– Mais non, je le vois bien. Qu'est-ce qui t'arrive, Mattie ? Qu'est-ce que tu me caches ?

– Honnêtement, Jake, je vais bien. Je suis juste un peu fatiguée, avoua-t-elle, comprenant qu'il était inutile de le nier plus longtemps.

– Si tu dis que tu es fatiguée, c'est que tu dois être épuisée, traduisit Jake. Les Français ne sont pas les seuls à aimer les euphémismes.

– Je n'ai pas bien dormi cette nuit, reconnut-elle avec un sourire. Je ferais peut-être mieux de déclarer forfait ce matin.

– Excellente idée. Nous allons remonter nous allonger en attendant la fin de ce déluge. Je n'ai pas passé une très bonne nuit moi non plus.

– Tu as dormi comme un bébé.

– Eh bien, je te regarderai.

Mattie se pencha au-dessus de la table pour lui caresser la joue avec ses doigts de plus en plus gourds. Combien de temps encore pourrait-elle exécuter ces petits gestes et manifester sa tendresse ?

– Je veux que tu ailles au Centre Pompidou.

– Pas sans toi, répondit-il aussitôt.

– Jake, c'est stupide qu'on le rate tous les deux.

– Nous irons demain.

– Non. Vas-y ce matin. Et si ça te plaît, on y retournera ensemble l'an prochain. Avec Kim, ajouta-t-elle en repensant à la conversation téléphonique de Jake avec sa fille.

Jake lui prit la main et embrassa ses doigts l'un après l'autre.

– Je crois qu'elle adorera Paris.

– Alors, il faudra absolument que tu l'amènes ici, murmura doucement Mattie.

– Je le ferai, promit-il dans un souffle.

Ils restèrent assis quelques secondes sans rien dire.

– Tu devrais y aller, suggéra enfin Mattie.

– Pas question que je parte avant de t'avoir bordée dans ton lit.

– Je ne suis pas invalide, Jake ! rétorqua-t-elle d'un ton sec qui les surprit tous les deux. Je t'en prie, ne me traite pas comme une malade, ajouta-t-elle d'une voix radoucie.

– Mon Dieu, pardon, Mattie ! Ce n'est pas...

– Je sais. C'est moi qui devrais m'excuser de te parler sur ce ton.

– Je t'en prie, ne dis plus rien. Que veux-tu que je fasse?

– Va au Centre Pompidou et profites-en pleinement, ça me fera plaisir.

– Vraiment?

– Oui, vraiment.

– Eh bien, plus tôt j'irai, annonça Jake en se levant, plus tôt je reviendrai.

– Prends ton temps. Je ne bouge pas d'ici. Et maintenant, du balai!

Il l'embrassa. Elle garda la sensation de ses lèvres sur les siennes longtemps après son départ. Elle s'attarda ensuite à regarder les autres convives : un jeune couple qui parlait doucement en espagnol, deux dames âgées qui bavardaient en allemand, un ménage d'Américains qui tentaient vainement de maintenir leurs deux petits garçons sagement assis à leur place. Qu'était devenue la jeune femme qu'elle avait rencontrée dans le jardin? Cynthia... Broome. Oui, c'était ça. Elle ne l'avait pas revue depuis le premier jour.

Mattie se leva et remarqua en souriant que, si tous les croissants avaient disparu des paniers, presque personne n'avait mangé les petits pains.

Chloé Dorléac, resplendissante dans un chemisier en soie violette, les lèvres peintes en bordeaux, la salua d'un signe de tête glacial alors qu'elle se dirigeait vers l'ascenseur. Le dragon, gloussa intérieurement Mattie. Changeant d'avis, elle fit demi-tour et se dirigea vers la réception.

– Que puis-je pour votre service? demanda la jeune femme sans lever les yeux.

– J'aurais voulu avoir des nouvelles d'une de vos pensionnaires, dit Mattie. – N'obtenant pas de réponse, elle continua. – Cynthia Broome, une Américaine.

– Cynthia Broome? Ce nom ne me dit rien.

– Elle était là quand nous sommes arrivés. Elle m'a dit qu'elle restait plusieurs semaines.

Chloé Dorléac feuilleta son registre à grands gestes.

– Non, je ne trouve personne de ce nom.

– C'est impossible. Une jeune femme pas très grande. Jolie. Des cheveux roux bouclés, insista Mattie, décidée à lui prouver qu'elle se trompait, sans trop savoir pourquoi.

Elle était épuisée et commençait à avoir mal aux jambes. Elle devait monter se coucher avant de s'effondrer.

– Ah oui. – Le regard du dragon s'éclaircit. – Je vois de qui vous parlez. Mais elle ne s'appelle pas Cynthia Broome. – Le téléphone sonna. – Une minute, s'excusa-t-elle en levant son index. Une minute.

Bon, se dit Mattie, elle avait mal compris. Ce n'était donc pas Broome. Quelle importance ? La jeune femme était sans doute en train de visiter Paris, sans pâtir le moins du monde de sa solitude. Pourquoi pensait-elle à elle ?

– Ne cherchez pas, dit-elle à Chloé Dorléac, en lui faisant au revoir de la main.

Le dragon s'esclaffa au téléphone sans lui accorder la moindre attention. L'écho de son rire suivit Mattie jusqu'au troisième étage, puis dans sa chambre et même dans son lit. Il rivalisait encore avec le martèlement de la pluie contre les carreaux lorsqu'elle ferma enfin les yeux et, épuisée, sombra dans le sommeil.

30.

Mattie rêvait qu'elle courait retrouver Jake au sommet de l'Arc de triomphe. Il lui avait demandé de ne pas être en retard. Elle montait à l'arrière d'un taxi en maraude au milieu de la place de la Concorde, complètement embouteillée.

– Vite ! Vite ! disait-elle au chauffeur, en jetant un regard à sa montre.

– Et que ça saute ! répondait ce dernier. Savez-vous que les têtes du roi Louis XVI et de Marie-Antoinette, tous les deux guillotinés pendant la Révolution française, ont justement sauté sur cette place ? En fait, entre 1793 et 1795, plus de mille trois cents personnes ont perdu la tête ici même.

– Mon père a perdu la sienne quand j'avais neuf ans, disait Mattie. C'est ma mère qui l'a coupée.

Soudain, elle se voyait courir sur les trottoirs grouillants de monde des Champs-Élysées. Elle regardait à nouveau sa montre. Il ne lui restait que deux minutes pour atteindre le haut de l'avenue qui, en dépit de son nom olympien, était envahie de fast-foods, de concessionnaires automobiles et d'agences de compagnies aériennes.

– Napoléon Ier a ordonné la construction de l'Arc de triomphe en 1806 mais il ne fut achevé que trente ans plus tard, criait en anglais un guide au moment où Mattie s'engageait dans l'escalier qui menait au sommet du monument.

– Quelqu'un aurait-il vu mon mari? demandait-elle à un groupe de touristes qui dégringolaient les marches en courant.

– Vous venez juste de le manquer, répondait la jeune femme aux boucles rousses. Il est parti au Centre Pompidou.

Des écoliers turbulents soulevaient Mattie sur leurs épaules, la redescendaient au bas de l'escalier, et l'enfermaient dans une petite pièce aveugle avant de disparaître.

– Au secours! hurlait-elle en se jetant inutilement contre la lourde porte en fer.

Mais elle criait de moins en moins fort et n'entendait bientôt que l'écho de son corps frappant les murs de pierre glacée.

Toc toc!

Qui est là?

Toc toc!

Qui est là?

Toc toc!

Mattie ouvrit les yeux, la respiration laborieuse, le front en sueur. Dieu qu'elle détestait ce genre de cauchemar! Elle s'assit et se tourna vers la fenêtre. Il pleuvait toujours, remarqua-t-elle en notant qu'elle avait dormi une heure à peine. Autant se rendormir pour être en forme quand Jake reviendrait.

Toc toc!

Elle n'avait pas rêvé. On frappait vraiment à sa porte.

– Oui. Qu'est-ce que c'est?

Sans doute la femme de chambre. Mais pourquoi ne se servait-elle pas de sa clé? À moins que ce ne fût Jake. Peut-être avait-il oublié la sienne.

– Mattie? demanda une voix au moment où elle mettait la main sur la poignée.

Elle ouvrit la porte et ne vit qu'un déferlement de boucles rousses trempées.

– Quelle horrible matinée! commenta la jeune femme en balayant l'eau des épaules de sa veste bleu marine. J'ai voulu sortir mais j'ai dû faire demi-tour. Il fait un temps exécrable. C'est moi, Cynthia. Cynthia Broome. Le dragon m'a dit que vous me cherchiez.

Mattie recula et lui fit signe d'entrer et de s'asseoir sur une chaise bancale devant la fenêtre.

– Oui, effectivement, reconnut Mattie en se laissant tomber sur le lit pendant que Cynthia enlevait sa veste mouillée. Mais

Mme Dorléac m'a dit qu'elle ne connaissait personne du nom de Cynthia Broome.

Son interlocutrice parut prise au dépourvu. Elle passa sa main droite dans ses boucles et les secoua. Des gouttes d'eau tombèrent sur son jean.

– Oh, bien sûr! Mon passeport est encore à mon nom de femme mariée. Il faudrait que je le change. Ça fait quatre ans que je suis divorcée. Vous aviez quelque chose à me dire?

– Non, rien de particulier. Je me demandais seulement ce que vous deveniez. Je ne vous ai pas revue depuis l'autre jour.

– Quand vous cherchiez votre mari.

– Je l'ai retrouvé.

– Et où l'avez-vous caché? demanda la jeune femme en tournant les yeux vers la salle de bains.

– Il est allé au Centre Pompidou, répondit Mattie en riant. J'étais un peu fatiguée, alors je suis remontée m'étendre.

– Et je vous ai réveillée?

L'inquiétude assombrit son visage.

– Ce n'est pas grave. Je vais bien.

– Vous êtes sûre?

– Vous m'avez sauvée d'un horrible cauchemar.

Cynthia sourit, sans perdre son air soucieux.

– De quoi rêviez-vous?

– C'était juste un de ces scénarios stupides où l'on veut aller quelque part sans jamais y parvenir.

– Oh, je les déteste! On se sent tellement impuissant.

– Je peux vous offrir quelque chose? Des biscuits, de l'Évian, des chocolats?

– Non, rien. Quel genre de chocolats? demanda-t-elle, presque dans le même souffle.

– Fourrés à la crème, fondants à souhait. Un vrai péché. – Elle prit la boîte de ganaches ouverte sur sa minuscule table de chevet. Soudain elle lui parut peser une tonne et lui échappa des mains. – Oh, non! gémit Mattie en voyant son contenu s'éparpiller sur le sol.

– Ce n'est pas grave, je vais les ramasser, dit Cynthia en se précipitant à quatre pattes pour les remettre dans leur emballage. Et voilà. Le mal est réparé.

– Je suis vraiment désolée.

Cynthia se pencha vers la boîte, choisit le plus gros et le mit tout entier dans sa bouche.

– Hum, délicieux! Au champagne. Mes préférés.

– Même couverts de poussière?

– Oui, mais de poussière française, ne l'oublions pas. Ça change tout.

Mattie rit à nouveau, décidément conquise par Cynthia Broome, et se demanda quel homme pouvait être assez fou pour la laisser partir.

– Où les avez-vous achetés?

– Je ne sais pas. Jake les a trouvés dans une petite boutique de la rive droite.

– Depuis combien de temps êtes-vous mariés? continua Cynthia en détaillant les chocolats qui restaient dans la boîte.

– Seize ans.

– Waouh. Vous étiez encore une petite fille!

– En fait, j'en attendais une, précisa Mattie, surprise de faire une telle confidence à une étrangère.

– Mais vous êtes encore ensemble seize ans plus tard, remarqua Cynthia avec une touche d'envie dans la voix. Vous étiez peut-être forcés de vous marier mais rien ne vous obligeait à le rester.

– C'est vrai, reconnut Mattie en éclatant de rire.

Mais le rire se coinça dans sa gorge et lui bloqua le larynx, empêchant l'air de passer dans ses poumons. Elle bondit du lit en renversant à nouveau la boîte posée sur ses genoux, et se mit à agiter fébrilement les mains devant son visage.

– Mon Dieu, que puis-je faire? s'inquiéta Cynthia qui se leva d'un bond et battit des bras, elle aussi.

Mattie secoua la tête. Personne ne pouvait l'aider. Il fallait juste qu'elle se calme. Elle ne suffoquait pas vraiment. Son souffle s'amenuisait mais elle pouvait encore respirer. Reste calme. Reste calme.

Mais comment rester calme alors qu'il n'arrivait pas assez d'air à ses poumons? Elle allait mourir maintenant, à moins de sortir, et tout de suite. Il lui fallait de l'air frais. Et des gouttes grosses comme des grains de raisin pour engloutir ses frayeurs. Elle préférait encore se noyer, décida-t-elle en se propulsant vers la porte. Mais elle trébucha et s'étala de tout son long sans pouvoir tendre les mains en avant pour amortir le choc. Sa joue heurta le plancher de bois sombre, sa lèvre s'ouvrit sous le choc et sa bouche ouverte se remplit de sang pendant qu'elle restait étendue à regarder les moutons sous le lit sans pouvoir respirer. Comme un poisson agonisant au fond de la barque d'un pêcheur.

Cynthia s'agenouilla précipitamment près d'elle, la releva par les épaules, la prit dans ses bras et se mit à la bercer comme un bébé contre sa poitrine.

– Tout va bien, répétait la jeune femme. Tout va bien.

– Attention de ne pas mettre de sang sur votre joli chemisier, la mit en garde Mattie quelques minutes plus tard, une fois que sa respiration fut redevenue normale.

– Ce n'est pas grave.

– Vous êtes adorable.

– Non, pas vraiment, répondit énigmatiquement Cynthia. Ça va ?

– Non, répondit Mattie, avant d'ajouter doucement : Je vais mourir.

Cynthia ne dit rien mais Mattie sentit son corps se raidir et sa respiration s'arrêter.

– J'ai une sclérose latérale amyotrophique. La maladie de Charcot, ajouta-t-elle presque machinalement.

– Oh, mon Dieu ! je...

– J'ai de la morphine dans mon sac, continua Mattie en montrant sa besace en toile marron posée par terre près de l'armoire. Pourriez-vous avoir la gentillesse de me donner un comprimé avec un verre d'Évian ?

Cynthia se leva instantanément, évita d'écraser les chocolats éparpillés sur le sol, fouilla rapidement le sac de Mattie et trouva le flacon de comprimés.

– Un seul ?

– Oui, pour le moment, répondit Mattie avec un petit sourire triste. – Une seconde plus tard, elle sentit la pilule sur le bout de sa langue et le verre d'eau à ses lèvres, l'Évian fit descendre doucement le médicament dans sa gorge. – Merci. – Cynthia se rassit près d'elle, par terre, en s'appuyant contre le lit, elle aussi. – Vous n'êtes pas obligée de rester, continua Mattie. Je vais bien, maintenant. Et mon mari ne devrait pas tarder.

– Parlez-moi de lui, répondit la jeune femme sans faire mine de partir.

Mattie vit les yeux marine de Jake et son beau visage, ses mains fortes, ses douces lèvres.

– C'est un homme merveilleux. Gentil. Bon. Tendre.

– Et beau garçon aussi, je présume.

– Très beau garçon.

Les deux femmes se mirent à rire doucement.

– Vous avez tiré le bon numéro.

– Oui.

– J'avais tiré le bon numéro, moi aussi, dit Cynthia.

– Et que lui est-il arrivé ?

– Les aléas de la vie, répondit-elle vaguement.

– Les impondérables.

Cynthia, hocha la tête en regardant par terre.

– Oui, c'est comme ça.

– Vous parlez de votre ex-mari?

– Mon Dieu, non! – Cynthia éclata de rire. – Mais qui sait? Il ne m'a pas laissé le temps de le connaître.

– Je n'ai pas l'impression que vous ayez raté quelque chose.

– Je ne sais pas. J'ai toujours pensé que j'aurais pu faire un effort. Je n'ai jamais été très maligne avec les hommes, ajouta-t-elle en se tapotant la tempe. – Elle regarda Mattie. – Sommes-nous forcées de rester par terre?

– Je tomberai de moins haut, dit simplement Mattie pendant que Cynthia l'aidait à se remettre sur le lit.

– Nous ne vous laisserons plus tomber, promit Cynthia en lui calant le dos avec les oreillers avant de l'aider à étendre ses jambes sur la couette blanche. Je crois qu'on ferait bien de mettre un peu d'eau fraîche sur cette joue, ajouta-t-elle en examinant le visage de Mattie. Elle commence à enfler. – Elle se dirigea vers la salle de bains. – Oh, vous avez vu! demanda-t-elle au-dessus du bruit de l'eau, vous avez un Renoir sur votre sol? Moi, j'ai un Toulouse-Lautrec. Jane Avril dansant le cancan au Moulin-Rouge. Original, non?

Entre la pluie qui frappait les vitres, l'eau qui coulait dans la salle de bains et le bruit de la voix de Cynthia, Mattie n'entendit pas la clé dans la serrure. Elle ne vit pas tourner la poignée et ne s'aperçut que son mari était de retour que lorsqu'il claqua la porte derrière lui.

– Leur fichue galerie est fermée pour rénovation.

Il secoua sa veste, se tourna vers le lit en souriant et resta pétrifié. Et soudain tout se déroula très vite, comme si la scène avait été préenregistrée et passait en accéléré. Même lorsque Mattie essaya plus tard de remettre de l'ordre dans ses souvenirs, il lui fut difficile de les délimiter, de retrouver le fil des événements, d'isoler les phases les unes des autres.

– Mon Dieu, que t'est-il arrivé?

– Tout va bien, Jake, le rassura Mattie. J'ai juste fait une petite chute.

Il se précipita à genoux à son chevet.

– Bon sang, je n'aurais jamais dû te laisser seule.

– Mais pas du tout. D'ailleurs je n'étais pas seule.

– Que veux-tu dire? – Il regarda vers la salle de bains. – C'est l'eau qui coule?

– Cynthia est là. Elle me prépare une compresse froide.

– Cynthia ?

– La jeune femme de Chicago que j'ai rencontrée dans le jardin le jour de notre arrivée. Souviens-toi, je t'en ai parlé. Cynthia Broome.

Jake blêmit. Ses yeux mêmes semblèrent pâlir.

– Cynthia Broome ?

– Aurais-je entendu mon nom ? – Cynthia sortit de la salle de bains et s'approcha du lit pendant que Jake se remettait maladroitement debout. – Vous devez être Jake, lança-t-elle en transférant la serviette mouillée dans sa main gauche pour lui tendre la droite.

– Je ne comprends pas, dit-il en gardant ses mains crispées contre lui. Qu'est-ce que vous faites là ?

– Jake ! protesta Mattie. Tu pourrais te montrer plus courtois !

– Je suis désolé, bafouilla-t-il, en essayant de rire. Vous m'avez surpris. – Il s'éclaircit la gorge. – Je pars une heure et (il leva les mains en l'air) quand je reviens, je retrouve ma femme couverte de bleus et une inconnue dans ma salle de bains.

Se faisait-elle des idées ou Cynthia avait-elle réellement tressailli quand il avait dit « inconnue », comme si le terme l'avait blessée ? Et qu'arrivait-il à Jake ? Ce n'était pas son genre de perdre ainsi son sang-froid.

– Tu as eu une matinée décevante, dit Mattie pendant que Cynthia faisait le tour du lit et s'asseyait délicatement à côté d'elle pour appliquer la compresse sur sa joue.

– Quelqu'un voudrait-il m'expliquer ce qui se passe ? demanda Jake, interdit.

– J'ai eu une crise. Je ne pouvais plus respirer. Je suis tombée. Heureusement, Cynthia était là. Elle m'a aidée.

– Mais que faisait-elle, là pour commencer ? s'étonna Jake, comme si la jeune femme n'était pas dans la chambre.

– On m'a dit que votre femme me cherchait. – La voix de Cynthia était brusquement aussi glaciale que sa compresse. – Je suis passée par politesse.

– Par politesse ?

Jake semblait hors de lui. Pourquoi ? se demanda Mattie, qui ne l'avait jamais vu ainsi. C'est vrai qu'il s'emportait facilement contre les gens qu'il ne supportait pas, songea-t-elle au souvenir de l'esclandre au Great Impasta, et de sa colère contre ses confrères. Mais qu'avait-il à reprocher à Cynthia Broome ? Il ne la croyait tout de même pas responsable de son malaise.

– Jake, que t'arrive-t-il ? Tu te sens bien ?

Il passa une main tremblante dans ses cheveux sombres et respira profondément.

– Je suis furieux. Cette histoire de musée m'a mis hors de moi. Et ensuite j'ai dû attendre une demi-heure avant de trouver un taxi, et quand j'arrive ici, je découvre...

– Votre femme couverte de bleus et une inconnue dans votre salle de bains, termina Cynthia à sa place.

– Merci de votre aide, dit Jake.

– Je suis ravie d'avoir pu me rendre utile. Mais il est temps que vous preniez la relève, continua-t-elle dans le même souffle. Cette pièce est trop petite pour trois. – Elle se leva, ramassa sa veste et laissa tomber la compresse dans la main de Jake en passant devant lui. – Faites attention aux chocolats.

– Peut-être pourrions-nous déjeuner ensemble ? lança Mattie au moment où Cynthia ouvrait la porte.

La jeune femme regarda sa montre.

– En fait, je me suis inscrite à un tour mystérieux de la ville, cet après-midi. Le mystère, c'est de savoir si on verra quoi que ce soit par un temps pareil.

– Et demain ? insista Mattie, sans trop savoir pourquoi.

La jeune femme était visiblement aussi impatiente de partir que Jake l'était de la voir disparaître. On rencontrait de ces aversions réciproques parfois, devait-elle admettre. Sa mère disait que c'était fréquent chez les chiens. Pourquoi pas chez les humains ?

– Je suis très prise jusqu'à la fin de mon séjour, répondit Cynthia en se balançant d'un pied sur l'autre.

– Je comprends, dit Mattie. On se reverra peut-être à Chicago. Il faudra me donner votre adresse et votre numéro de téléphone.

– Je les laisserai au dragon. – Cynthia vérifia sa montre une deuxième fois mais d'un geste si bref que Mattie doutait qu'elle ait eu le temps de lire l'heure. – Prenez soin de vous. Ravie de vous avoir rencontré, Jason.

– Je vous raccompagne, proposa soudain Jake. Je reviens tout de suite, lança-t-il à Mattie qui ne dit rien pendant qu'il suivait Cynthia dans le couloir et refermait la porte derrière lui.

– Oh, mon Dieu ! murmura-t-elle dès qu'ils furent partis. – Elle se leva du lit et se mit à arpenter la pièce d'un pas chancelant. – Oh, mon Dieu, mon Dieu !

C'était impossible. Impossible.

Ravie de vous avoir rencontré, Jason.

Jason. Jason. Jason. Jason.

Qu'est-ce que ça voulait dire ? Qu'est-ce que ça pouvait vouloir dire ?

Pas étonnant que Chloé Dorléac n'ait jamais entendu parler de Cynthia Broome. Elle n'existait pas !

Oh, mon Dieu, mon Dieu !

Pas étonnant que sa voix lui ait paru si familière. Elle l'avait entendue à plusieurs reprises au téléphone.

Je t'aime, Jason.

Jason. Jason. Jason. Jason.

Elle était là depuis le début et Jake devait la retrouver dès qu'il en avait l'occasion. C'était tellement français de venir à Paris en emmenant sa femme et sa maîtresse ! Oh, mon Dieu, mon Dieu !

J'avais tiré le bon numéro moi aussi.

Et que lui est-il arrivé ?

Les aléas de la vie.

– Je dois partir d'ici, marmonna Mattie en fouillant fébrilement le tiroir de sa table de nuit pour y prendre son passeport et son billet de retour à Chicago. Elle fit le tour du lit en titubant, écrasa plusieurs chocolats sous ses pas et attrapa son sac dans lequel elle fourra passeport et billet. Je dois partir d'ici.

Elle ouvrit la porte, jeta un coup d'œil dans le couloir. Personne, mais des voix montaient du hall par la cage d'ascenseur. Elle se demanda où Jake et Cynthia étaient passés.

Non, pas Cynthia.

Cherry. Cherry Novak.

Cherry avec un *y*, pensa-t-elle avec ironie, en se dirigeant péniblement vers l'ascenseur. Elle s'aperçut qu'elle avait oublié sa canne. Elle appuya fébrilement sur le bouton. Elle n'avait pas le temps de retourner la chercher. Elle devait quitter ce maudit hôtel immédiatement. Avant le retour de Jake. Et aller à l'aéroport prendre le prochain vol. Avec un peu de chance, le temps qu'il comprenne où elle était passée, elle aurait déjà décollé.

Elle pouvait s'en sortir seule, même sans canne. Elle n'avait aucun bagage. Elle ne devrait pas avoir trop de mal à changer son billet. Elle prendrait un comprimé de morphine supplémentaire et dormirait toute la durée du vol. Et dès qu'elle arriverait chez elle, elle changerait toutes les serrures.

Où était ce satané ascenseur ? Mattie frappa le bouton de sa paume ouverte et soupira de soulagement en entendant l'appareil arriver. Et si Jake se trouvait à l'intérieur ? Elle fit un pas en arrière et s'aplatit contre le mur, en retenant son souffle.

Quelques secondes plus tard, l'ascenseur s'immobilisait devant elle, vide. Mattie ouvrit lentement la porte de fer forgé et monta. Ses doigts tâtonnèrent et elle appuya sur deux boutons en même temps : elle fit donc un arrêt indésirable avant d'arriver enfin dans le hall. Mattie, paralysée, regarda à travers le fer forgé, telle une prisonnière, doutant d'avoir la force de continuer.

– Vous ne sortez pas ? lui demanda une petite voix.

Mattie reconnut un des enfants turbulents qu'elle avait croisés au petit déjeuner le matin même. Cela remontait-il vraiment à quelques heures à peine ? s'étonna-t-elle en sortant de l'ascenseur. Elle avait l'impression qu'il s'était écoulé une éternité.

– Laisse passer la dame, dit la mère du garçonnet.

– Elle marche drôlement, remarqua-t-il alors qu'elle se dirigeait d'un pas titubant vers les portes de l'hôtel aussi vite qu'elle le pouvait.

– Chut !

– Pourquoi est-ce qu'elle pleurait ? continua-t-il au moment où la porte se refermait derrière elle.

À peine eut-elle mis le pied dehors qu'elle se retrouva trempée par la pluie, les cheveux plaqués sur le visage. Quelques secondes plus tard, un taxi s'arrêtait devant elle.

– À l'aéroport Charles-de-Gaulle. – Les larmes mêlées à la pluie piquaient sa joue tuméfiée. – Vite ! Vite, répéta-t-elle en songeant brusquement à son rêve.

31.

– Bon sang, tu veux bien me dire ce qui se passe ! demanda Jake d'une voix sifflante.

Il prit brutalement Cherry par le coude et l'entraîna vers l'escalier.

– Jason, calme-toi. Tu te trompes complètement.

– Vraiment ? Tu peux m'expliquer ?

– Je n'imaginais pas que ça se passerait comme ça.

Ils arrivèrent devant l'escalier en spirale. Jake hésita, sans savoir dans quelle direction aller, les doigts plantés dans le bras de Cherry. Il savait qu'il lui faisait mal, mais il s'en moquait. Il avait envie de la tuer. Il faisait un effort surhumain pour ne pas la précipiter dans le vide et l'envoyer s'écraser dans le hall, trois étages plus bas. Que fichait-elle à Paris ? Dans cet hôtel ? Que faisait-elle avec Mattie ? Que lui avait-elle dit ?

– Ma chambre est au cinquième. Monte avec moi, Jason. Je vais tout te raconter.

Sans réfléchir, Jake la poussa vers les étages supérieurs. Que faisait-elle dans sa chambre ? Qu'avait-elle dit à Mattie pour provoquer sa crise ? Si elle lui avait fait le moindre mal, il l'étranglerait sur-le-champ.

Pourtant Mattie n'avait pas l'air contrariée, se rappela-t-il. Elle semblait même reconnaissante à Cherry de sa présence, déçue qu'elle s'en aille, choquée même qu'il se montre aussi désagréable. Comment lui expliquerait-il son comportement étrange ?

– Laisse-moi prendre ma clé dans ma poche, dit Cherry en dégageant son bras.

Jake la regarda ouvrir sa porte, jeta un regard furtif alentour et la suivit dans une chambre pratiquement identique à la sienne.

– Que se passe-t-il, bon sang ! s'écria-t-il en claquant la porte derrière eux.

Cherry jeta sa veste sur le lit défait et les draps froissés, et son parfum se répandit dans la pièce, rappelant à Jake les jours et les nuits qu'il avait passés dans l'étonnant fouillis de sa chambre à Chicago. Un instant, il sentit sa colère tomber, son corps se détendre. Et soudain, il se représenta Mattie, assise sur le même lit, deux étages plus bas, un bleu sur la joue, si vulnérable, et toute sa colère lui revint. Il serra les poings et se força à détourner les yeux du lit. Il remarqua alors que des paquets encombraient la moindre surface libre, la chaise, les tables de nuit, et même le dessus d'une valise, posée par terre, près de la fenêtre.

– J'ai commencé une collection de poupées françaises, expliqua Cherry, suivant son regard. Je ne sais pas encore comment je vais pouvoir les ramener dans l'avion...

– Je m'en fous complètement. Dis-moi plutôt ce que tu fiches ici.

– J'ai toujours rêvé de connaître Paris, répondit-elle, les épaules raides, sur la défensive.

– Laisse tomber ces sornettes, Cherry. Que fais-tu ici ?

Elle vacilla devant la violence de sa réaction. Ses épaules s'affaissèrent, son corps se creusa comme s'il l'avait poignardée. Les larmes lui montèrent aux yeux.

– Ça me paraît assez évident, non ? répondit-elle en se détournant.

– Tu peux m'éclairer ?

Cherry s'approcha de la fenêtre et regarda la rue noyée sous le déluge.

– Après notre dispute à ton bureau, j'étais bouleversée, commença-t-elle, refoulant ses larmes et refusant de le regarder. Bouleversée et furieuse. Et surtout atterrée.

– Atterrée? Mais pourquoi?

– J'ai compris que je te perdais. Que je t'avais perdu, corrigea-t-elle immédiatement. Tu n'en étais pas conscient, et moi je refusais de le reconnaître, bien que tu ne m'aies pas téléphoné depuis des semaines. Cet après-midi dans ton bureau, après la façon dont nous nous sommes quittés, la façon dont je suis partie, il fallait que je fasse quelque chose. Notre histoire ne pouvait pas se terminer ainsi. Alors j'ai appelé ton bureau, j'ai appris les dates de ton voyage, et j'ai acheté un billet non remboursable pour m'empêcher de revenir sur ma décision. J'ai payé la chambre d'avance, et je suis arrivée ici quelques jours avant toi. Sans aucun plan précis. En tout cas, je n'avais aucune intention de me faire connaître de Mattie. Je voulais juste être là si jamais tu avais besoin de moi.

– Quoi?

– Oui, si jamais tu avais besoin de moi. Ou si tu avais besoin de me voir, ajouta-t-elle dans un soupir.

– Mais ce n'est pas pour moi que je suis là. Je croyais que tu l'avais compris.

– J'ai compris beaucoup de choses, Jason. Plus que tu ne crois. Plus que tu n'en comprends toi-même.

– Que veux-tu dire?

– J'ai compris que l'homme que j'aime en aime une autre.

– Il ne s'agit pas d'amour mais de devoir.

– Si, c'est de l'amour. Pourquoi refuses-tu de l'admettre? Tu aimes ta femme, Jason. Ce n'est pas plus compliqué que ça.

Jake secoua la tête comme s'il voulait empêcher les paroles de Cherry de pénétrer dans son cerveau.

Tu aimes ta femme, Jason. Ce n'est pas plus compliqué que ça.

Tu aimes ta femme, Jason.

Jasons. Jason. Jason. Jason.

– Oh, mon Dieu! gémit-il.

– Qu'y a-t-il?

– Elle sait.

– Quoi? De quoi parles-tu?

– Mattie sait tout.

– Je ne comprends pas. Comment pourrait-elle...

– Tu m'as appelé Jason.

– Quoi?

– Tout à l'heure. Au moment de t'en aller. Tu as dit « au revoir, Jason ».

– Non, je... Oh, mon Dieu ! Oh, oui, je l'ai dit ! Tu crois qu'elle l'a...

Il ne répondit pas. Il ouvrait déjà la porte et dévalait les deux étages, Cherry dans son sillage.

– Reste là, lui ordonna-t-il en arrivant sur le palier du troisième étage. – Il tambourina à la porte de sa chambre. – Mattie, Mattie, ouvre-moi. J'ai laissé ma clé à l'intérieur. Mattie ! appela-t-il encore, devinant son absence, sentant que la chambre était vide, qu'elle était déjà partie. Mattie !

La porte voisine s'ouvrit et une grosse femme en peignoir jaune passa la tête.

– Ces Américains ! marmonna-t-elle avant de refermer sa porte.

– Excusez-moi, entendit-il Cherry demander à l'étage au-dessus. Vous pourriez nous ouvrir une porte ?

À qui parlait-elle ? Jake leva la tête et la vit apparaître dans l'escalier suivie d'une femme de chambre.

– J'ai oublié ma clé, expliqua-t-il à la domestique qui lui ouvrit la porte et repartit vers l'escalier sans un mot. Mattie ! Il se précipita dans la chambre vide, courut à la salle de bains avant d'ouvrir l'armoire où il constata que les vêtements de sa femme étaient toujours là. Comme sa valise, s'aperçut-il avec soulagement, tout en réalisant qu'elle n'avait dû avoir ni le temps, ni la force, ni l'envie de faire ses bagages. Où était-elle passée ?

– Sa canne est toujours là, constata Cherry d'un ton optimiste. Elle n'a pas dû aller très loin.

Mais Jake était déjà ressorti et descendait l'escalier quatre à quatre. Il sauta les trois dernières marches et se rua vers la réception où Chloé Dorléac regardait une carte de la ville avec deux touristes allemands.

– Avez-vous vu ma femme ? *Ma femme ?* répéta-t-il en français, en voyant que la réceptionniste l'ignorait. Bonté divine ! cria-t-il en abattant son poing sur le comptoir. C'est urgent !

– Je ne sais pas où elle se trouve, répondit le dragon d'un ton glacial, sans lâcher la carte des yeux.

– L'avez-vous vue sortir ? Il y a dix minutes environ ?

– Je ne peux pas vous aider, monsieur.

– Elle n'est pas dans la salle à manger, dit Cherry en le rejoignant.

Jake scruta frénétiquement le hall. Son éclat avait attiré

l'attention de quelques touristes qui attendaient dans le hall que la pluie se calme.

– Personne n'aurait vu ma femme ? demanda-t-il d'une voix suppliante. Quelqu'un parlerait-il anglais ? – Il s'arrêta et contempla la rue. – Quelqu'un l'aurait-il vue ? Grande, mince, des cheveux blonds mi-longs. Elle a du mal à marcher...

– Je l'ai vue, fit une petite voix de derrière un gros pot de fleurs au fond du hall.

Jake s'agenouilla devant l'enfant.

– Elle a une drôle de façon de marcher, gloussa le petit garçon.

– Où est-elle allée ?

– J' sais pas. Je joue à cache-cache avec mon frère.

– Tu n'as pas vu dans quelle direction elle allait ?

– Elle est montée dans un taxi. J' sais pas où il est parti.

– Un taxi ? répéta Jake.

Où diable avait-elle pu se rendre ? Surtout avec un temps pareil.

– Faut-il appeler la police ? demanda Cherry alors qu'il passait devant elle pour remonter l'escalier en courant jusqu'au troisième étage.

À son grand soulagement, la porte de sa chambre était restée ouverte. Il se rua sur la table de chevet, ouvrit le tiroir, repéra rapidement son passeport et son billet, et constata, comme il s'y attendait, que ceux de Mattie avaient disparu.

– Mon Dieu ! soupira-t-il, épuisé de fatigue, la respiration haletante, tremblant de tous ses membres. – Il se laissa tomber sur le lit, la tête entre les mains. – Elle est partie, dit-il à Cherry qui arrivait à son tour. Elle a pris son passeport et son billet et elle doit déjà être à mi-chemin de l'aéroport.

– Alors dépêche-toi de la rattraper, répondit Cherry d'une voix douce et ferme.

L'aéroport Roissy-Charles-de-Gaulle est un énorme complexe situé à une trentaine de kilomètres au nord de Paris. Il comprend deux terminaux principaux distants de plusieurs kilomètres, plus une aérogare réservée aux vols charters. Il est desservi par une bonne cinquantaine de compagnies aériennes. Comment Mattie allait-elle s'y retrouver toute seule ? s'inquiétait Jake qui ne pouvait s'empêcher de houspiller le chauffeur de taxi.

– Pourriez-vous accélérer un peu ? Il faut absolument que j'arrive à l'aéroport le plus vite possible.

– Ce qui compte surtout c'est d'y arriver entier, rétorqua le conducteur en secouant la tête en mesure avec ses essuie-glaces.

Jake se laissa retomber sur son siège. Heureusement l'aéroport était bien équipé pour les handicapés. Des cabines téléphoniques, des toilettes, des ascenseurs leur étaient spécialement destinés, ainsi que des navettes entre les avions, des fauteuils roulants et une assistance bagages. Des agents arborant un uniforme spécial étaient à leur disposition. Mattie les trouverait-elle ? Pourrait-elle se faire comprendre ?

Jake faillit sourire. Quelles que soient ses difficultés, Mattie savait toujours parfaitement se faire comprendre.

La retrouverait-il ? Arriverait-il à temps ? Il était fort possible qu'elle n'essaie même pas de changer son billet et qu'elle aille au premier comptoir venu acheter une place sur le prochain vol. Elle avait ses cartes de crédit. Et rien ne la forçait à prendre un vol direct sur Chicago. Elle pouvait choisir New York ou Los Angeles et se soucier plus tard de dénicher une correspondance. Elle était bouleversée. Et furieuse. Ses réactions étaient imprévisibles. Il devait absolument la retrouver.

Le taxi s'arrêta devant le terminal et Jake jeta quelques centaines de francs sur le siège avant, sans attendre sa monnaie. Il se précipita à l'intérieur de l'aérogare et passa en revue les écrans où étaient affichés les horaires des départs.

– Excusez-moi, dit-il à une employée. Où sont les vols pour Chicago ?

Il partit en courant sans attendre la fin de ses explications.

– Pardon, s'excusa-t-il auprès d'un vieux monsieur qu'il avait bousculé. Pardon, lança-t-il à nouveau à une jeune femme dont il avait renversé la valise. Excusez-moi, pardon, je suis désolé, répétait-il en courant alors qu'il brûlait d'envie de leur crier à tous d'aller au diable.

Il fonçait en aveugle, sans bien savoir où il allait, obsédé par sa destination finale. Et soudain il la vit. Elle était assise dans un fauteuil roulant au bout d'une rangée de sièges orange, les yeux baissés. Elle avait réussi. Toute seule. Elle était parvenue à arrêter un taxi sous la pluie battante et à se repérer sans son aide dans les dédales de cet aéroport tentaculaire. Elle avait trouvé le bon comptoir, obtenu un fauteuil roulant et, bien évidemment, réservé un siège sur un vol de la journée. Elle était stupéfiante, s'émerveilla Jake en s'arrêtant pour reprendre son souffle.

Et maintenant ? se demanda-t-il en se remémorant toutes les phrases qu'il avait préparées pendant ce trajet interminable jusqu'à l'aéroport. Ce serait la plaidoirie la plus importante de sa vie, il en prit conscience en se dirigeant vers elle. Il ne devait commettre aucune erreur.

Elle l'aperçut et croisa son regard. Et, aussitôt, elle voulut s'enfuir et tenta fébrilement de dégager son fauteuil de l'espace étroit dans lequel on l'avait placé. Elle tourna les roues dans tous les sens avant de comprendre que c'était le frein qui les bloquait.

– Mattie ! Mattie ! Je t'en prie, cria Jake en se précipitant vers elle, oubliant tous ses beaux discours.

Les mains de Mattie trouvèrent enfin le frein et le desserrèrent, le fauteuil partit brusquement en avant et faillit écraser les pieds de Jake.

– Laisse-moi passer, cria Mattie.

– Je t'en prie, Mattie, écoute-moi.

– Laisse-moi tranquille !

– Ce monsieur vous importune ?

Jake se retourna et vit se lever un jeune homme musclé, avec un drapeau américain cousu sur son sac à dos.

– Tout va bien, dit Jake. Mattie...

– La dame n'a pas envie de vous parler, insista le jeune homme.

– Écoutez, mêlez-vous de vos affaires, riposta Jake en bloquant le passage à Mattie.

– Ne serait-ce pas Jake Hart, l'avocat ? s'enquit un autre voyageur. J'ai vu sa photo sur la couverture de *Chicago Magazine* récemment.

– Tu crois ? demanda sa compagne.

– Je suis sûr que c'est lui. La femme dans le fauteuil roulant l'a appelé Jake.

– Cette femme est ma femme, rétorqua Jake, en se retournant, furieux, vers les voyageurs qui se tassèrent sur leurs sièges. Et il faut absolument que je lui parle.

– Retourne à l'hôtel, Jake ! hurla Mattie. Ta maîtresse t'y attend !

– Oh, mon Dieu ! s'exclama une dame d'un certain âge.

– Je t'en prie, Mattie, tu te trompes complètement.

– Ne me dis pas que ce n'était pas Cherry Novak. Arrête de me prendre pour une idiote.

– Je n'ai aucune intention de le nier.

– Alors qu'as-tu à ajouter ?

– J'ignorais totalement qu'elle était à Paris, commença Jake. – La vérité lui parut encore plus nulle que toutes les excuses qu'il aurait pu inventer. Depuis quand la vérité constituait-elle une défense ? Ses années de tribunal ne lui avaient donc rien appris ? – Je t'en prie, Mattie, crois-moi. J'ai rompu avec elle. Je ne l'avais pas vue depuis des mois.

– Alors comment était-elle au courant de notre voyage ? Comment connaissait-elle l'adresse de notre hôtel ?

– Elle est passée au cabinet...

– Tu viens de dire que tu ne l'avais pas vue depuis des mois.

Jake jeta un regard impuissant autour de lui, avec la désagréable impression d'être un accusé à la barre.

– Elle n'est restée que quelques minutes. Elle a débarqué sans prévenir.

– C'est décidément une spécialité.

– Je ne savais pas qu'elle était à Paris avant de la voir dans notre chambre.

– Tu ne pouvais pas attendre, n'est-ce pas ? soupira Mattie en secouant la tête, les yeux remplis de larmes amères. Tu ne pouvais pas laisser passer une occasion pareille ! Tu n'allais pas gâcher un voyage romantique à Paris avec ta pauvre femme malade.

– C'est faux, Mattie. Tu le sais.

– Qu'est-ce qui te chiffonne, Jake ? Je mets trop longtemps à mourir ?

Les gens autour d'eux laissèrent échapper un cri de surprise.

– Mattie...

– Tu veux savoir le plus drôle ? continua Mattie. Elle me plaît. C'est vrai. Félicitations. Jake Hart sait vraiment bien choisir ses femmes.

– Je t'avais dit que c'était lui, chuchota quelqu'un à mi-voix.

– Va la retrouver, Jake, poursuivit Mattie, la colère cédant place à la résignation. Elle t'aime.

– Je ne l'aime pas, dit-il simplement.

– Alors tu es fou.

– Dieu sait si c'est vrai ! acquiesça Jake.

Un instant, elle parut prête à le croire, finalement. Mais soudain une nouvelle résolution durcit son regard et elle entreprit une fois de plus de se dégager, les mains glissant désespérément sur les bords de son fauteuil. Instinctivement, Jake s'avança pour l'aider.

– Pousse-toi, bon sang ! Va-t'en, Jake ! Laisse-moi ! Je n'ai pas besoin de toi.

– Peut-être, mais moi, bonté divine, j'ai besoin de toi ! s'écria-t-il, se surprenant lui-même. Je t'aime, Mattie ! Je t'aime !

– Non, je t'en prie, ne dis pas ça.

– Je t'aime, répéta-t-il en tombant à genoux devant son fauteuil roulant.

– Relève-toi, Jake. Je t'en prie. Inutile de continuer à jouer la comédie.

– Je suis sincère, Mattie, je t'aime. Crois-moi, je t'en prie. Je t'aime. Je t'aime.

Il y eut un long silence. Comme si tous ceux qui les entouraient retenaient leur souffle. Jake sentit sa propre respiration s'arrêter. Il suffoquait sans elle. Que ferait-il si elle le quittait maintenant ?

– Je t'aime. – Il la regarda fixement jusqu'à ce que ses yeux soient aveuglés par les larmes. Il ne fit aucun geste pour les essuyer. – Je t'aime.

Il n'y avait rien à ajouter.

Un autre silence. Plus long encore que le premier. Interminable.

– Je t'aime, chuchota Mattie.

– Oh, mon Dieu ! je t'aime tellement ! s'écria Jake.

– Je t'aime tellement ! répéta Mattie en pleurant avec lui. *Je t'aime, je t'aime, je t'aime, je t'aime.*

– Nous allons retourner à Paris et chercher un autre hôtel...

– Non. – Elle lui caressa maladroitement la joue. Il lui prit la main et l'embrassa. – Il est temps de rentrer, Jake. – Il hocha la tête tristement, d'un air entendu. – Il est temps de rentrer à la maison.

32.

Ils arrivèrent à Chicago à quatre heures de l'après-midi, deux jours plus tôt que prévu.

– Il s'est passé quelque chose ! s'écria Mattie au moment où le taxi s'arrêtait devant chez eux.

Une camionnette blanche inconnue était garée à côté de la vieille Plymouth verte de sa mère. Que faisait-elle ici ? se demanda Mattie en lisant le logo en lettres rouges sur le côté de la fourgonnette : « Entreprise de nettoyage Capiletti ».

– Ne commence pas à t'affoler, dit Jake en l'aidant à descendre et en payant le taxi.

– Tu crois qu'on a été cambriolés ? Ou qu'il y a eu le feu ? demanda-t-elle en scrutant la façade de la maison à la recherche de traces de fumée.

– Tout a l'air normal.

– Hou! hou! cria Mattie dès que Jake ouvrit la porte. Maman?

Elle avança nerveusement dans l'entrée. Une femme brune en jean passa devant eux, chargée d'un grand sac-poubelle vert. Elle leur sourit.

– Qui êtes-vous? demanda Mattie. Que se passe-t-il?

– Martha! s'écria sa mère du haut de l'escalier pendant que l'inconnue disparaissait dans la cuisine. C'est toi?

– Maman! Que se passe-t-il?

– Ne t'énerve pas, la supplia Jake.

– Mais vous êtes en avance, leur dit sa mère en guise de bonjour, en descendant l'escalier en courant. – Elle aussi était en jean avec un grand sweat-shirt. Ses cheveux gris étaient relevés en un chignon sommaire qui laissait échapper plus de mèches qu'il n'en retenait. – On ne vous attendait que dans deux jours.

– Que se passe-t-il? répéta Mattie.

– Rien de grave, rassurez-vous. Si on allait s'asseoir?

– Que se passe-t-il? insista Mattie.

– Il y a eu une petite soirée et la fête a, je le crains, un peu dégénéré. J'espérais que tout serait nettoyé avant votre retour.

– Tu as fait une soirée? s'exclama Mattie, stupéfaite.

Depuis quand sa mère recherchait-elle une autre compagnie que celle de ses chiens?

– Allons nous asseoir, s'obstina la vieille dame pendant qu'un jeune costaud en tee-shirt blanc et en jean noir sortait du bureau de Jake, avec sous son bras les restes de la photographie de Rafael Goldchain que Jake avait achetée récemment. Le cadre était brisé, la vitre en miettes et le cliché était coupé en deux au-dessus des fesses de la pin-up.

– Qu'est-ce que je fais de ça? demanda le jeune homme.

– Mon Dieu! s'écria Jake en se précipitant pour lui prendre la photo des mains. Qui a fait ça?

– La police recherche les coupables. Je vous en prie, allons nous asseoir au salon. Vous devez être épuisés.

Mattie regarda Jake lâcher la photo déchirée, aussi ahuri qu'elle. Que s'était-il passé? Sa tête se mit à tourner et elle s'effondra dans les bras de Jake alors qu'il la conduisait au salon. Il l'aida à s'asseoir sur le canapé constellé de taches de bière et couvert de cendres.

– M. Capiletti m'a promis qu'une fois nettoyé il sera aussi beau que neuf, s'empressa de les rassurer la mère de Mattie.

– C'était lui que nous avons croisé? demanda Jake en faisant un signe de tête vers l'entrée.

– Son fils. C'est une affaire familiale. Vous avez dû voir Mme Capiletti en arrivant.

– Et que font chez moi tous ces Capiletti ? ajouta Mattie, avec la sensation de vivre le plus délirant des cauchemars.

C'est ça, pensa-t-elle en se détendant. Elle était encore au-dessus de l'Atlantique, la tête appuyée contre la poitrine de Jake, bercée par l'écho de ses « je t'aime ». Elle allait se réveiller d'une minute à l'autre au son de ces mots qu'elle avait attendus toute sa vie.

– Il y a eu une soirée ? répéta-t-elle en remarquant que le tissu rose et or de ses deux fauteuils avait été labouré dans le sens des rayures, que les magnifiques pieds galbés du demi-queue avaient été lacérés, que le tapis au petit point disparaissait sous les miettes et autres déchets moins identifiables, et que le tableau de Ken Davis était éclaboussé de ce qui ressemblait à du jaune d'œuf.

– Je n'ai pas osé y toucher, dit sa mère, suivant son regard. J'ai eu peur d'enlever la peinture en le nettoyant.

– Quand est-ce arrivé ?

– Samedi soir.

Et, soudain, Mattie comprit. Elle soupira, ferma les yeux et renversa la tête en arrière, les narines révulsées par l'odeur de tabac froid, la langue picotée par le goût amer de la bière renversée.

– Kim, dit-elle d'une voix blanche.

– Ce n'est pas sa faute, s'empressa d'expliquer la vieille dame. Elle a voulu les arrêter. C'est elle qui a appelé la police.

– Vous lui avez permis de faire une soirée ? s'exclama Jake en serrant la main de Mattie dans la sienne.

– Non. Elle m'a seulement dit qu'elle était invitée. Sans préciser où.

– Elle s'est bien gardée de mentionner que c'était elle qui organisait cette petite fiesta.

– Elle n'avait invité qu'une poignée de camarades mais une bande de voyous a débarqué. Kim leur a enjoint de partir, ils ont refusé et la situation s'est vite dégradée. Alors elle a appelé la police mais les fauteurs de troubles avaient déjà disparu, non sans avoir fait pas mal de dégâts, malheureusement. Les Capiletti sont venus à la première heure ce matin. Le rez-de-chaussée est le plus touché. Il faudra faire le tour pour voir si rien ne manque.

– Je ne vois pas L'Homme déchu, murmura Mattie en faisant

référence au petit bronze d'Ernest Trova habituellement posé sur le piano.

– Tu veux parler du drôle de petit chauve qui ressemble à un oscar ? – Mattie hocha la tête. – La police l'a retrouvé dehors, dans l'herbe. J'ai cru que c'était une sorte de moulin à poivre et je l'ai remis dans la cuisine.

– Tu l'as pris pour un moulin à poivre !

– Je n'ai jamais prétendu être experte en art !

– Où est Kim ? demanda Jake.

– Elle devait aller voir Rosemary Colicos après ses cours. Je vous en prie, Jake, ne soyez pas trop sévère avec elle. Je sais que c'est très grave ce qu'elle a fait, mais c'est une gentille fille. Vraiment. Elle a été terriblement secouée par cette histoire et je sais qu'elle est décidée à se faire pardonner. Elle travaillera cet été pour payer tout ce qui ne sera pas remboursé par l'assurance.

– La question n'est pas là.

– Je le sais. – La vieille dame s'assit avec précaution dans un des fauteuils rose et or. – Et elle le sait aussi.

Mattie regarda une bande de tissu voleter autour des genoux de sa mère. Elle voulait faire recouvrir ces sièges depuis longtemps, pensa-t-elle distraitement.

– Alors, et votre voyage ? reprit sa mère comme si c'était une question tout à fait naturelle en de telles circonstances.

– Notre voyage ? répéta Mattie d'un air hébété. Oh, magnifique !

– Et le temps ?

– Splendide.

– Sauf hier, soupira Jake. Il est tombé des cordes toute la journée.

– Oui, c'est vrai, renchérit Mattie.

– Et vous avez vu tout ce que vous vouliez voir ?

– Oui, presque tout, répondit Jake.

– Et vous avez pu vous déplacer sans problème ?

– Oui, aucun, dit Jake en observant Mattie qui regardait fixement l'endroit où le bronze était posé habituellement. Mattie, ça va ?

– Elle a cru que c'était un moulin à poivre, murmura-t-elle, tellement estomaquée par l'absurdité de leur retour qu'elle en avait du mal à respirer.

Et, soudain, elle fut prise d'un fou rire si communicatif qu'il gagna Jake, puis sa mère, quoique cette dernière restât sur ses gardes, comme si elle n'était pas sûre de la cause de cette hilarité.

– Peut-être devrais-tu monter te reposer, dit la vieille dame, reprenant son sérieux. Il n'y a pas eu trop de dégâts là-haut et j'ai fait changer vos draps, à tout hasard. Oui, je pense que tu devrais te reposer, Mattie, ajouta-t-elle, en les regardant continuer à se tordre de rire. Les Capiletti vont m'aider à ranger ici. Vous pourrez appeler votre agent d'assurances demain matin. Je garderai Kim avec moi ce soir.

– Merci, réussit à articuler Mattie entre deux hoquets.

– Dites-lui que j'irai la chercher demain soir au lycée. Et surtout dites-lui que nous l'aimons, ajouta tendrement Jake en aidant Mattie à se lever.

La vieille dame hocha la tête et se leva à son tour.

– Maman ! l'arrêta Mattie au moment où elle quittait la pièce.

– Oui, Martha ?

– Merci, maman. C'est bon de savoir que je peux compter sur toi.

Mattie vit les épaules de sa mère se raidir. Elle quitta la pièce en silence.

Mattie se reposait sur son lit lorsqu'elle entendit la porte d'entrée s'ouvrir et se refermer, puis des pas dans l'escalier. Kim apparut sur le seuil. Elle portait un sweat-shirt jaune sur un jean délavé et, comme d'habitude, le cœur de Mattie s'illumina à sa vue. Mon adorable vieille fille. Sait-elle à quel point elle est belle ?

– Bonjour, lui dit-elle simplement.

Mattie répétait cet instant depuis que Jake était parti chercher leur fille au lycée. Elle avait essayé différentes positions sur le lit, ne voulant paraître ni trop raide ni trop décontractée. Puis elle avait cherché un ton ni trop sévère ni trop indulgent, tout en étudiant diverses façons d'aborder Kim. Et voilà que tous ses efforts venaient d'être ruinés par ce simple mot : bonjour.

– Comment vas-tu ?

La voix de Kim tremblait. Elle ramena une mèche imaginaire derrière son oreille, les yeux baissés vers le sol.

– Je vais bien. Lisa doit venir ce soir m'ausculter. Et toi ?

– Ça va, répondit-elle avec un haussement d'épaules au moment où Jake entra dans la chambre.

– Si tu venais t'asseoir, dit Mattie en tapotant le lit à côté d'elle.

Kim dévisagea sa mère puis son père comme si elle n'était pas sûre que l'invitation s'adressât à elle, puis elle regarda à nouveau Mattie et secoua la tête, sa lèvre inférieure tremblant dangereusement.

– Raconte-moi ce qui se passe? l'encouragea doucement Mattie.

– J'ai eu tort, répondit-elle, sur la défensive. J'ai invité des copains en pensant que ça se passerait bien mais...

– Je suis au courant. Je veux savoir ce qu'il t'arrive à toi?

– Je ne comprends pas, dit Kim en jetant un regard implorant à son père.

– Qu'est-ce que tu ressens, Kimmy? demanda Jake.

Kim haussa les épaules et laissa échapper un petit rire éraillé.

– J'ai l'impression d'entendre ma thérapeute.

– Parle-nous, ma chérie.

– Je n'ai rien à dire. Vous êtes partis. J'ai fait une soirée. C'était une erreur et je m'en veux.

– Tu étais fâchée qu'on soit partis? demanda Mattie.

– Fâchée? Bien sûr que non. Pourquoi aurais-je été fâchée?

– Parce que nous ne t'avons pas emmenée avec nous.

– C'est idiot. Je ne suis pas un bébé, marmonna-t-elle en balançant son poids d'un pied sur l'autre. En plus, je ne pouvais pas partir avec vous, j'avais cours, et de toute façon, c'étaient vos vacances. Je l'ai compris.

– Comprendre les choses ne les rend pas forcément plus faciles à admettre, souligna Jake.

– Qu'est-ce que vous voulez dire? Que je l'ai fait exprès?

– Pas du tout, intervint Mattie.

– Parce que j'étais fâchée de vous voir partir? C'est là où vous voulez en venir?

– L'étais-tu? demanda Jake.

Kim jeta un regard affolé autour d'elle comme si elle cherchait une issue de secours.

– Non, bien sûr que non.

– Tu ne m'en as pas un peu voulu de t'enlever ta mère?

– Tu es son mari, non?

– Pas un très bon mari, comme tu l'as souligné à plusieurs reprises. Le couple, c'était plutôt toi et ta mère. Et pour cause, je n'étais jamais là. – Il se tut, implorant du regard le pardon de la mère et de la fille. – Pendant seize ans, tu as eu ta mère entièrement à toi, Kimmy. Et soudain tout a changé. Elle est tombée malade et je suis revenu à la maison. Tu t'es sentie écartée. Et pour finir, je l'ai enlevée en te laissant ici.

– Et alors? Je suis comme la femme abandonnée? C'est ça que tu veux dire?

– Oui, exactement. Et tu t'es sentie trahie, délaissée et terrorisée parce que tu as cru que tu perdais ta mère. Je suis celui qui te l'a prise, Kimmy. Et je ne te blâme pas le moins du monde d'être furieuse.

Kim jeta un regard impuissant vers la fenêtre, et serra les lèvres comme si elle essayait littéralement d'avaler ce que Jake venait de dire.

– Donc, pour résumer, j'étais furieuse contre toi de m'avoir laissée, de m'avoir pris ma mère, et j'ai invité une bande de copains en sachant qu'ils allaient saccager la maison ? C'est bien ça ?

– Non ?

– Non ! Si ! Peut-être ! J'en sais rien, moi ! – Elle se mit à arpenter la pièce en décrivant des cercles de plus en plus petits entre la fenêtre et le lit. – Peut-être que je vous en voulais de partir en me laissant ici ! Peut-être que j'ai organisé cette soirée en sachant ce qui risquait d'arriver ! Peut-être même que je le souhaitais ! Je ne sais pas. Je ne sais plus rien. Je sais juste que je suis désolée. Oui, vraiment désolée.

– Ce n'est pas grave, ma chérie, murmura Mattie qui n'avait qu'une envie, la prendre dans ses bras pour la consoler.

– Je trouverai du travail. Je rembourserai tout.

– Nous réglerons cela plus tard, dit Jake.

Les épaules de Kim se mirent à trembler, son visage se défit comme de la cire chauffée, autour de sa bouche ouverte.

– J'irai vivre chez grand-mère Viv. Je suis sûre qu'elle voudra bien.

– Tu le désires vraiment ?

– Pas vous ?

– Nous voulons que tu restes là.

Des larmes coulèrent sur les joues de Mattie.

– Mais pourquoi ? Je suis odieuse. Pourquoi voudriez-vous me garder ?

– Tu n'es pas odieuse.

– Regarde ce que j'ai fait ! Je les ai laissés saccager la maison. Je les ai laissés détruire tout ce que tu aimes.

– C'est toi que j'aime, protesta Mattie en tapotant à nouveau la place près d'elle sur le lit. Viens t'asseoir, s'il te plaît, Kim. Viens dans mes bras.

Lentement, Kim s'approcha et se laissa tomber contre sa mère.

– Tu n'es qu'une petite fille qui a fait une grosse bêtise, soupira Mattie en l'embrassant sur le front. – Elle retira de ses doigts maladroits les épingles qui retenaient le chignon de sa fille et laissa tomber ses cheveux sur ses épaules. – Tu es mon bébé tendre. Je t'aime tellement.

– Je t'aime aussi, je m'en veux de t'avoir fait de la peine, maman.

– Je sais, mon bébé.

– Toutes tes affaires...

– Oui, ce n'était rien de plus, seulement des affaires. – Un sourire vint aux lèvres de Mattie. – De pauvres moulins à poivre ridicules.

– Quoi?

– Les objets se remplacent, Kimmy, intervint Jake en les rejoignant sur le lit.

– Pas tous.

– Ça reste des objets.

– Vous ne me détestez pas?

– Comment pourrions-nous faire ça? demanda Mattie.

– Nous t'aimons, dit Jake. Ce n'est pas parce que nous sommes mécontents de ce que tu as fait que nous ne t'aimons pas, ou que nous allons arrêter de t'aimer.

Mattie le regarda enlever les quelques épingles qui restaient et passer une main tendre dans les cheveux soyeux de sa fille.

Kim tomba dans les bras de son père en pleurant. Jake la tint contre lui quelques minutes, puis sans un mot, sans la déranger, il prit la main de Mattie. Ils restèrent ainsi tous les trois, serrés les uns contre les autres, jusqu'à la tombée de la nuit.

33.

Elle était assise dans son fauteuil roulant sur la terrasse et regardait sa fille nager. Il faisait bizarrement frais pour une fin septembre et des nuages de vapeur montaient de la piscine sur-chauffée. Mattie admirait l'arc gracieux que décrivaient les bras de Kim quand ils fendaient l'eau, son long corps élancé propulsé par le battement régulier de ses pieds, ses cheveux blonds qui flottaient librement derrière elle. Comme une ravissante sirène, pensa-t-elle en s'imaginant nageant à ses côtés. Elle frissonna.

– Vous n'avez pas froid, madame Hart? demanda une voix derrière elle.

– Un peu, réussit-elle à articuler péniblement. – Elle sentit aussitôt un châle en cachemire se poser sur ses épaules. – Merci,

Aurora, murmura-t-elle, sans être sûre que la petite bonne mexicaine que Jake avait engagée au début de l'été l'avait entendue.

Sa voix était si faible ces derniers temps. Chaque mot était un combat. Pour tout le monde. Elle bataillait pour parler, pour ne pas se laisser étrangler par ses pensées et son entourage luttait afin de comprendre ce qu'elle essayait de dire.

— Allez, viens, George! cria Kim au chiot frétillant qui courait d'un bout à l'autre de la piscine pendant qu'elle nageait. L'eau est vraiment chaude.

George aboya son refus, bondit vers la terrasse, sauta sur les genoux de Mattie et se mit à lui lécher la figure. Il était facile à comprendre, lui, songea-t-elle, pendant que Kim lui faisait joyeusement signe avant de reprendre ses longueurs.

— Non, non, protesta Aurora en chassant le chiot des genoux de Mattie. Il ne faut pas lécher Mme Hart comme ça.

— Laissez-le, Aurora, voulut-elle protester, mais elle s'étrangla.

Quelques mois auparavant, elle aurait encore agité les mains en essayant d'aspirer de l'oxygène dans ses poumons, mais maintenant ses bras maigres restaient inertes à ses côtés et ses doigts noueux reposaient sur ses genoux. Seule sa tête bougeait, secouée par chaque nouvelle quinte de toux.

— Ce n'est rien. Ça va passer, dit calmement la petite Mexicaine, que ces crises n'affolaient plus, son regard planté dans celui de Mattie. Ça va passer.

Une fois les spasmes terminés, elle lui essuya les yeux avec un mouchoir en papier, lui caressa la tête et tapota ses mains inutiles posées sur ses jambes tout aussi impuissantes.

— Vous voulez boire quelque chose? De l'eau ou un jus de fruits?

— De l'eau, bredouilla Mattie, d'une voix presque inaudible.

Dès qu'Aurora repartit à la cuisine, George sauta à nouveau sur les genoux de Mattie et lui donna un grand coup de langue sur la figure. Elle se mit à rire et le chiot s'installa confortablement sur elle, réchauffant ses mains froides de son petit corps au poil épais tel un manchon de fourrure. Il ferma les yeux et s'endormit aussitôt, heureux. Il suffisait qu'elle lui offre un coin chaud où se lover pour qu'il l'aime. Inconditionnellement.

Et elle l'aimait aussi, découvrit-elle avec un certain étonnement. Après avoir refusé pendant des années d'avoir un chien, elle s'était complètement entichée de cet animal. Quel adorable bébé! se dit-elle, regrettant douloureusement de ne pas pouvoir le caresser.

– Ah non, va-t'en de là ! grommela Aurora en le chassant à nouveau sans laisser à Mattie le temps de protester. – Elle porta le verre d'eau aux lèvres de Mattie qui but une petite gorgée et la sentit descendre péniblement dans sa gorge. – Buvez encore.

Mattie refusa, bien qu'elle eût encore soif. Mais plus elle buvait, plus elle éliminait, et elle redoutait désormais les contraintes de la nature. De tous les aspects détestables de sa maladie, ce qu'elle haïssait le plus c'était la façon dont celle-ci la privait progressivement de tout ce qu'elle tenait autrefois pour acquis : sa mobilité, sa liberté, son intimité et, pour finir, le plus cruel, sa dignité. Elle ne pouvait même plus se rendre seule aux toilettes. Elle avait besoin qu'on l'y conduise, qu'on l'aide à descendre de son fauteuil, qu'on l'asseye sur le siège et qu'on l'essuie quand elle avait terminé. Aurora était un don de Dieu. Elle faisait toutes ces corvées sans rechigner. Comme Kim et Jake, en son absence. Mais Mattie ne voulait pas que sa fille joue les infirmières ni imposer cette servitude à son mari.

« Il faut manger et boire, lui répétait-on sans arrêt. Tu dois te maintenir en forme. » Mais à quoi bon quand on atteignait une telle dépendance ? Elle était lasse de cette infantilisation forcée qui pouvait durer des années. Et ce n'était pas ainsi qu'elle voulait qu'on se souvienne d'elle. Elle en avait assez. Elle voulait mourir avec au moins un semblant de dignité.

Le moment était venu.

– Brrr, frissonna Kim, en s'enroulant dans plusieurs épaisseurs de serviettes-éponges bleues. Il fait froid quand on sort. – George s'était précipité à ses pieds et léchait l'eau entre ses orteils. – Alors, qu'en penses-tu ? demanda-t-elle en courant vers l'escalier, le chien sur ses talons. Cinquante longueurs. C'est pas mal, hein ?

– N'en fais pas trop, dit lentement Mattie d'une voix douce.

– Non. Si je sens que ça tourne à l'obsession, j'arrêterai, je te le promets.

Mattie sourit. Le temps du régime draconien et des deux heures quotidiennes de musculation épuisante était heureusement révolu. Kim fréquentait un nouveau lycée et travaillait très bien. Elle continuait à voir Rosemary Colicos une fois par semaine. Jake aussi la voyait. Parfois, ils y allaient ensemble. Kim et son père se rapprochaient de jour en jour.

Le moment était venu.

– À quelle heure est le match ? demanda Mattie pendant que Kim tendait l'oreille pour la comprendre.

– Papa a dit sept heures, je crois. – Elle regarda sa montre. – Je ferais bien d'aller me préparer. Il est presque cinq heures. Je voudrais me laver les cheveux.

– Oui. Vas-y.

Kim se pencha et embrassa la joue maigre de sa mère. Mattie sentit la douceur de sa peau fraîche contre la sienne.

– Tu sais que je t'aime ?

– Je t'aime aussi, répondit Kim.

Et elle ramassa George et disparut à l'intérieur sans laisser à sa mère le temps d'ajouter quoi que ce soit.

– Nous rentrons, nous aussi, annonça Aurora, en faisant pivoter le fauteuil roulant qu'elle poussa vers la cuisine.

Et si je ne voulais pas ? se demanda Mattie, sachant qu'il était inutile de protester. Ses pouvoirs de décision avaient été érodés par la perte progressive de ses droits fondamentaux. À quoi bon la liberté de choisir si l'on ne peut plus agir ? Mattie n'en voulait pas à Aurora. Elle n'en voulait à personne. Elle n'était plus surprise de l'insensibilité bien intentionnée des autres. Cela ne la révoltait plus. À quoi bon s'emporter ?

Personne n'était responsable de ce qui lui arrivait, ni sa mère, ni elle, ni Dieu. S'il y avait un Dieu, Il ne lui avait pas souhaité un tel malheur. Pas plus qu'Il ne pouvait alléger ses souffrances. Après avoir regardé pendant des mois son corps fondre et se tasser sur lui-même, sa peau se détendre et ses traits se distordre comme dans le miroir déformant d'une maison hantée, elle s'était finalement soumise à ce que Thomas Hardy décrivait autrefois comme « l'indifférence bienveillante de l'univers ». Était-ce Hardy ou Camus ? se demanda-t-elle brusquement, trop fatiguée pour se souvenir.

Elle était si lasse.

Le moment était venu.

« C'était le meilleur des moments. Et c'était le pire. » Charles Dickens. Ça, elle en était sûre.

La plus mauvaise année de sa vie.

La meilleure année de sa vie.

La dernière année de sa vie.

Le moment était venu.

– Bonsoir, ma chérie, comment vas-tu ?

Jake arriva du couloir au moment où Aurora refermait la porte coulissante. Mattie sourit, comme à chaque fois qu'elle regardait son mari. Il avait perdu quelques kilos ces derniers mois, et de petites mèches grises striaient sa chevelure, conséquences de sa maladie insidieuse. Mais il était toujours aussi beau et même, si c'était possible, plus distingué. Il prétendait que c'était le fait de retravailler qui l'avait fait maigrir. Il n'était pas retourné chez Richardson, Buckley et Lang mais, au fil de l'été, on l'avait consulté sur différentes affaires difficiles et il avait été sollicité par d'autres jeunes juristes renégats qui envisageaient d'ouvrir leur propre cabinet dès l'an prochain. Il leur avait répondu que ça ne l'intéressait pas, prétextant qu'il était ravi de travailler chez lui. Mais Mattie n'avait pas été sans remarquer l'étincelle dans son regard chaque fois qu'il parlait d'eux, et elle savait qu'il regrettait l'excitation de ses joutes quotidiennes. Combien de temps pourrait-elle encore le retenir ainsi ? Que pouvait-il faire de plus pour elle ? Elle ne pouvait même plus le toucher, songea-t-elle alors que Jake se penchait pour l'embrasser sur les lèvres.

Le moment était venu.

Tout se mettait en place. Le détective privé que Jake avait engagé pour rechercher son frère avait trouvé trois Nicholas Hart dont l'âge et le physique correspondaient à la description générale de Nick. Le premier en Floride, le deuxième dans le Wisconsin et le dernier à Hawaï. Et si aucun d'eux n'était son frère, les premiers jalons avaient été posés. Inutile qu'elle reste pour voir Jake franchir la ligne d'arrivée. Il avait déjà gagné, pensa-t-elle, en savourant le souvenir du contact de ses lèvres qui s'attardaient sur les siennes.

– Le Pende Fine Arts présente une nouvelle exposition de photos, la semaine prochaine, dit Jake en s'asseyant sur une chaise de cuisine pour être au niveau de Mattie. On pourrait y aller samedi avec Kim.

Mattie hocha la tête. Jake avait remplacé la photographie de Rafael Goldchain et Kim lui remboursait dix dollars par semaine sur son argent de poche. Du coup, leur fille adoptait des airs de quasi-propriétaire vis-à-vis de ce tableau et commençait à s'intéresser sérieusement à la photographie.

– On pourrait peut-être acheter un nouvel appareil à Kim, continua Jake, lisant dans ses pensées. Le sien est assez rudimentaire.

Mattie hocha à nouveau la tête.

– Oh, mon Dieu ! nous allons manquer de lait ! s'exclama Aurora, en secouant le carton qu'elle venait de sortir du réfrigérateur.

– J'en rapporterai ce soir, dit Jake.

– Prenez aussi du jus de pomme.

– J'irai les chercher après le match.

Quelle gentillesse ! Il avait abandonné tant de choses. Cherry. Sa carrière. Il lui avait consacré cette dernière année. Tout cela pour elle. Elle ne pouvait pas exiger plus de lui.

Le moment était venu.

– Sais-tu à quel point je t'aime ? murmura-t-elle. Sais-tu à quel point tu me rends heureuse ?

– Sais-tu à quel point tu me rends heureux ? demanda-t-il en retour.

La sonnerie de la porte d'entrée résonna.

– C'est Lisa ! s'écria Mattie, pendant qu'Aurora allait ouvrir et que le chien dévalait l'escalier en aboyant.

– Comment va Mattie aujourd'hui ? l'entendit-elle s'enquérir quand Jake vint l'accueillir dans le hall.

– Elle me paraît un peu abattue, répondit-il. Je ferais peut-être mieux de rester.

– Ne dis pas de bêtises ! cria Mattie, mais cet effort déclencha une série de spasmes qui ne se calmèrent que lorsqu'il eut promis de ne pas changer ses projets. Tu as une mine superbe, ajouta-t-elle à l'intention de son amie, en se demandant si ce genre de coupe au carré lui irait et à quand pouvait bien remonter son dernier rendez-vous chez le coiffeur.

– Merci. – Lisa sortit de sa sacoche le tensiomètre et l'enroula autour du bras de Mattie comme si c'était aussi banal que de se serrer la main. – Je te trouve très jolie ce soir.

– Merci.

À quoi bon discuter ? Elle pesait moins de cinquante kilos, sa peau était si fine qu'elle en devenait translucide et son corps se racornissait sur lui-même tel un bretzel. Pourtant tout le monde s'entêtait à lui dire qu'elle était ravissante, comme si sa maladie la privait de jugement et qu'elle n'était plus capable de faire la distinction entre ce qu'on voyait et ce qu'on souhaitait voir. Enfin, pourquoi ne pas croire qu'elle était encore jolie ? Quel mal y avait-il à ça ?

– J'ai vu Stéphanie et Pam et nous avions envie d'organiser une petite soirée le mois prochain. Que dirais-tu du 12 octobre ?

– Excellente idée ! répondit Jake à sa place.

– Parfait, approuva Lisa en écoutant le bruit du sang qui coulait dans les artères de Mattie. Je leur transmettrai. Nous vous préciserons plus tard le lieu et l'heure. – Elle laissa tomber le stéthoscope sur ses genoux et libéra le bras de Mattie. – Tout va bien de ce côté, déclara-t-elle alors que ses yeux disaient le contraire. Au fait, tu connais la dernière au sujet de l'ex de Stéphanie ? – Mattie secoua la tête. – Il menace de ne plus payer sa pension depuis qu'il a appris qu'elle fréquentait Enoch.

– Je vous laisse, le temps d'aller régler deux ou trois petites choses dans mon bureau, dit Jake.

Il embrassa Mattie sur le front avant de quitter la pièce.

– Eh bien, continua Lisa sans ciller, Stéphanie a fait suivre ce salaud. Et elle a découvert qu'il avait toujours mené une double vie.

Et pendant trois quarts d'heure, elle s'étendit sur les détails les plus scabreux de l'affaire, puis elle la mit au courant des derniers potins. Mattie apprit ainsi quels étaient les films à voir absolument, ceux à éviter, quelles actrices s'étaient fait poser des implants et qui, dans l'élite vieillissante de Hollywood, avait eu recours à la chirurgie esthétique.

– Tu peux me croire, déclara-t-elle d'un ton docte. Quand tu vois une femme de plus de quarante ans qui n'a pas de rides c'est qu'elle s'est fait lifter.

Mattie sourit en pensant qu'elle n'aurait pas à se soucier de telles futilités. Que ne donnerait-elle pas pour être plissée comme une vieille pomme ratatinée !

– Il y a un livre génial qui vient de sortir, continua Lisa. Je ne me souviens plus de son titre mais je l'ai noté quelque part. Je te l'apporterai la prochaine fois. Tu as besoin d'autre chose ? demanda-t-elle en consultant sa montre.

Mattie lança un coup d'œil vers l'horloge. 6.05 ou 6.07. Au choix.

De toute façon, le moment était venu.

– Je voudrais que tu téléphones à ma mère, articula-t-elle d'une voix lente mais claire. Demande-lui de venir me voir. Ce soir.

Lisa prit aussitôt le carnet d'adresses de Mattie et appela la vieille dame.

– Elle sera là dans une heure, dit-elle en raccrochant.

– Qui ça ? demanda Kim en entrant dans la cuisine, douchée et changée, les cheveux pendant sous sa casquette des Chicago Cubs.

– Ta grand-mère.

– Grand-mère Viv ? Pourquoi ?

Une lueur d'inquiétude traversa son regard.

– Tu es prête ? demanda Jake, en arrivant à son tour dans la cuisine.

– On ferait peut-être mieux de rester, hésita Kim.

– Ça ne va pas? s'inquiéta Jake.

– La mère de Mattie doit passer tout à l'heure, annonça Lisa.

– Parfait. Quel est le problème, Kimmy?

– Maman? Tu es sûre que ça va?

Mattie leva la tête vers son mari et sa fille, et les photographia avidement, en rafale, pendant que sa mémoire remontait le temps à toute vitesse, exposant souvenir après souvenir. Le jour où elle avait rencontré Jake, la première fois qu'ils avaient fait l'amour, la première fois qu'elle avait tenu son magnifique bébé dans ses bras.

– Je vous aime tellement, dit-elle d'une voix claire. Ne l'oubliez jamais.

– Nous t'aimons nous aussi, répondit Jake en l'embrassant tendrement sur les lèvres. Nous ne rentrerons pas tard.

– Tu es merveilleux, Jake Hart, chuchota Mattie à son oreille tout en savourant sa chaleur, son odeur, son contact.

Kim s'approcha et la prit dans ses bras, comme si c'était elle la mère et Mattie l'enfant.

– Sois patiente avec ton père. Je t'en prie, essaie d'accepter tout ce qui peut le rendre heureux, chuchota Mattie.

Kim plongea son regard dans le sien. Comme si elle comprenait. Comme si elle savait.

– Tu es la meilleure maman du monde, murmura-t-elle si doucement que seule Mattie put l'entendre.

– Mon beau bébé. – Mattie enfouit son visage dans les cheveux de sa fille, enregistrant leur texture, leur douceur sur sa peau. – Il faut y aller, ma chérie, la pressa-t-elle gentiment. C'est l'heure.

– Je t'aime, dit Kim.

– Je t'aime, répéta Jake.

Je vous aime, leur cria-t-elle muettement en les regardant disparaître, leurs images imprimées à jamais sur son âme. Prenez bien soin l'un de l'autre.

– Vous avez dit quelque chose, madame Hart? demanda Aurora qui arrivait avec le bol de soupe qu'elle venait de préparer.

Mattie secoua la tête.

– Du vermicelle au poulet, annonça la jeune Mexicaine en approchant une cuillère de ses lèvres. Ça va vous faire du bien.

– Je m'en occupe, Aurora, dit Lisa en lui prenant le bol des mains. Rentrez chez vous. Je resterai avec Mattie jusqu'à l'arrivée de sa mère.

– Vous êtes sûre ?

Aurora jeta un regard hésitant à Mattie.

– Allez-y, dit Mattie. Et merci, Aurora. Merci pour tout.

– À demain.

– Au revoir, répondit Mattie en la regardant s'éloigner.

Une autre image à ranger dans l'album de son âme.

– À la soupe ! dit Lisa en portant la cuillère aux lèvres de son amie. Ça sent délicieusement bon.

– Merci, dit Mattie, en ouvrant la bouche comme un oisillon. – Le liquide chaud coula dans sa gorge. – Merci pour tout.

– Tais-toi et mange.

Mattie se laissa nourrir jusqu'à la dernière goutte, sans rien dire.

– On avait faim, remarqua Lisa en souriant vaillamment.

– Tu es une merveilleuse amie.

– J'ai beaucoup d'entraînement. Nous nous connaissons depuis si longtemps. Ça fait quoi... trente ans au moins ?

– Trente-trois. – Mattie se perdit dans ses pensées. – Tu te souviens du jour où nous nous sommes rencontrées ?

Lisa réfléchit.

– Non, avoua-t-elle d'un air coupable. Et toi ?

Mattie sourit.

– Moi non plus.

Elles éclatèrent de rire.

– J'ai l'impression que tu as toujours été là, dit simplement Mattie.

– Je t'aime. Tu le sais, n'est-ce pas ?

Elle le savait.

– Je t'aime, moi aussi.

– Merci d'être venue, dit Mattie à sa mère.

Celle-ci avait fait visiblement un gros effort vestimentaire. Elle portait un chemisier bleu lavande sur un pantalon gris impeccable et avait mis un soupçon de rouge sur ses lèvres qui affichaient un sourire embarrassé.

– Comment te sens-tu ? demanda-t-elle en jetant un regard anxieux autour de la chambre avant de s'arrêter sur le chiot couché sur le lit aux pieds de Mattie. Tu as bonne mine.

– Merci, toi aussi.

Elle se tapota les cheveux d'un air embarrassé.

– J'ai l'impression que George s'est fait une amie.

– Je crois qu'il se plaît bien ici.

Sa mère se pencha et passa la main sur le dos du chiot. Il se retourna aussitôt et offrit son estomac aux caresses, ses petites pattes à moitié repliées. Qu'il sait bien se faire comprendre, pensa Mattie, en regardant sa mère frotter doucement le ventre délicat du chien.

– J'ai été ravie de revoir Lisa. C'est stupéfiant. Elle a le même visage qu'à dix ans.

– Elle n'a pas changé, acquiesça Mattie, bizarrement réconfortée à cette pensée.

– J'ai du mal à l'imaginer en médecin.

– Elle en a toujours rêvé. Déjà, lorsqu'elle jouait au docteur, elle prenait son rôle très au sérieux.

Sa mère rit.

– Tu as l'air d'aller mieux, remarqua-t-elle avec un soulagement évident. Tu as une meilleure voix.

– Ça va, ça vient.

– D'où l'intérêt de ne pas baisser les bras, de ne pas perdre espoir.

– Il n'y a aucun espoir, maman, la contredit Mattie aussi doucement qu'elle put.

Sa mère se raidit, s'écarta du lit et se réfugia près de la fenêtre.

– Les jours raccourcissent.

– Oui, c'est vrai.

– Vous allez bientôt fermer la piscine, sans doute.

– Pas avant quelques semaines.

– Kim dit qu'elle nage comme un poisson.

– Elle est douée en tout.

– Oui, c'est vrai.

– Tu t'occuperas d'elle, n'est-ce pas ? Tu veilleras sur elle ?

Silence.

– Maman...

– Bien sûr que je veillerai sur elle.

– Elle t'aime tant.

Sa mère leva la tête vers le plafond, le menton tremblant, en se mordillant la lèvre supérieure.

– Tu as vu la photo qu'elle a prise de moi avec tous mes chiens ?

– Elle est magnifique.

– Elle a vraiment du talent. Elle pourrait s'engager dans cette voie plus tard.

– Il faut que tu m'écoutes, maintenant, dit Mattie avec un petit sourire triste.

– Tu devrais dormir un peu, éluda sa mère. Tu es fatiguée. Ça te fera le plus grand bien.

– Maman, je t'en prie, écoute-moi. Le moment est venu.

– Je ne comprends pas.

– Tu as très bien compris.

– Non.

– Je t'en prie, maman. Tu m'as promis.

Silence.

– Que veux-tu que je fasse?

– Merci, murmura Mattie en fermant les yeux. – Elle les rouvrit et regarda vers la salle de bains. – Le flacon de morphine est dans la pharmacie. Je voudrais que tu écrases vingt comprimés dans un verre d'eau et que tu me le fasses avaler petit à petit.

Sa mère étouffa un cri, mais elle ne dit rien, sa respiration en suspens.

– Ensuite, tu pourrais t'asseoir à côté de moi jusqu'à ce que je m'endorme. Tu veux bien?

Sa mère hocha la tête lentement. Elle claquait des dents comme si elle avait froid.

– Dans la pharmacie? demanda-t-elle en se dirigeant à pas lourds vers la salle de bains.

– Il y a une cuillère près du lavabo. Et un verre, lui cria Mattie, d'une voix qui s'affaiblissait.

C'était la bonne décision.

The time for hesitating is through [1].

Le moment était venu.

Et soudain Mattie vit sa mère debout au pied du lit, le flacon dans une main, le verre dans l'autre.

– La cuillère, lui rappela-t-elle.

– Ah oui!

La vieille dame posa le verre et le flacon sur la table de nuit et repartit vers la salle de bains d'un pas mécanique, comme un automate. Elle en revint encore plus lentement, tel un jouet au ressort usé.

– C'est parfait, dit Mattie. Tu remettras tout en place après. Personne ne se doutera de rien.

– Que leur dirai-je à leur retour?

– La vérité, que je vais bien, que je dors.

– Je ne pourrai pas.

Elle tremblait si fort qu'elle dut prendre la cuillère à deux mains.

---

1. Ce n'est plus le moment d'hésiter. *(N.d.T.)*

– Si, tu y arriveras. Il le faut.

– Je ne sais pas si j'aurai le courage.

– Bon sang, maman ! Tu l'as fait pour tes bêtes. Tu as eu de la compassion pour elles.

– C'est différent. Tu es ma chair et mon sang. Je ne peux pas.

– Bien sûr que si, insista Mattie en la forçant du regard à se tourner vers elle puis vers la table de chevet.

Viv posa la cuillère pour ouvrir le flacon.

– Je sais que je n'ai pas été une bonne mère, Martha, reprit-elle, les joues trempées de larmes. Je sais combien je t'ai déçue.

– Ne me déçois pas maintenant.

– Je t'en prie, pardonne-moi.

– Ce n'est pas grave, maman. Pas grave du tout.

– Pardonne-moi, répéta-t-elle en s'écartant du lit. Mais je ne peux pas le faire. C'est impossible. Impossible.

– Maman ?

– Je ne peux pas. Pardonne-moi, Martha. J'en suis tout bonnement incapable.

– Non ! cria Mattie en voyant sa mère s'enfuir de la chambre. Non, ne m'abandonne pas. Tu ne peux pas me faire ça. Je t'en prie, reviens. Reviens. Il faut que tu m'aides. Aide-moi. Je t'en prie, maman, reviens. Reviens.

Mattie entendit la porte d'entrée s'ouvrir et se fermer. Elle était partie.

– Non ! Non ! Tu ne peux pas partir. Tu ne peux pas m'abandonner. Il faut que tu m'aides. Tu dois m'aider.

Submergée par une nouvelle quinte, Mattie se mit à tousser et à tressauter sur le lit tel un poisson hors de l'eau, le corps agité de contractions incontrôlables. Le chien, affolé, se mit à aboyer.

– Au secours ! cria-t-elle à la maison vide. À l'aide ! Aidez-moi !

Elle se jeta sur la table de nuit, renversa le verre et le flacon de morphine qu'elle regarda rebondir sur le plancher, bascula à leur suite, et atterrit avec un affreux bruit mat sur son épaule gauche, le nez et la bouche écrasés sur la moquette, pendant que le chien se précipitait en gémissant à ses côtés.

Martha resta ainsi étendue une éternité. L'air revenait lentement dans ses poumons. Le chien, couché le long de son épaule, lui donnait de petits coups de langue sur le visage. Le flacon de morphine se trouvait à moins de cinquante centimètres de son nez sans qu'elle pût l'atteindre. Et aurait-elle pu le saisir, à quoi bon, puisqu'elle aurait été incapable de l'ouvrir ? Elle regarda par la fenêtre l'obscurité croissante, en rêvant de s'y enfouir, d'y disparaître, de mettre fin une fois pour toutes à ses souffrances. Elle entendit alors des pas dans l'escalier, puis sur le palier.

Elle rouvrit les yeux.

– Oh, mon Dieu ! Martha ! cria sa mère en se précipitant pour la prendre dans ses bras. Je suis désolée, vraiment désolée, gémit-elle en la berçant dans ses bras.

– Tu es revenue, murmura Mattie. Tu ne m'as pas abandonnée !

– J'ai voulu le faire.

– Mais tu ne l'as pas fait.

– J'ai ouvert la porte d'entrée. Mais quand je t'ai entendue crier je n'ai pas pu partir, dit-elle d'une voix tremblante. Je vais te remettre dans ton lit.

Elle la souleva tant bien que mal, arrangea les oreillers derrière sa tête, remonta les couvertures puis lentement, sans un mot, elle ramassa le verre et l'emporta dans la salle de bains. Mattie entendit l'eau couler, regarda sa mère revenir à pas lents, le verre à la main. Elle le posa sur la table de nuit, se pencha pour ramasser le flacon de morphine, l'ouvrit, écrasa vingt comprimés dans la cuillère avant de les dissoudre dans l'eau. Puis elle passa un bras autour du cou de Mattie, porta le verre à ses lèvres et la fit boire doucement.

C'était amer et Mattie dut faire un effort pour avaler. Le goût des ténèbres, pensa-t-elle. Elle regarda fixement le verre se vider jusqu'à la dernière goutte.

– Merci.

Sa mère le reposa sur la table de nuit puis elle se serra maladroitement contre Mattie et prit sa tête contre son cœur qui battait la chamade.

– Je t'aime, Mattie.

Mattie ferma les yeux, rassurée de savoir que sa mère resterait avec elle jusqu'à ce qu'elle s'endorme.

– C'est la première fois que tu m'appelles Mattie.

Pendant un moment, elle resta immobile. Puis elle sentit peu à peu l'air tourbillonner autour d'elle et ses membres se décontracter et bouger. Bientôt elle vit ses bras piquer devant et se sentit battre des pieds. Elle nageait, se dit-elle en riant silencieusement, elle émergeait de l'obscurité vers la lumière, sous la garde et la protection de sa mère.

Mattie pensa à Jake et à Kim, combien ils étaient beaux, combien elle les aimait. Elle leur adressa des baisers silencieux, puis elle se glissa doucement derrière un nuage et disparut.

34.

Mattie souriait.

Jake regardait amoureusement la photo qu'il tenait entre ses mains et suivit du bout du doigt les lèvres incurvées de Mattie qui lui souriait depuis sa chaise devant les Tuileries. « *C'est magnifique, n'est-ce pas* [1] *?* » l'entendait-il s'exclamer. Il passa au cliché suivant où on la voyait appuyée contre un nu en bronze de Maillol. Magnifique, approuva-t-il doucement, en se tournant vers la fenêtre de son bureau. Son regard fut attiré par les feuillages encore verts des arbres qui dansaient dans la brise de ce mois d'octobre particulièrement doux. Il ramena les yeux sur la pile de photos. Ne s'était-il vraiment écoulé que six mois depuis leur voyage à Paris ? Était-ce possible ?

Trois semaines s'étaient-elles déjà écoulées depuis la mort de Mattie ?

Il ferma les yeux et pensa à la dernière soirée de Mattie. Kim et lui avaient quitté le match de base-ball avant la fin et, après une courte halte à l'épicerie pour acheter du lait et du jus de pomme, ils étaient rentrés chez eux plus tôt que prévu. La voiture de grand-mère Viv était toujours dans l'allée et ils l'avaient entendue tourner à l'étage un moment avant de se décider à faire son apparition.

— Comment va-t-elle ? avait-il demandé.

— Elle dort paisiblement, avait-elle répondu.

« Elle dort paisiblement », répéta Jake en se revoyant approcher de leur lit et écarter quelques mèches de son visage, en prenant garde de ne pas la réveiller. Elle respirait régulièrement. Il s'était déshabillé et couché contre elle. « Je t'aime », lui avait-il murmuré à plusieurs reprises, en luttant pour rester les yeux ouverts et veiller sur elle jusqu'à l'arrivée rassurante de la lumière du jour. Mais il avait fini par s'endormir quand soudain, à trois heures du matin, il s'était réveillé en sursaut comme si quelque chose, ou quelqu'un, l'avait tapé sur l'épaule et secoué doucement jusqu'à ce qu'il ouvre les yeux.

Il avait cru d'abord que c'était Mattie, qu'elle avait Dieu sait comment retrouvé l'usage de ses bras. Mais en la voyant toujours allongée dans la même position, il avait retenu son souffle et avait alors remarqué le silence absolu qui emplissait la pièce : c'était cela qui l'avait réveillé. Il s'était penché sur elle et avait

---

1. En français dans le texte. *(N.d.T.)*

effleuré son front de ses lèvres. Elle était étrangement froide. Il avait remonté machinalement les couvertures sur ses épaules, s'entêtant à attendre que son souffle régulier reprenne. Mais rien ne s'était passé et il avait brusquement compris qu'elle était morte.

Jake regarda les photos de Mattie à Paris, les yeux aveuglés de larmes. Il l'avait reprise dans ses bras et était resté serré contre elle jusqu'au matin.

– Qu'est-ce que tu fais ? demanda Kim depuis le seuil de la porte, d'une voix hésitante, comme si elle craignait de le déranger.

– Je regarde les photos de ta mère. – Il essuya ses larmes sans chercher à les cacher et sourit en voyant le chiot collé aux jambes de sa fille. – Je voudrais en faire encadrer.

Kim se laissa tomber sur le canapé et se serra contre lui pendant que George venait se rouler en boule sur ses genoux.

– Elle est belle sur toutes les photos.

– Oui, c'est difficile de choisir.

– Fais voir. – Kim les lui prit des mains et les étudia soigneusement. – Pas celle-ci, dit-elle, d'une voix qui se voulait objective, trahie par un petit tremblement qui n'échappa pas à Jake. Elle est floue. Et celle-ci est mal cadrée. On voit trop de trottoir. En revanche, celle-là est excellente.

Elle regardait une photo de Mattie devant Notre-Dame, ses cheveux joliment ébouriffés par le vent, ses yeux plus bleus que le ciel parisien.

– Oui, je l'aime bien.

– Et celle-ci, continua Kim en lui tendant la photo prise par le touriste japonais devant la tour Eiffel.

– Même si elle est mal centrée ?

– Elle est belle. Vous avez vraiment l'air heureux.

Jake sourit tristement et serra sa fille contre lui, sous le regard jaloux de George.

– Comment s'est passée cette journée ? demanda-t-il.

– Pas trop mal ? Et toi ?

– Pas trop mal.

– Elle me manque tellement.

– À moi aussi.

Un éclat de soleil traversa la pièce tandis qu'un vrombissement parvenait jusqu'à eux.

– Je crois entendre une voiture dans l'allée. – Kim posa doucement George par terre et s'extirpa du canapé pour aller regarder par la fenêtre. – C'est grand-mère Viv !

Jake sourit. Elle leur rendait souvent visite depuis la mort de Mattie, passant à l'improviste prendre une tasse de café ou simplement les embrasser.

– Elle nous apporte quelque chose, remarqua Kim en se mettant sur la pointe des pieds.

Jake rejoignit sa fille à la fenêtre au moment où la vieille dame extirpait un objet encombrant de la banquette arrière.

– Qu'est-ce que c'est ? demanda Kim.

C'était large, rectangulaire et enveloppé de papier kraft.

– On dirait un tableau, dit Jake.

Grand-mère Viv les aperçut derrière la fenêtre et faillit laisser tomber son paquet en leur disant bonjour.

– Qu'est-ce que c'est, grand-mère ?

Kim avait couru lui ouvrir la porte et George sautait de joie autour d'elle

– Bonjour, le chien, laisse-moi passer. Allons, allons ! – Elle appuya le paquet contre le mur, serra Kim dans ses bras et salua chaleureusement Jake. – Laisse-moi retirer mon manteau, George. Oui, tu es un bon chien.

Jake pendit le manteau dans le placard à côté de celui de Mattie. Il ne s'était pas encore occupé de ses vêtements mais il devrait bientôt le faire. Il était temps. Temps pour lui de reprendre son travail, temps pour Kim de reprendre ses cours, temps pour eux tous de reprendre le cours de leur vie. *The time for hesitating is through*, fredonna-t-il distraitement en lui-même, en se demandant pourquoi cette vieille rengaine lui revenait à l'esprit.

– Qu'est-ce que c'est, grand-mère ? répéta Kim.

– Quelque chose qui devrait vous faire plaisir.

Elle porta le paquet au salon, s'assit sur le canapé et attendit que Jake et Kim prennent place dans les fauteuils en face d'elle. Puis elle déchira le papier kraft et révéla le portrait d'une petite fille aux cheveux blonds et aux yeux bleus qui souriait d'un air timide. Il s'agissait d'une peinture d'amateur, médiocre sur le plan technique et qui manquait de finesse, cependant le sujet était très reconnaissable.

– C'est Mattie, dit Jake en se levant de son fauteuil pour l'examiner de plus près.

Il posa le tableau contre la table basse au milieu de la pièce.

– C'est maman ?

– Quand elle avait quatre ou cinq ans, murmura la vieille dame en s'éclaircissant la gorge. C'est son père qui l'a peint.

Kim et Jake se tournèrent vers Viv et attendirent qu'elle continue.

302

Elle se racla encore la gorge.

– J'ai dû le mettre au grenier quand il est parti. Et je l'ai oublié jusqu'à ce matin. Je ne sais pas pourquoi, je me suis réveillée en y pensant. J'ai dû en rêver. Bref, je suis montée là-haut, ce qui n'a pas été facile, croyez-moi, et il était là, toujours en bon état et moins mauvais que dans mon souvenir. Je me suis dit que ça vous ferait plaisir de l'avoir.

Jake écarta des mèches imaginaires du front de l'enfant. Quelle ravissante petite fille ! Et elle n'avait fait qu'embellir en grandissant.

– Merci, dit-il.

– Merci, grand-mère.

Kim se leva de son fauteuil pour aller se blottir contre elle.

– Je n'ai jamais compris qu'il ait pu partir ainsi. Comment a-t-il pu laisser sa fille ? Ils étaient si proches. – Elle secoua la tête. – J'en étais jalouse. Je me disais : pourquoi ne s'occupent-ils jamais de moi ? Quelle idiote ! Mais quelle idiote j'étais d'en vouloir à ma propre fille et de la négliger alors qu'elle avait tant besoin de moi !

– Tu ne l'as pas négligée, dit Kim.

– Si. Pendant toute son adolescence...

– Tu as été là quand elle avait le plus besoin de toi. Tu as tenu ta promesse, grand-mère, chuchota Kim. – La vieille dame couvrit sa bouche de sa main pour étouffer un cri. – Tu ne l'as pas laissée tomber.

Jake, qui avait suivi l'échange entre Kim et sa grand-mère, sentit un frisson lui parcourir l'échine, confirmant ce qu'il avait toujours soupçonné. Il ferma les yeux et prit une profonde inspiration. Puis il se laissa tomber sur le canapé et les serra toutes les deux contre lui.

Ils restèrent quelques instants enlacés en silence, le chien sautant des genoux de l'un à l'autre à la recherche d'un endroit confortable où s'installer.

– Qu'allons-nous faire sans elle ? soupira grand-mère Viv.

Ce n'était pas une question.

– Je ne sais pas, répondit néanmoins Jake. Continuer à vivre. Prendre soin les uns des autres, comme elle le souhaitait.

– Tu crois que nous pourrons être à nouveau heureux ? demanda Kim.

– Un jour, dit Jake en l'embrassant sur le front, le regard perdu sur le portrait où il voyait Mattie lui sourire derrière le visage de la petite fille timide. En attendant, ajouta-t-il d'une voix douce, nous n'aurons qu'à faire semblant.

IMPRESSION
IMPRIMERIE GAGNÉ

IMPRIMÉ AU CANADA